# 신 프랑스 명시선

# 신 프랑스 명시선

## 중세 서정시에서 현대시까지

민희식 · 손무영 편역

# 결코 쉽지 않았던《신 프랑스 명시선》발간 작업

인생에는 누구나 다 할 수 있는 일이지만 거의 할 생각을 하지 않는 일이 세 가지가 있다. 그것은 첫째 여러 가지로 생각하는 일, 둘째 그 생각의 뚜렷한 목표를 세우는 일, 셋째는 그 일을 계속적으로 실천하는 일이다. 내가 학생들을 36년간 가르쳐보니 이 둘째, 셋째 사항을 실천 못하는 사람이 너무 많았다.

6·25 때의 일이다. 소년병으로 군대에 복무하면서 대구에서 부산까지 내려갔었다. 그때 부산의 대신동에는 모교(경기고등학교)가 있어 너무 그립고 반가운 마음에 찾아갔었다. 가보니 임시로 천막이 쳐져 있었고 여러 학우들이 그곳에 남아서 학업에 열중하는 모습을 보니 너무나 기뻤다.

우선 교감선생님을 만나서 전후 사정을 말씀드리고 대학에 입학할 수 있는 3학년으로 등록을 하였다. 그러나 강의는 거의 없었고 많은 시간을 미군의 비행장 건설 작업에 동원되었다. 하여튼 부산에 온 것은 천만다행으로, 2, 3학년 공부한 서류를 다시 만들어 대학 입학원서를 신청하였다.

대입 신청서를 작성할 수 있게 된 것은 다행이었으나 교감선생이 나를 걱정하여 원서를 써주기를 거부하였다. 그 이유는 지금 중공군이 몰려와 나라의 존망이 위태로운데 불문과를 지원한다는 것이 마음에 들지 않는다는 것이다. 교감선생은 3일간 원서를 접수하는 것을 보류하고 나를 설득하였다. 지금 이 시대에 가야 할 길은 의과대학, 법과대학, 공과대학, 상과대학이지 그 외에는 원서를 써줄 수 없다는 것이었다.

이 난시에는 공과에 가면 기술을 배우고, 의과는 사람의 병을 고치고, 법과는 사람들의 다툼이 많아 중재할 수 있고, 상과는 장사로 먹고 살 수 있다. 기술자, 의사, 법조인, 상인은 먹고 살 수 있지만 문과대학을 나와서 장차 어떻게 살아갈 작정이냐는 것이었다. 그래서 문과를 지원한 나와 미술대학을 지원한 두 명은 입학원서가 거부당했다. 나는 끝까지 버티어 할 수 없이 불문과로 지원한 원서를 받아주었지만 친구 이군은 체념하고 공과대학으로 변경하여 신청하였다.

나는 불문과에 합격하여 미친 듯이 불문학을 공부하였고, 친구는 공과대학 금속학과에 갔지만 그래도 가끔 시간을 내서 그림 그리는 일을 게을리하지 않았다. 그림을 너무 잘 그려서 학창시절에는 여러 번 상을 받기도 한 친구였다.

내가 대학을 졸업하고 프랑스에 유학을 갔을 때 그 친구가 어느 날 파리에 왔다. 전기관계로 프랑스와 계약을 맺는 일 때문에 왔다고 했다. 친구는 파리체재 동안 파리관광은 하지 않고 그림 도구를 사서 뤽상부르 공원 연못가에서 하루 종일 그림만 그렸다.

어느 날 병원에 갔다 오던 프랑스 국립미술관장이 지나가다가 우연히 친구가 그린 그림을 보고 너무 감탄하여 그를 초대한 일이 있었다. 마침 내가 그 자리에 있어서 통역을 해주었다. 후에 친구의 그림은 웬만한 미술가도 출품하기 어려운 그랑팔레의 큰 전시회에 초대되어 대인기를 끌었고 많은 미국인이 그의 그림을 사려고 서로 다투었다. 나는 이 일로 매우 감명을 받았다. 프랑스 미술관장은 그 후 가끔 친구를 만나기 위해 한국까지 찾아오기도 했다.

나는 그때 깨달은 바가 있었다. 프랑스의 미술관장이 이군의 그림을 보고 그의 재능을 발견하여 크게 키워준 태도에 깊은 감명을 받았다.

내가 계명대학교에서 프랑스 문학을 강의할 때 유독 눈에 뜨이는 학생이 있었다. 눈에서 빛이 나며 시 강의를 한자 한자 노트에 쓰고 집에 돌아가서도 새벽까지 그것을 외우는 명석하고 성실한 학생이었다. 나는 여기에 감동하여 그녀를 틈나는 대로 지도했는데 그녀의 재능은 상식을 벗어날 정도로 뛰어났다. 알고 보니 그녀는 내가 강의한 시를 아침 5시에 일어나 외우고 익혔고 그 밖의 불문학에 대해서도 놀랄만한 지식을 가지고 있었다. 나는 이러한 열의에 넘치는 우수한 학생을 보고 그녀를 키워주고 싶어졌다.

대학을 퇴직하고 그 후 오랜 세월이 지났다. 어느 날 나와 친하게 지냈던 교수가 찾아와 프랑스 시를 완전히 번역하고 주를 다는 것이 자기의 소원이며 죽기 전에 이 일을 같이 하자고 제의했다. 그는 모든 비용을 자기가 댈 테니 책을 잘 만들어 여태까지 나온 적이 없는 멋있는 책을 만들어보자고 제의했다. 1970년에 이미《프랑스 명시선 – 목신의 오후》라는 제목으로 프랑스 시를 번역·해설한 바 있는지라, 더 보충하여 전 프랑스 시를 아우르는 방대한 작업을 기획했다.《프랑스 명시선 – 목신의 오후》가 발간될 당시 주한 프랑스 대사의 추천과 함께 극찬을 받은 바 있었다.

그러나 이 계획은 좋았으나 일을 실천에 옮기지는 못했다. 눈이 내리는 어느 날, 1단계의 계획을 마치고 2단계에서 3단계로 들어갈 무렵 그 교수는 도저히 할 수 없다면서 일방적으로 포기를 선언하였다.

나는 너무나도 큰 충격을 받았고 어느 날 집 근처의 공원 계단을 내려오다 넘어지는 사고를 당했다. 계단 밑바닥까지 굴러 떨어져서 지나가는 사람도 죽었다고 생각했을 정도로 심하게 다쳤다. 마침 내가 주례를 서 준 초등학교 교사가 집 근처 공원 부근을 지나다가 나를 발견하여 살게 되었다.

대구에 살고 있는 손무영 선생이 이 소식을 듣고 찾아와서 온몸이 상처투성이가 된 나를 보고 눈물지었다. 나는 그녀에게 내가 마지막으로 프랑스 시집을 내려고 준비를 하고 있었는데 뜻을 이루지 못하고 세상을 떠나게 될 것이 더 마음 아프다고 한숨을 쉬었다. 손 여사는 내 손을 잡고 내가 그 책을 낼 수 있도록 돕겠다고 하였다. 그러면서 자기가 이전에 강의한 노트가 있으니, 그것을 바탕으로 선생님과 함께 시집을 내겠으니 걱정하지 마시라며 위로해 주었다.

그 후 손 여사는 하루에 10시간 이상 프랑스 시를 정리하고 번역하여 나에게 보여주며 고쳤고, 나도 용기를 내어 원고를 수정하고 정리하여 거의 1년에 걸쳐 드디어 프랑스 시집이 완성되었다. 그녀의 이런 결의와 계획, 그리고 실천이 없었다면 이 책을 완성하는 것은 불가능했을 것이다. 30년 이상 불문학 강의를 해왔는데, 또 한 사람의 참된 제자를 얻은 점에서 나의 인생에 대해서 비할 데 없는 행복을 느꼈다. 나의 뜻을 이루어 주기 위해 그녀가 나의 강의를 보충하여 완성한 작품은 참으로 의미 있는 일이었다. 나는 손 여사에게 크게 감사하고 이 책을 세상에 내놓게 된 것이 인생의 큰 행운이라고 생각하게 되었다.

이 프랑스 시선이 세상에 나오게 된 것은, 돌이켜 보면 1959년 프랑스에 국비유학 할 수 있도록 도와준 프랑스 문화원에도 있는 바, 그 점에 대해서도 깊은 감사를 드린다. 소책자《프랑스 명시선 – 목신의 오후》를 출간할 때 자진하여 추천서를 써주신 당시의 프랑스 대사님께도 깊은 감사의 마음을 간직하고 있음을 전하고 싶다.

또 '문학의문학'의 홍행숙 님, 우영창 님 그리고 편집을 맡아 노고를 아끼지 않은 노승우 님을 비롯한 여러분들께도 심심한 감사의 마음을 전해드리고 싶다.

2019년 7월

민희식

차례

## 2 르네상스 시

## 3 고전주의 시



## 4 낭만주의 시

## 5 고답파 시



## 6 상징주의 시

## 7 모데르니슴 시 1 (모데르니슴, 자연주의, 신고전파)



## 8 모데르니슴 시 2 (초현실주의, 입체파, 저항시, 전후시)

# 부록

AMBASSADE DE FRANCE
EN CORÉE

# PREFACE

Voici, offerte au public lettré coréen, la première Anthologie bilingue de la poésie française, intitulée, en hommage à Stephane Mallarmé, "L'Après-Midi d'un Faune". A côté de sa traduction, enrichie de nombreuses notes, M. le Professeur Mine Hisik a voulu que les textes fussent mis à la disposition de ses lecteurs.

Avant tout se posait la question du choix. M. Mine Hisik a rassemblé un merveilleux et délicat bouquet qui fait la part la plus belle aux poètes du XIXème et du XXème siècles, mais en y mêlant Charles d'Orléans, Ronsard, du Bellay, Marot... Parmi les modernes, je suis heureux de la place faite à Guillaume Appolinaire et pour ceux de notre temps à Robert Desnos et à Prévert; je me réjouis également de voir présenter à nos amis Coréens Paul Eluard, André Breton, Aragon et Henri Michaux.

J'espère que nombreux seront les lecteurs qui saisiront cette occasion de connaître la poésie française, dont l'accès leur est facilité par l'érudition de M. Mine Hisik et sa brillante connaissance de la langue française./.

Frédéric Max
Ambassadeur de France en Corée.

Séoul, le 12 décembre 1970

# 초판 추천사

여기 스떼판느 말라르메에게 경의를 표하며, 《목신(牧神)의 오후》란 제목으로, 한국 독자에게 제공된 한국어 · 프랑스어로 된 최초의 프랑스 시집이 있다. 수많은 풍부한 주석(註釋)으로 풍성한 번역을 통해 민희식 교수는 시(詩)가 독자들이 좋아하는 흐름으로 읽혀지기를 바라고 있다.

무엇보다 선택의 문제가 앞선다. 민희식 교수는 19세기와 20세기 시인(詩人)들의 가장 좋은 시들로 된 놀랍고 우아한 꽃다발을 모았는데, 물론 거기에 샤를 도를레앙, 롱사르, 뒤 벨레, 마로의 시도 빼놓지 않았다 … 현대 시인들 가운데서, 기욤 아뽈리네르, 오늘날의 로베르 데스노스, 프레베르에게도 지면(紙面)을 주었다. 또한, 이에 못지않게 우리 한국 친구들에게 뽈 엘뤼아르, 앙드레 브르똥, 아라공과 앙리 미쇼를 소재한 것을 보고서, 나는 기쁨을 느낀다.

그리고, 이번 기회에 민희식 교수의 탁월한 프랑스어 지식과 박식에 의해서, 수많은 독자들이 프랑스 시(詩)를 쉽사리 이해하게 되기를 희망한다.

프레데릭 막스
(주한 프랑스 대사)

서울, 1970년 12월 12일

# 1

# 중세 시

전쟁과 빈곤과 페스트가 지배해 온 중세에는, 무훈시와 함께, 빈곤과 악 그리고 죽음을 다룬 시들이 주종을 이룬다. 그 와중에서도 사랑의 테마만은 메마름이 없이 지속적으로 찬양되어 온 것이 특징이다.

# 1. 뤼트뵈프

종글뢰르라고 불리는 직업시인으로 성 루이 9세에서 호탐왕 필립 3세의 시대에 걸쳐 파리에서 살았다. 극도로 가난했고 빈곤, 굶주림, 악, 노년, 죽음과 같은 중세의 일반적 주제를 노래했다. 창작 영역은 다양하여 《뤼트뵈프의 죽음》, 《뤼트뵈프의 빈곤》, 《성녀 엘리자벨 ▶

## 성녀 엘리자벨 전

자기의 육체를 믿는 자는 가장 어리석은 자,
죽음이란 육체에 달라붙어,
육체가 눈 떠 있는 동안에는 결코 잠드는 일이 없다.

이처럼 죽음은 언제나 육체에 달라붙어 있다.
막대한 재산도 빌린 물건에 불과하고.
모든 것은 사라지며 아름다움도 지식도 소용없는 것이다.
그런 것을 자랑하는 자가 가장 어리석은 자이다.
그런 것을 바라건 말건 그것은 다 사라진다.
어리석음과 오만은 똑같은 혈통으로,
다 육체에 얽매어 있다.
모든 것은 지나간다. 성서에 있지 않은가,
예수 크리스트의 사랑 외에 모든 것은 어리석다.

## Rutebeuf, 1245-85

전》등 시인 개인의 비참한 생활과 종교시를 썼다. 그 세기 후의 서정적 시의 선구자로 평가되고 있다.

# La Vie sainte Elysabel

Mult est fols qu'en son cors se fie,
Quar la mort, qui le cors desfie,
Ne dort mie quant li cors veille,

Ainz li est toz jors à l'oreille:
N'est fors qu'aprèz li granz avoirs.
Tout va, et biauté et avoirs:
Por c'est cil fols qui s'en orgueille;
Quar il l'esprent, vueille ou ne vueille.
Folie et Orgueil sont parent;
Sovent i est bien apparant.
Tout va, ce trovons en escrit,
Fors que l'amor de Jhésu-Crist.

## 2. 외스타슈 데샹

파뉴 지방 베르베 생. 숙부 마쇼의 밑에서 자라 시가의 길에서 그의 제자가 된다. 발루아 왕조의 여러 직에 봉사한다. 작품은 방대하여 1000편 이상의 발라드 200편의 롱도, 정형시가 300편이 넘는다. 그 외에 12,000행에 이르는 풍자시 등 프랑스어에 의한 최초의 시법으로 후에 대압운파大押韻派[1]의 근거가 된 시의 길을 열었다. 15세기의 시인들에게 절대적 영향을 미쳤고 전쟁에 반대하는 시와 사랑의 시도 ▶

### 비를레[2] (어느 소녀의 자상한 자화상)

나는, 나는 예쁜가요?
이마는 예쁘고,
얼굴은 보드랍고,
입술은 좀 붉은 듯 생각되는데,
말해 보세요. 내가 정말 예쁘지요.

눈은 맑고 눈썹은 가늘고,
금발에 콧날은 높고,
턱은 둥글고 목은 하얀데,
나는, 나는 예쁜가요?

1 15~16세기에 사랑, 죽음 등 상투적인 주제를 과장된 문체와 말장난으로 표현한 시.
2 10절과 후렴을 가진 단시. 프랑스 중세시의 일종.

## Eustache Deschamps, 1346?-1406?

유명하다. 백년 전쟁, 페스트의 유행, 기후의 변화가 봉건제후나 궁전의 경제적 기반을 흔들어, 서민계급의 생활은 비참했다. 십자군 사상, 기사도 정신도 상실되고 전쟁이라는 냉혹한 현실만이 있었다. 결과적으로 전쟁을 저주하는 애국시를 많이 쓰게 되었다. 연애시는 그 수는 적은 반면 특출하다.

## Virelay (Portrait d'une pucelle par elle-meme)

Sui je, sui je, sui je belle?
Il me semble, a mon avis,
Et la bouche vermeillette;
Que j'ay beau front et doulz viz
Ditte moy se je sui belle.

J'ay vers yeulx, petis sourcis,
Le chief blont, le nez traitis,
Ront menton, blanche gorgette;
Sui je, sui je, sui je belle?

가슴은 부풀고 키는 크고,
팔은 길고 손가락은 가늘고
허리는 버들가지처럼 날씬한데,
말해 보세요. 내가 정말 예쁜지요.

엉덩이는 살찐 듯하고,
파리 식 멋진 등과 엉덩이,
다리와 허벅지는 단단한데
나는, 나는 예쁜가요?

발은 둥글고 작고,
멋진 신발에, 화려한 옷에,
나는 쾌활하고 귀여워요,
말해 보세요. 내가 정말 예쁜지요.

회색의 털 망토도 있고
모자도 있고, 돈도 있고
은으로 된 머리핀도 많이 있어요,
나는, 나는 예쁜가요.

물결무늬 비단옷도
금색, 흰색, 회색 비단 옷도
예쁜 장신구들도 많이 있어요,
말해 보세요. 내가 정말 예쁜지요.

J'ai dur sain et hailt,
Lons bras, gresles doys aussis
Et par le faulz sui greslette;
Ditte moy se je sui belle.

J'ay bonnes rains, ce m'est vis,
Bon dos, bon cul de Paris,
Cuisse et gambes bien faites
Sui je, sui je, sui je belle?

J'ay piez rondes et petiz,
Bien chaussans, et biaux habis,
Je sui gaie et joliette;
Ditte moy se je sui belle.

J'ay mantiaux fourrez et gris
J'ay chapitaux, j'ay biaux
Et d'argent mainte espiglette;
Sui je, sui je, sui je belle?

J'ay draps de soye et tabis
J'ay draps d'or et blans et bis
J'ay mainte bonne chosette;
Ditte moy se je sui belle.

내 나이는 정말 열다섯이예요.
좋은 보물이 많으니까,
열쇠를 잘 간수해야죠.
나는, 나는 예쁜가요?

이런 처녀의 애인이
되고픈 사내들은,
아주 용감해야 해요.
말해 보세요. 내가 정말 예쁜지요.

하나님께 맹세하건대
그분을 위해 정조를 지키리라,
한번 맹세하면 변함이 없어요.
나는, 나는 예쁜가요?

만일 그분이 상냥하고 순하고,
용감하고 솔직하고 영리하다면,
나는 지고 말 거예요.
말해 보세요. 내가 정말 예쁜지요.

이렇게 젊고 싱싱한 처녀를
영원히 손에 넣는다는 건
이 세상에선 천국이죠
나는, 나는 예쁜가요?

Que XV. ans n'ay, je vous dis;
Moult est mes tresors jolys,
S'en gardereray la clavette,
Sui je, sui je, sui je belle?

Bien devraestre hardis
Cilz qui sera mes amis,
Qui ara tel damoiselle;
Ditte moy se je sui belle.

Et par Dieu je li plevis
que tres loyal, se je vis,
Li seray, si ne chancelle;
Sui je, sui je, sui je belle?

Se courtois est et gentilz,
Vaillant, apers, bien apris,
Il gaignera sa querelle;
Ditte moy se je sui belle.

C'est un mondains paradiz
Que d'avoir dame toudiz
Ainsi fresche, ainsi nouvelle
Sui je, sui je, sui je belle?

여러분들, 마음 약하신 분네들,
내가 말한 것을 잘 생각해 보세요,
여기서 내 노래는 끝이 나요,
나는, 나는 예쁜가요.

Entre vous acouardiz,

Pensez a ce que je diz;

Cy fine ma chansonnette;

Sui je, sui je, sui je belle?

## 발라드 (전쟁에 반대하는)

현세의 신분을 바라볼 때
신분의 높고 낮음을 불문하고 추종하여
결국 여기에 매달려 살며 시달리나니
지금부터라도 휴식을 가지고 싶다
그렇지만 모든 것 가운데 몸과 마음에서
비할 데 없이 악하고 괴로운 것을 들자면
그것은 모든 것을 파괴하는 전쟁이로다
전쟁은 지옥으로 데려갈 뿐이다

[……]

전쟁은 일곱 가지 큰 죄를 범하지 않는가
약탈하고, 강간하고, 서로 죽이며
여자들을 잡아가고 사원을 파괴한다
인간 사이에는 상하관계나 아무런 법도 없고
그리고 이웃이 다른 사람을 짓밟으며
몸과 마음을 파괴해버릴 뿐이다
전쟁을 원하는 자여, 악마에게 부탁하라
전쟁은 지옥으로 데려갈 뿐이다

[……]

## Balade (contre la guerre)

J'ay les estas de ce monde advisser
Et poursuiz du petit jusqu'au grant
Tant que que je suis du poursuir lassez
Et reposer me vueil doresnavant
Mais en trestouz le pire et plus pesant
Pour aame et corps, selon m'entencion
Est guerroier qui va tout detruisant
Guerre mener n'est que dampnacion

.........

Car on y fait les septs pechiez mortelz
Tollir, murdir, l'un va l'autre tuant
Femmes ravir, les temples sont cassez
Loy n'a entr'eulx, le mendre est plus grant
Et l'un voisin va l'autre deffoulant
Corps et aame met a perdiction
Qui guerre suit, aux diables la comment
Guerre mener n'est que dampnacion.

.........

## 3. 기욤 드 로리스Guillaume de Lorris 생존불명와 장 드 묑Jean de Meung, 1240-1315

기욤 드 로리스에 대해서는 알려진 것이 거의 없지만 푸아티에 백작의 보호를 받으며 장미이야기의 앞부분을 썼다고 알려져 있다. 장 드 묑은 묑 쉬르 루아르에서 태어나 생의 대부분을 파리에서 보냈다. 생 자크 거리에 정원이 딸린 집을 소유한 부유하고 존경받는 사람으로 고전과 신앙 관계의 책을 번역하고 상송을 작곡하기도 했다.

### 장미 이야기 Roman de la rose
(제1부 1225-40, 제2부 1269-72)

중세기의 우화 문학의 대표작으로 1부는 당시의 청년작가 기욤 드 로리스가 쓴 8음절 시구 4,058행의 이야기다. 그 후 장 드 묑이 2부에서 8음절 1,722행의 시구를 덧붙여 전부 21,780행의 대작으로 완성했다.

이야기는 작가의 꿈에서 시작한다. 5월의 어느 날 아침, 들을 거니는 시인 앞에 담장이 있는 과수원이 나타나며 그 벽에는 '증오', '탐욕', '인색', '선망', '거짓 신앙' 등 우의적 인물이 시인의 걸음을 멈추게 한다. 이윽고 정원의 문은 '한가함'에 의해서 열리고 청년은 아름다운 풀밭에 이끌려 '환락', '환희', '아름다움', '부유', '예절'에 둘러싸여 지상의 낙원에서 휴식한다. '사랑의 신'이 나타나자 청년은 극도의 도취에 사로잡혀 '장미꽃=사랑하는 여인'을 꺾으려 한다. 여기에서 800행에 이르는 연애 방법이 전개되며 '예절'의 아들 '환대'가 '장미'꽃의 숲에 데리 ▶

고 가지만 '수치'가 나타나 '욕설', '공포', '치욕'과 함께 청년을 내쫓는다. 이 숙명적인 사랑의 정열을 깨우치기 위해서 '이성'이 탑에서 내려와 설득하나 듣지 않는다. 이윽고 '환대'의 도움으로 장미와의 입맞춤이 이루어진다. 모든 고뇌를 잊게 해주는 입맞춤, 사랑의 기름과 괴로움은 3478-3498행에 상세하게 나타나 있다. 이 장면을 목격한 '욕설'과 '질투'가 급히 '환대'를 탑 속에 가두어 버린다. 홀로 남은 청년은 사랑의 고뇌에 휩싸여 탄식한다.

제2부에서는 '이성'이 나타나, 2,000행에 이르는 사랑의 미로에서 헤매는 인간에 대한 설득이 펼쳐지나 그는 '이성'을 물리치고 '친구'의 곁으로 간다. '친구'는 여인을 유혹하는 여러 가지 방법을 말하고 결혼에 대해서 풍자한다. 그 속에는 기사도제도 비판과 여성에 대한 공격을 볼 수 있다.

'환대'의 부하 '예절', '관용', '대담성', '강제욕망 억제', '위선'이 '환대'가 유폐된 탑을 공략하며 그 속에 당시의 위선가 승려, 수도승에 대한 비판이 드러난다. 이윽고 '욕설'을 교살하고 '환대'를 구원한다. 다시 적의 세력이 밀려오자 '비너스'의 지휘 아래 총공격이 시도된다.

결국 인간은 자연의 법칙을 따라야 하므로 청년의 욕망도 당연한 권리로 인정받고 '사랑하는 청년'은 장미를 꺾지만 먼동이 트자 꿈에서 깨어난다.

이 작품의 제1부는 궁정의 우아한 사랑의 감정에 대한 우의적 표현이 지배적이지만 제 2부에서는 그런 흔적이 사라지고 당시의 인간의 교양을 토대로 한 자연주의적 백과사전적 지식이 기반이 되어있다. 특히 제 2부는 그 후 '장미이야기 논쟁'을 일으켜 차차 '여성 논쟁'으로 전개되어 라블레의 〈제3의 서〉에서 크게 다루어지게 된다.

## 4. 크리스틴 드 피장

이탈리아의 의사이자 공화국의원이며 점성학자인 부친의 딸로 태어났다. 프랑스로 이주한 아버지가 샤를 5세를 보위했고 그녀는 파리에서 라틴 문학, 이탈리아 문학, 프랑스 문학에 정통하게 되었다. 1378년 결혼했으나 11년 후 남편이 죽자 생계를 꾸려가기 위해 집필생활을 한다. 마쇼의 영향을 받고 사랑을 노래하는 정형시를 쓰게 되었다. 여권옹호자로 여성교육을 부르짖었고 여성들이 사회에 공헌할 수 있는 능력과 자질을 갖출 것을 촉구했다. 장 드 묑의 여성 혐 ▶

### 발라드

오직 혼자, 오직 혼자 있고 싶다,
오직 혼자, 남편도 사라지고,
오직 혼자, 친구도 주인도 없이,
오직 혼자, 슬프고 외롭게,
오직 혼자, 여러 생각에 신음하며
오직 혼자, 여느 여자보다도 버림받은 체,
오직 혼자, 혼자 있다.

오직 혼자, 창문에 기대고,
오직 혼자, 구석장에 몸을 감추고,

오직 혼자, 나를 위해 눈물에 잠기고,

## Christine de Pisan, 1364-1430

오시《장미 이야기》에 이의를 제기하며 쓴 작품이《여인들의 도시》로, 사회에 기여한 역사 속 여성들의 사례를 발굴하여 저서에 담았다. 여성의 모성의 가치를 강조하고 전쟁고아와 과부 등 현실 문제를 정면으로 다루었다. 최근 프랑스 학계에서 가장 활발하게 연구되고 있는 시인이기도 하다.

### Ballade

Seulete suy et seulete vueil estre,
Seulete m'a mon doulz ami laissiée,
Seulete suy, sanz compaignon ne maistre,
Seulete suy, dolente et courrouciée,
Seulete suy en languour mesaisiée,
Seulete suy plus que nulle esgarée,
Seulete suy sanz ami demourée.

Seulete suy a huis ou a fenestre,
Seulete suy en un anglet muciée,

Seulete suy pour moy de plours repaistre,

오직 혼자, 슬퍼하고 마음 편하게,
오직 혼자, 뜻대로 되는 일도 없이,
오직 혼자, 스스로 자기 방에 갇혀서,
오직 혼자, 혼자 있다.

오직 혼자, 도처에 어디에서나,
오직 혼자, 밖에서나 안에서나,
오직 혼자, 어떠한 삶도 바라지 않고,
오직 혼자, 모두에게 버림받고,
오직 혼자, 계속 멸시당하고,

오직 혼자, 때로 완전히 멸시당하고,
오직 혼자, 혼자 있다.

그대여 나의 비참함은 지금 시작되어
오직 혼자, 슬픔에 핍박받고,
오직 혼자, 뽕나무 열매[3]처럼 색이 변해

오직 혼자, 혼자 있다.

---

3 슬픔과 고통을 나타냄.

Seulete suy, dolente ou apaisiée,
Seulete suy, riens n'est qui tant me siée,
Seulete suy en ma chambre enserrée,
Seulete suy sanz ami demourée.

Seulete suy partout et en tout estre.
Seulete suy, ou je voise ou je siée,
Seulete suy plus qu'autre riens terrestre,
Seulete suy de chascun delaissiée,
Seulete suy durement abaissiée,

Seulete suy souvent toute abaissiée,
Seulete suy sanz ami demourée.

Princes, or est ma doulour commenciée
Seulete suy de tout dueil menaciée,
Seulete suy plus tainte que morée,

Seulete suy sanz ami demourée.

## 5. 알랭 샤르티에

노르망디 지방 바이유 생. 파리 대학에서 배우고 후에 황태자 샤를 7세에 봉사한다. 문인으로서 15세기에 최대의 명예를 남겼다.《평화의 ▶

### 평화의 단시

신이여, 그 무슨 악행, 그 무슨 손해
그 무슨 불행, 그 무슨 난행
그 무슨 행위, 그 무슨 강탈
그리고 보잘 것 없는 행운이
당신들의 전투에서 일어났는가
그리고 얼마나 많은 과부와 여인이
유산도 없는 고아가 되고
그 얼마나 많은 집
그리고 경작지
또한 마을이
읍이, 성곽이, 마을의 거리가
불태워지고 사라졌는가

## Alain Chartier, 1385-1433

단시》와, 네 명의 귀부인이 전사한 연인들을 생각하며 비애에 잠긴 모습을 담은 장시《네 귀족 이야기》가 유명하다.

## Lay de la Paix

Dieu quelz maulx et quelz domages
quelz meschiefz et quelz oultrages
quelz ouvrages
quezl pillages
et quelz forfaiges
et quantz petiz avantages
sont venuz par boz debatz
Quantes dames en vefuages
orphelins sans heritages
et mensonges
labourages
et villages
bourgz villes chasteaulx passages

## 6. 장 메시노

낭트 태생. 1442년 이래 브르타뉴 궁전에서 무사 생활을 하며 대압운파의 시인으로 활약한다. 대표작은《왕후의 안경》(1460)으로 1부가 자서전 2부가 왕에게 덕을 권하는 3,000행에 이르는 교훈시로 되 ▶

### 이성 결여의 발라드

오만이 인간을 사로잡고
선망은 도처에서 싸움을 일으키고
인색함이 많은 자에게 피해만 주고
분노는 젊은이와 노인 사이에 소동을 낳고
건강은 놀랄만한 탐욕으로 망쳐가고
음탕함은 모든 인간을 끈에 매어 끌고 가고
태만은 결국 좋은 일에는 아무 도움이 되지 않고
전쟁은 아무 것도 아닌 일로 일어나고
잔인함은 인간의 고운 마음씨를 없애고
모든 것은 이성의 결여에 의해 모두 사라지도다.

## Jean Meschinot, 1420-90

어있다. 작시상의 기법이 매우 혁신적이었다. 후대에 그다지 이름을 남기지 못했으나 300 년 후에 그 가치를 인정받는다.

## Ballade du defaut de raison

Orgueil a lieu avecques les humains
Enviё met débat en plusieurs lieux
Avarice porte dommage a maints
Ire a grand bruit entre jeunes et vieux
Gloutonniё fait excès merveilleux
Luxure veut tout mener en sa corde
Paresse enfin a nul bien ne s'accorde
Guerre s'émeut  a bien peu d'achaison
Crudelité  chasse miséricorde
Tout est perdu par défaut de raison.

## 7. 샤를 도를레앙

샤를 6세의 조카로 파리에서 태어났다. 아버지는 음모로 암살당한다. 아쟁쿠르의 전투에서 포로가 되어 영국에서 25년간 유폐생활을 한다. 귀국 후 정치에 나서지만 실패하고 블루아 성에 머물며 귀족들을 초대하여 시가를 읊게 하고 자신도 단가를 쓰며 지내다가 생을 마친 ▶

### 내 사랑은…

내 사랑은
장미와 은방울꽃이 자라는
또 접시꽃이 피는,
조그만 예쁜 정원 안에 있어요,

내 조그만 정원은 아주 즐겁고
온갖 꽃이 갇혀져 있어요,
그리고 그것은 밤이나 낮이나
연인이 지키지요.

슬프게도, 새벽이면 맑게
노래하는 이 부드러운 나이팅게일만큼
그처럼 달콤한 것은 없지요.
지치면 그 새는 쉰답니다.

Charles d'Orleans, 1394-1465

다. 이 체념의 시인은 정형시를 섬세하고 우아한 서정으로 표현하여 궁정풍의 연애시를 완성하였다.

## L'amour de moy sy est enclose

L'amour de moy sy est enclose
En un jolly jardinet
Ou croit la rose et le muguet;
Et aussi fait la passerose,

Mon jardinet est si plaisant
Et garnit de toute fleur;
Et sy est garde d'un amant
Autant la nuit comme le jour.

Helas, il n'est si douce chose
Que ce doux rossignolet
Qui chant clair au matinet:
Quant il est las, il se repose.

어느 날 그녀가 푸른 목장에서
제비꽃을 따는 걸 보았어요.
아주 우연이었는데
더할 나위 없이 아름다웠어요.

나는 그녀의 자태를 바라보았지요.
그녀는 우유처럼 새하얗고,
어린 양처럼 부드럽고,
장미처럼 붉었어요.

Je la vis l'autre jour cueillant,
En un vert pre la viollet,
En me sembla si advenant
Et de beaute la tres parfaite.

Je la regardai une pose:
Elle estoit blanche comme lait,
Et estoit blanche comme lait,
Vermeillette comme une rose.

## 8. 프랑수아 비용

파리 출생. 1452년 파리 대학 학예학부를 졸업하여 문학사를 취득하였다. 쓸데없는 말다툼으로 강도, 살인, 도박 등의 죄를 짓고 교수대에도 두 번이나 올랐으나 다행히 사면을 받는다. 1456년부터 4년 간 프랑스의 중부, 서부 지방에 걸쳐 방랑생활을 한다. 대공 샤를 도를레앙을 알현하여 자기 시를 바치고 그 시회(詩會)에 참석했던 흔적도 있다. 절도 혐의, 싸움 등에 연루되어 사형선고를 받았지만 상고하여 감 ▶

### 비용의 묘비명

우리 이후에 살게 될 인간 동포여,
우리에게 차디찬 마음을 갖지 마시오,
처참한 우리에게 연민의 정을 가지면,
신은 반드시 당신에게 은총을 베풀리라.
보다시피 여기에 억매여 있는 대여섯 명.
이전에는 잘 먹고 잘 산 이 육체도,
찢겨져 썩어버려,
우리의 뼈는 재가 되고 가루가 된다.
우리의 고통을 비웃지 말고,
신에게 우리가 용서받기를 기도해 주시오!

모두를 동포라 부른다 하더라도
경멸하지 말고, 명에 의해 처형된 우리지만

## François Villon, 1431-63?

형되어, 10년간 파리추방의 선고를 받고 1463년 1월 파리를 떠났다. 1461년 후반 무렵에 쓴 대작인《유언시집》에서는 전통적인 시형을 지켜 중세의 정신에 뿌리를 박고 있고 내면생활의 암흑에서 천국으로 가는 경이적인 폭넓은 시를 남긴다.

## L'Epitaphe Villon

Frères humains qui après nous vivez,
N'ayez les cœurs contre nous endurcis.
Car, se pitié de nous pauvres avez,
Dieu en aura plus tôt de vous mercis.
Vous nous voyez ci attachés cinq, six:
Quant de la chair que trop avons nourrie,
Elle est pieça dévorée et pourrie,
Et nous, les os, devenons cendre et poudre.
De notre mal personne ne s'en rie;
Mais priez Dieu que tous nous veuille absoudre!

Ses frères vous clamons, pas n'en devez
Avoir dédain, quoi que fumes occis

알다시피 인간이 다 그런 것은 아니다
인간 모두 변명을 하자면 한이 없다
우리는 죽은 몸이니 잘 수습해 주시오.
성모마리아의 자식으로,
그 은총이 우리에게 미치기를.
지옥의 천둥에서 우리를 지켜주라고.
우리는 죽었소 혼을 괴롭히지 말고,
신에게 우리가 용서받기를 기도해 주시오!
빗물이 우리의 몸을 적시어 씻어주고.
태양에 말려져서 시커멓게 되고,
까치나 새가 눈알을 파내고

머리털도 눈썹도 쑤시고.
잠시도 안정되지 않고,
바람이 바뀌면 이리저리로,
즐거운 듯 계속 우리를 흔들고.
열린 입의 구멍은 무한하도다,
그러니 우리의 친구가 되지는 말고,
신에게 우리가 용서받기를 기도해 주시오!

예수님이시여 모든 것을 다스리는 자여,

우리가 지옥의 지배를 받지 않도록,
지옥과 관련되지 않도록 지켜주시오.

Par justice. Toutefois, vous savez
Que tous hommes n'ont pas bon sens rassi
Excusez nous, puis que sommes transis.
Envers le fils de la Vierge Marie,
Que sa grâce ne soit pour nous tarie.
Nous préservant de l'infernale foudre.
Nous sommes morts, ame ne nous harie,
Mais priez Dieu que tous nous veuille absoudre!
La pluie nous a débués et lavés.
Et le soleil desséchés et noircis;
Pies, corbeaux, nous ont les yeux caves

Et arraché la barbe et les sourcils.
Jamais nul temps nous ne sommes assis;
Puis ça, puis la, comme le vent varie,
A son plaisir sans cesser nous charrie,
Plus becquetés d'oiseaux que dés a coudre.
Ne soyez donc de notre confrérie;
Mais priez Dieu que tous nous veuille absoudre!

Prince Jésus, qui sur tous a maîtrie,

Garde qu'Enfer n'ait de nous seigneurie:
A lui n'ayons que faire ne que soudre.

사람들이여, 이것은 농담이 아니오,
신에게 우리가 용서받기를 기도해 주시오!

Hommes, ici n'a point de moquerie;

Mais priez Dieu que tous nous veuille absoudre!

## 발라드
### (사소한 잔소리의 발라드)

나는 잘 안다 우유 속의 파리를,
나는 안다 입은 옷을 보고 인간을,
나는 안다 좋은 날씨와 나쁜 날씨를,
나는 안다 사과나무를 보면 사과를 안다,
나는 안다 수액을 보면 그 나무 이름을,
나는 안다 다 같은 것이라면,
나는 안다 일하는 자가 게으른가 아닌가를,
나는 전부 다 안다 나의 일만 빼고는.

나는 안다 깃을 보면 옷을 안다,
나는 안다 긴 옷으로 수도자인지,
나는 안다 하인을 보고 주인을,
나는 안다 면사 보고 수도녀를,
나는 안다 도둑이 부적을 쓰면,
나는 안다 크림을 다루는 그의 모습을,
나는 안다 술통을 보고 포도주를,
나는 전부 다 안다 나의 일만 빼고.

나는 안다 말과 염소를,
나는 안다 그들의 짐과 그들의 금액을,
나는 안다 비트릭스와 벨레를,
나는 안다 수를 세어서 계산을,
나는 안다 환상인지 꿈인지,
나는 안다 보헤미아의 이단자를,

# Ballade

## (Ballade des menus propos)

Je congnois bien mousches en laict,
Je congnois a la robe l'homme,
Je congnois le beau temps du lait,
Je congnois au pommier la pomme,
Je congnois l'arbre a veoir la gomme,
Je congnois quant tout est de mesmes,
Je congnois qui besoigne ou chomme,
Je congnois tout fors que moy mesmes.

Je congnois pourpoint au colet,
Je congnois le moyne a la gonne,
Je congnois le maistre au varlet,
Je congnois au voile la nonne,
Je congnois quant parleur gergonne,
Je congnois fols nourris de cresmes,
Je congnois le vin a la tonne,
Je congnois tout fors que moy mesmes.

Je congnois cheval et mulet,
Je congnois leur charges et leur somme,
Je congnois Bietrix et Belet,
Je congnois gect qui nombre assomme,
Je congnois visïon et somme,
Je congnois la faulte des Boesmes,

나는 안다 로마의 권위를,
나는 전부 다 안다 나의 일만 빼고.

왕자여, 나는 모두 다 안다 요컨대,
나는 안다 혈색이 좋고 나쁜 것을,
나는 안다 죽음이 모든 것을 멸한다는 것을,
나는 전부 다 안다 나의 일만 빼고.

Je congnois le pouoir de Romme,
Je congnois tout fors que moy mesmes.

Prince, je congnois tout en somme,
Je congnois colorez et blesmes,
Je congnois Mort, qui tout consomme,
Je congnois tout fors que moy mesmes.

## 9. 장 모리네

부르고뉴 공국의 연대기 작가. 대압운파의 수장으로 수사학을 써서 이 파의 이론을 완성한다. 장 르 메르 드 벨주가 그의 조카이며 제자이 ▶

### 진실

권력으로 넘치는 군주들이여 정신없이 보물만 모으고
수많은 아름다운 말을 거듭하여 쉴 새 없이 연설을 하고,
사람들 위에 군림하여 민중을 짓누르고,
똑 같은 말만 되풀이함으로써 사람들을 박해하고
그러면서 영혼과 육체를 괴롭히는 여러분, …
그 기억은 비탄의 소리로 넘치니,
하늘이 주는 군주의 덕은 어디에 있는가.
사방의 가난한 자는 버림받고 있는데.

무엇을 하고 싶은가 당신들은 이 세상을
끔찍한 전쟁과 죄 많은 약탈로 혼란에 빠뜨리고,
불과 투석기와 난폭한 칼로
육지와 깊은 바다 속까지 폭풍을 일으키고 있지 않느냐,
들에는 마른 버드나무조차 남아 있지 않도다
이처럼 사방을 뛰어다니며 백성들과
도시와 마을을 황폐케 하고 그들이 지나간 후에는
자연에는 꽃 한 송이도 피지 않는도다.

## Jean Molinet, 1435-1507

기도 하다. 종교시, 패러디 시를 남겼으며 그의 시법의 기교와 풍부한 어휘는 당대의 시에 큰 영향을 미쳤다.

### Vérité

Princes puissants, qui trésors affinez
Et ne finez de forger grands discors,
Qui dominez, qui le peuple aminez,
Qui ruminez, qui gens persécutez
Et tourmentez les âmes et les corps, ...
Tous vos recors sont de piteux ahors;
Vous êtes hors d'excellence boutez:
Pauvres gens sont à tous lieux reboutez.

Que faites-vous, qui perturbez le monde
Par guerre immonde et criminels assauts,
Qui tempêtez et terre et mer profonde
Par feu, par fronde et glaive furibonde,
Si qu'il n'abonde aux champs que vieilles saulx?
Vous faites sauts et mangez bonhomeaulx,
Villes, hameaux et n'y sauriez forger
La moindre fleur qui soit en leur verger.

## 10. 장 르 메르 드 벨주

루이 12세에게 봉사한 시인이며 연대기 작가. 대압운파 말기의 시인이지만 그 풍부한 리듬이 후에 플레이아드 파를 예견하게 한다. 서간 ▶

### 양치기의 딸 갈라테의 노래

[……]
가련한 양치기의 딸들
사랑을 약속하고
아름다운 개암나무의
어린나무 아래서
깨끗한 꽃을 따는구나
딸기에 뽕나무 열매
사과에 배
둥근 것도 단단한 것도
갖가지 작은 꽃도
슬픔을 지니고 있다.

[……]

그곳에 숲의 요정과
하마드리아데스[4]가 와서
선녀들과

## Jean le Maire de Belges, 1473-1525?

시를 쓰고 이탈리아 문화와 프랑스 문화를 결합해 새로운 시를 시도한다. 후에 롱사르의 서사시《라 플랑사드》에 영감을 주게 된다.

### Chanson de Galathée, bergère

.........

Gentes bergerettes,
Parlant d'amourettes
Dessous les coudrettes
Jeunes et tendrettes,
Cueillent fleurs jolies:
Framboises, mûrettes,
Pommes et poirettes
Rondes et durettes,
Fleurons et fleurettes
Sans mélancolie.

.........

Là viendront dryades
Et hamadryades,
Faisant sous feuillades

나무 그늘에서 웃으며
잠을 깨우는 노래를 부르리라
개울의 요정 님프에 오레이아스[5]
풀 위에서
너무나 기뻐
뛰어다니네
아침의 노래라도 부르자꾸나 숲의 요정.

4 나무의 요정.
5 숲의 요정.

Ris et réveillades
Avec autres fées.
Là feront naïades
Et les Oréades,
Dessus les herbades,
Aubades, gambades,
De joie échauffées.

## 2

# 르네상스 시

이탈리아를 통해 그리스 로마 문화를 받아들인 프랑스는, 전통의 모방 흡수와 함께 새로운 인문주의적 가치관에 눈을 뜨며 시에서도 리옹파를 중심으로 소네트 형식을 발전시킨다.

## 1. 클레망 마로

대압운파의 시인 장 마로의 아들로 종교개혁 운동에 참가하여 이교도로 탄압받고 이탈리아의 토리노에서 객사하였다. 대압운파로 출발하여 모든 시형의 기교를 시도하여 발라드, 롱도, 서간시 등을 남겼다. 성직자의 타락을 날카롭게 비판한 시《지옥》(1539)이 유명하 ▶

### 파리에서…

사랑스런 도시 파리에서,
어느 날 우울하게 걷다가
나는 새로운 아가씨와 친해졌다
여기서부터 이탈리아까지
가장 예쁜 처녀.
얌전한 그대,
내가 상상하건대
그녀는 정말 예쁜 처녀
파리에서.

나는 당신을 애인이라 부르지 않으리
우리가 다정한 친구가 되지 않는 한
왜냐하면 우정이 맺어졌기에,
당신에게 받는 달콤한 키스로써,
수치스런 생각이 말끔히 없어졌기에
파리에서.

## Clément Marot, 1496-1544

다. 중세 시의 후계자로서의 자각으로《장미 이야기》를 편집하고 새로운 시의 동향에도 민감하여 프랑스에서 처음으로 소네트를 쓰는 등 플레이야드 파의 선구자 역할을 하였다.

## Dedans Paris......

Dedans Paris, Ville jolie,
Un jour passant melancolie
Je pris alliance nouvelle
A la plus gaie damoiselle
Qui soit d'ici en Italie.
D'honnetete elle est saisie,
Et crois selon ma fantaisie
Qu'il n'en est guere de pluss belle
Dedans Paris.

Je ne vous la nommerai mie
Sinon que c'est ma grande amie
Car lalliance se fit telle,
Par un doux baiser, que j'eus d'elle,
Sans penser aucune infamie
Dedans Paris.

## 2. 페르네트 뒤 귀에

리옹시파의 한 사람. 금발의 미인 페르네트는 세브의 평생의 연인으로 두 사람의 관계는 플라토닉한 사제의 관계였다. 젊은 나이에 요 ▶

### 에피그램

더 이상 생각할 것이 없다
해가 지고 밤이 되는 것은,
달이 없는 어두운 밤이 되는 것은,
그런 것은 조금도 문제가 되지 않는다,
나의 태양이 부드러운 빛으로
나의 온몸을 비추어
어둠 속에서 모든 것을 보여주니까.
눈에는 결코 보이지 않는 것을.

## Pernette du Guillet, 1520-45

절하여 《시집》 한 작품만을 남겼다. 세브의 영향으로 청결한 리리시즘에 기초한 아름다운 소품이 있다.

## Épigramme

Jà n'est besoin que plus je me soucie
Si le jour faut, ou que vienne la nuit,
Nuit hivernale, et sans Lune obscurcie:
Car tout cela certes rien ne me nuit,
Puisque mon Jour par clarté adoucie
M'éclaire toute, et tant, qu'à la minuit
En mon esprit me fait apercevoir
Ce que mes yeux ne surent oncques voir.

## 3. 모리스 세브

리옹의 유복한 명문가에서 태어났고 1540년 법학박사의 칭호를 받았다. 이탈리아 시인 페트라르카의 영향을 받아 그의 연인 로르 드 노브의 무덤을 찾으려는 계획에 참여했다. 그녀의 무덤을 발견하고 거기에 있는 시가 페트라르카의 것임을 밝힌다. 1536년에 발표한 5편의 시(블라종, 여성의 육체의 여러 부분을 노래한 시)로 높은 평판을 얻는 ▶

### 델리, 가장 높은 덕의 대상

[……]

내 눈동자의 둥근 빛에 새긴 것은
생기로 넘치는 모습만 아니라
그렇게도 홀린 것 같은 내 영혼,
그 놀라운 기적을 찬양하며,
죽음에 대한 욕망으로 분명히,
거의 죽어 가는데, 그 여신이 나를 깨운다,
그런데 이 무슨 일인가 빛을 주면 줄수록
그녀는 나의 몸을 끝없는 암흑으로 빠뜨리는 것을

## Maurice Sceve, 1501-64

다. 이러한 작품은 페트라르카 풍에 의한 연애시이다. 그 외 작품으로는 전원시와 9,000행에 이르는 철학시《소우주, 1562》등이 있으며 플레이아드 파의 선구자로 16세기의 프랑스 시 사상 매우 중요한 역할을 하였다.

## Delie, objet de plus haute vertu

.........

A imprimé en ma lumiere ronde
Non seulement ses lineamentz vifz:
Mais tellement tient mes espritz raviz,
En admirant sa mirable merveille,
Que presque mort, sa Deité m'esveille,
En la clarté de mes desirs funebres,
Ou plus m'allume, &plus, dont m'esmerveille,
Elle m'abysme en profondes tenebres.

## 4. 퐁튀스 드 티아르

비시의 부유한 귀족으로 태어나 성직자가 되어 시작에 열중한다. 리용 파의 세브를 스승으로 모시고 1549년《사랑의 과오》를 발표한다. 순수한 사랑의 탐구를 표현한 이 시집은 페트라르키즘에 충실하다. 후에 롱사르와 친교를 맺고 플레이아드 파에 가담하여 활동한다. ▶

### 첫 자태에서, 알아보았네

첫 자태에서, 나는 알아보았네
가장 완전하지 않는 완벽함을,
나의 가장 큰 헌신으로
갑자기 그녀를 숭배하네.

그러나 그 목소리가 스며들면
내 심중으로, 상상은
내 관조는 더 높이 황홀해지며,
그녀의 완벽함에 가장 완벽하게 들어가네.

이 진홍빛 조각을 알고서,
내 눈은 숭배를 하기 위한,
연약하고, 신전일 뿐이었다,

## Pontus de Tyard, 1521-1605

1594년 앙리 4세를 변호하면서 과격한 가톨릭 결사 라 리그(La Ligue)의 반목을 사 성직에서 물러났다. 신학, 철학, 문법을 연구하였고, 시뿐만 아니라 산문 분야에도 많은 작품을 남겼다.

# Au premier trait, que mon oeil rencontra

Au premier trait, que mon oeil rencontra
Des moins parfaits de sa perfection,
La plus grand part de ma dévotion
Soudainement en elle idolâtra.

Mais quand le son de sa voix pénétra
Dans mon ouïr, l'imagination
Ravissant haut ma contemplation,
Au plus parfait de son parfait entra.

Lors je connus que ce vermeil albâtre,
Pour qui mon oeil me rendait idolâtre,
Était fragile, et seulement un temple,

이 여신에게 축성하는 신전,
끊임없이 너무나 겸손하게
내 언어는 숭배하고, 내 영혼은 관조한다.

Temple sacré à celle Deité,

Qu'incessamment en toute humilité

Ma langue honore, et mon esprit contemple.

## 5. 루이즈 라베

리용의 그물 제조업자의 딸로 태어나 이상적인 르네상스 형 귀부인의 교육을 받는다. 1555년《루이즈 라베 작품집》을 발간한다. 다정다감하였고 새로운 시대의 여성적 특성을 노래하는 르네상스의 시인으로 ▶

### 소네트

더 많이 입 맞추어 주고, 한 번 더 그리고 또 한 번 더.
그대의 가장 달콤한 입맞춤을,
그대의 가장 뜨거운 입맞춤을,
나도 나의 가장 뜨거운 것을 네 번 돌려 드려요.

아 그대는 슬픈가요? 내가 슬픔을 없애드리지요,
열 번 계속해서 입 맞추어 드리겠어요.
그리고 이처럼 행복한 키스를 되풀이하며
우리 둘이 마음껏 즐겨 봅시다.

그리고 우리 둘의 생명이 하나가 되고,
둘이서 서로만을 위하여 살게 되겠죠.
용서하세요, 사랑하는 이여, 이런 어리석은 푸념을.

나는 남몰래 언제나 괴로워합니다,
나 자신으로부터 도망치는 일 외에는,
나에게 기쁨을 줄 수 없기 때문입니다.

## Louise Labe, 1520-66

의욕에 넘치는 시를 썼다. 관능적인 색채가 진한 독자적 시세계를 전개하였다. 그녀의 시는 낭만파 시대에 르네상스 시 재발견의 계기가 되었다.

# Sonnet

Baise m'encor, rebaise moy et baise:
Donne m'en un de tes plus savoureus,
Donne m'en un de tes plus amoureus:
Je t'en rendray quatre plus chaus que braise.

Las, te pleins tu? ça que ce mal j'apaise,
En t'en donnant dix autres doucereus.
Ainsi meslans nos baisers tant heureus
Jouissons nous l'un de I'autre à notre aise.

Lors double vie à chacun en suivra.
Chacun en soy et son ami vivra.
Permets m'Amour penser quelque folie:

Tousjours suis mal, vivant discrettement,
Et ne me puis donner contentement,
Si hors de moy ne fay quelque saillie.

## 6. 조아생 뒤 벨레

명문 출신으로 장 도라에게 롱사르와 함께 희랍 라틴의 문학을 배웠다. 1549년 롱사르 등의 동지와 플레이아드파를 결성, 선언서《프랑스어의 옹호와 선양》을 기초하였다. 고대어법을 활용하여 프랑스어를 윤택하게 할 수 있다고 설파하고 플레이아드 파의 기수로 항상 ▶

### 프랑스

프랑스, 예술과 무술과 법률의 어머니여,
그대는 나를 오랜 세월 그대의 젖가슴으로 키웠도다.
지금, 어미를 그리워하는 새끼 양처럼,
나는 가득 채운다 그대 이름으로 동굴과 숲을.

만일 그대가 나를 자식으로 이전에 인정했다면,
왜 지금 내게 대답하지 않는가, 오 잔인한 자여!
프랑스, 프랑스여, 내 슬픈 항의에 대답해다오.
그러나 오직 메아리만이 내 목소리에 대답할 뿐.

잔인한 이리떼 사이에서 나는 들판을 헤매인다,
겨울이 다가오는 차디찬 입김이
떨리는 공포로 나의 피부를 소름 끼치게 한다.

양들은 이리도 바람도 추위도 두려워하지 않는다,

## Joachim du Bellay, 1525-60

새로운 것을 추구한 독창적 시인이다. 1549년 페트라르카 풍의 연애시집《올리브》, 1552년에 호라티우스를 모방한《서정시집》을 간행한다.

### France

France, mère des arts, des armes et des lois,
Tu m'as nourri longtemps du lait de ta mamelle:
Ores, comme un agneau qui sa nourrice appelle,
Je remplis de ton nom les antres et les bois.

Si tu m'as pour enfant avoué quelquefois,
Que ne me réponds-tu maintenant, ô cruelle?
France, France, réponds à ma triste querelle.
Mais nul, sinon Écho, ne répond à ma voix.

Entre les loups cruels j'erre parmi la plaine,
Je sens venir l'hiver, de qui la froide haleine
D'une tremblante horreur fait hérisser ma peau.

Las, tes autres agneaux n'ont faute de pâture,

그렇지만 나는 세상에서 가장 가련한 양이다.
아! 너희들 양 곁에는 목동이 없구나.

Ils ne craignent le loup, le vent ni la froidure:

Si ne suis-je pourtant le pire du troupeau.

## 아름다운 여행

행복하여라, 율리시즈처럼, 멋진 항해를 한 사람은,
혹은 황금양모를 정복해 온 사람처럼,
그러고 나서 귀국하여, 경험과 이성에 넘쳐
만년을 부모와 함께 지낸 사람은!

언제 나는 다시 볼 수 있을까, 아아! 내 작은 마을의
굴뚝에서 연기가 솟아오르는 것을, 그리고 어느 계절에
나는 다시 볼 수 있을까, 나에게 하나의 왕국이며
가장 귀한 내 가난한 집의 정원을?

내겐 더욱 그립다 내 조상들이 지은 집이,
로마 궁전의 장엄한 정면보다도.
견고한 대리석보다도 그 얇은 슬레이트가.

라틴의 티베르 강보다도 골의 내 루아르 강이,
파리티누스 산보다도 내 작은 리레 마을이,
바다의 대기보다도 앙주의 아늑함이.

## Le Beau voyage

Heureux qui, comme Ulysse, a fait un voyage,
Ou comme celui-la qui conquit la toison,
Et puis est retourne, plein d'usage et raison,
Vivre entre ses parents le reste de son age!

Quandd reverrai-je, helas! de mon petit village
Fumer la cheminee, et en quelle saison
Reverrai-je la clos de ma pauvre maison
Qui m'est unee province et beaucoup davantage?

Plus me plait le sejour qu'ont bati mes aieux,
Que des ppalais Romains le front audacieux:
Plus que le marbre dur me plait l'ardoise fine.

Plus mon Loire Gaulois que le Tibre Latin,
Plus mon petit Lire que le mont Palatin,
Et plus que l'air marin la douceur Angevine.

## 7. 피에르 드 롱사르

외교계나 군대에 들어가려고 준비하고 있었으나, 귀가 어두워지며 성직의 길을 택한다. 인문주의자 도라에게 희랍, 라틴 문학을 배우고, 후에 새로운 시파 플레이아드의 지도자가 된다. 그는 '참된 시인은 하늘에서 내려받은 시적 영감으로 시를 쓴다'고 생각하고 희랍, 로마의 문학 작품에서 그 모범을 구했다. 페트라르카 풍의 연애 시《연애 시집》(1552)과 과학, 철학, 우주를 노래한 《찬가집》(1555) 등을 썼다.《논 ▶

### 마리 일어나요, 나의 게으름뱅이 아가씨

마리 일어나요, 나의 게으름뱅이 아가씨,
벌써 쾌활한 종달새는 하늘에서 목청을 떨고,
벌써 나이팅게일은 아가위나무에 앉아,
알 수 없는 말로 부드럽게 사랑의 하소연을 노래하는데.

어서, 일어나요! 우리 보러 갑시다 진주 맺힌 풀,
왕관모양 싹이 돋은 그대의 아름다운 장미나무,
어제 저녁 그대가 아주 정성스런 손으로
물을 준 귀여운 카네이션을.

엊저녁 잠자리에 들며 그대의 눈이 오늘 아침
나보다 일찍 떠지기를 다짐했겠죠,
그러나 우아한 처녀들에 내린 새벽잠은,

## Pierre de Ronsard, 1524-85

설 시집》을 써내는 계기가 된 내란 때는 단호한 가톨릭교도의 태도를 취했고, 앙리 2세, 샤를 9세, 앙리 3세 등의 왕들에게 대단한 대우를 받았으며 유럽 전체가 그를 찬미했다.

## Marie, levez-vous, ma jeune paresseuse

Marie, levez-vous, ma jeune paresseuse,
Jà la gaie alouette au ciel a fredonné,
Eijà le rossignol doucement jargonné,
Dessus l'épine assis, sa complainte amoureuse.

Sus! Debout! Allons voir l'herbelette perleuse,
Et votre beau rosier de boutons couronné,
Et vos œillets mignons auxquels aviez donné
Hier au soir de l'eau, d'une main si soigneuse.

Hier soir en vous couchant vous jurâtes vos yeux
D'être plus tôt que moi ce matin éveillée,
Mais le dormir de l'aube, aux filles gracieux,

부드러운 졸음으로 아직 두 눈을 감게 합니다.
자! 자! 나는 입 맞추리라 그 눈과 그대의 아름다운 젖가슴에다,
백번이나, 아침에 일어나도록 알려주기 위해.

Vous tient d'un doux sommeil encor les yeux sillés.

Çà! çà! Que je les baise et votre beau tétin,

Cent fois, pour vous apprendre à vous lever matin.

## 내 손이 꽃다발을 그대에게 바칩니다

내 손이 활짝 핀 이 꽃으로 엮어 만든
꽃다발을 그대에게 바칩니다.
오늘 저녁에 꺾지 않으면,
내일이면 땅에 떨어질 이 꽃을.

이야말로 그대에게 확실한 본보기가 되겠지요.
그대 아름다움이 제아무리 꽃필지라도,
머지않아 모두 시들고.
꽃들처럼 갑자기 죽으리라는.

님이여 세월은 갑니다. 세월은 갑니다.
아니! 세월이 아니라, 가는 것은 우리.
그리고 곧 묘비 아래 묻히겠지요.

우리가 속삭이는 사랑도,
죽은 뒤엔 이미 새롭지 않겠지요.
그러니 날 사랑해주오 그대 아름다운 동안.

# Je vous envoie un bouquet que ma main

Je vous envoie un bouquet que ma main
Vient de trier de ces fleurs épanies:
Qui ne les eût à ce vespre cueillies,
Chutes à terre elles fussent demain.

Cela vous soit un exemple certain.
Que vos beautés , bien qu'elles soient fleuries,
En peu de temps cherront toutes flétries.
Et, comme fleurs, périront tout soudain.

Le temps s'en va, le temps s'en va, ma. Dame:
Las! Le temps non, mais nous nous en allons.
Et tôt serons étendus sous la lame.

Et des amours desquelles nous parlons,
Quand serons morts, n'en sera plus nouvelle:
Pour ce aimez-moi,  cependant qu'etes belle.

## 8. 레미 벨로

플레이아드파 시인. 1556년에 첫 작품집《작은 창조물》을 발표했다. 그는 이 작품에서 꽃과 과일, 벌레, 거북 등을 극히 섬세하고 충실하게 묘사했다. 롱사르에 의해 '자연의 묘사자'라고 불린 그의 진면목이 유 ▶ 감없이 발휘되었다. 1565년 발표한 두 번째 작품집《전원시》에서는

### 앵두

[……]

그 무엇과도 닮지 않은
변해가는 달빛이나
달이 하는 일을
무르익기 전의 과일이
때로는 색이 엷고 때로는 붉은
땅에 잠들며
하늘로 뻗고
바로 메마르고 시든다.
'태양'이 그 머리털을 '바다'에 잠글 때
이 과일은 몸을 바로 잡고
낮이나 밤이나 쉬지 않고
순간마다 색이 바뀌어 간다.

## Remy Belleau, 1527-77

산문과 운문이 혼합되어 쓰였다. 종교적인 《목인시집》과 그의 사후에 친구들에 의해서 발간된 《벨로 전집》이 남아 있다.

## La cerise

.........

Rien ne se trouve plus semblable
Au cours de la Lune muable,
Rien plus n'imite son labeur
Que ce fruit avant qui soit meur.
Tantost pâlle, tantost vermeille,
Tantost vers la terre sommeille,
Tantost au ciel leve son cours,
Tantost vieillist en son decours.
Quand le soleil mouille sa tresse
Dans l'Océan, elle se dresse,
Le jour la nuit egallement
Ell' prend teinture en un moment.

이렇게 이 온순한 과일은 태어나
둥글어지고, 성장하여
창백한 뺨에
아름다운 붉은 색을 낸다.
이 온순하고 현명한 자연은
연약한 피부의
과일 껍질 속에
감로를 담고,
달콤한 과즙을 간직하고,
작은 가지에 매달려
교묘하게 자기 모습을 만든다!
따라서 아름다운 자연이
그의 손으로 탄생시킨,
다른 어떤 과일보다 뛰어나다
이 앵두 속에서야 말로
조화의 묘미를 즐긴다고나 할까.

Ainsi ce dous fruit prend naissance

Prend sa rondeur, prend sa croissance

Prend le beau vermillon qui teint

La couleur palle de son teint.

O sage et gentille nature

Qui contrains dessous la clôture

D'une tant delicate peau

Une gelée, une douce eau,

Une eau confitte, une eau sucrée,

Une glere su bien serrée

De petis rameux entrelas!

Qu'à bon droit l'on ne diroit pas

Que la nature bien aprise,

N'eust beaucoup plus en la Cerise

Pris de plaisir, qu'en autre fruit

Que de sa grace nous produit.

# 9. 에티엔느 드 라 보에티

베리골 지방 사를라 출생. 오를레앙 등에서 법률을 공부하고, 1554년 보르도 고등법원 평의관이 된다. 몽테뉴와 평생 친교를 맺었다. 그의 시는 모럴리스트의 모습을 보여주고 있다. 고전의 번역과 시작 외에 ▶

## 소네트

어떤 자는 정말 아름다운 헬레네를 노래한다,
어떤 자는 핵토르의 이름을 세계에 알리려고 노력한다,
미지의 바다의 파도를 건너 멀리 이아손을
양모의 보석을 찾으러 가는 이도 있다.

나는 나 자신을 마음껏 다루는 불행을 노래하고 싶다.
가능한 한 나의 시로 만족하고 싶다
고뇌, 걱정, 사랑의 폭풍,
나의 고뇌에 아부하는 헛된 희망을.

오늘부터 남의 일을 노래한들 무슨 소용이 있는가?
자기를 노래하기도 마음대로 되지 않는 이 몸.
시를 써서 무엇을 남길 것인가.

헛된 시간을 보내는 나의 여인이여, 그대는 아는가.
그래도 나의 시는 당신의 것, 당신이 나에게 시를 쓰게 하고,
나의 마음에 시를 만들고, 그것을 나는 당신에게 바칠 뿐.

## Etienne de la Boetie, 1530-63

도 압제를 부정하였고, 민중의 무기력에 대한 소논문《자발적 복종에 대한 소고》가 유명하다. 33세의 나이로 요절하였는데 그의 시는 그의 사후 몽테뉴가 발표하였다.

## Sonnet

L'un chante les amours de la trop belle Hélène,
L'un veut le nom d'Hector par le monde semer,
Et l'autre par les flots de la nouvelle mer
Conduit Jason gaigner les trésors de la laine.

Moy je chante le mal qui à mon gré me meine:
Car je veus, si je puis, par mes carmes charmer
Un tourment, un soucy, une rage d'aimer,
Et un espoir musard, le flatteur de ma peine.

De chanter rien d'autruy meshuy qu'ay je que faire?
Car de chanter pour moy je n'ay que trop à faire.
Or si je gaigne rien à ces vers que je sonne,

Madame, tu le sçais, ou si mon temps je pers:
Tels qu'ils sont, ils sont tiens: tu m'as dicté mes vers,
Tu les a faicts en moy, et puis je te les donne.

## 10. 장 앙투완 드 바이프

플레이아드 파 시인 외교관 휴머니스트 라자르 드 바이프의 아들로 베니스에서 태어났다. 코크레 학원에서 롱사르와 더불어 장 도라에게 종사한다. 1552년 《멜린의 사랑》, 1555년애는 페트라르카 풍의 색 ▶

### 장미

이 아름다운 계절이
우아하게 소생하는 동안,
모든 것이 달콤한 사랑으로
가득 찰 때,
채색된 문양으로도,
꽃핀 덤불 아래서도,
가장 아름다운 정원 안에서도,
내가 잡고 있는 것 보다 더
그렇게 매혹적인 꽃을 보지 못했다
신성한 향기를 머금은 장미를.

## Jean Antoine de Baïf, 1532-89

채가 짙은 《프랑신 연애집》을 발간한다. 시와 음악을 결합하려고 시도하고 1570년에 '시와 음악의 아카데미'를 창설하고 당시 통일되지 않은 철자법에 독특한 이론을 세웠다.

## La Rose

Durant cette saison belle
Du renouveau gracieux,
Lorsque tout se renouvelle
Plein d'amour delicieux,
Ny par la peinte prérie,
Ny sus la haye fleurie,
Ny dans le plus beau jardin,
Je ne voy fleur si exquise
Que plus qu'elle je ne prise
La rose au parfum divin.

## 11. 에티엔 조델

파리에서 태어나 봉쿠르 학원에서 수학한다. 롱사르, 드 벨레가 시의 영역에서 추진하고 있던 혁신운동을 극시에서 실천했다. 1553년《포로가 된 클레오파트라》로 성공하여 국왕의 상금을 받는다. 이 극은 장 드 라 타이유 등의 학자들이 재정리한 아리스토텔레스가『시학』에 ▶

### 소네트

길을 떠나 변두리를 떠나 사람이 살지 않는
깊은 숲속에서 길을 잃은 자처럼.
바람이 휘몰아치는 바닷가에서,
당장에라도 파도에 휩쓸릴 듯한 사람처럼.

밤이 이 세상에서 모든 밝은 세상을 앗아버렸을 때
들판을 방랑하는 자처럼 나는 오랫동안 방황하였다
길, 항로, 빛, 그리고 분별도,
나의 기쁨의 근거인 사랑의 대상이 아니다.

숲에, 바다에, 들판에, 끝이, 항구가, 빛이
—이러한 재난이 끝이 나서—보이기 시작할 때,
눈앞에 나타난 이 혜택은 괴로움보다 소중하게 여겨진다.

이런 나 자신도 그대가 없는 동안은 그런 것이었다,

# Etienne Jodel, 1532-89

서 제시한 극작 규칙을 충실히 따른 인문주의극이다. 12음절을 채용하고 연극의 법칙, 시간의 일치를 지킨 점에서 고전비극의 선구적인 작품이다.

## Sonnet

Comme un qui s'est perdu dans la forest profonde
Loing de chemin, d'oree, et d'adresse, et de gens:
Comme un qui en la mer grosse d'horribles vens,
Se voit presque engloutir des grans vagues de l'onde:

Comme un qui erre aux champs, lors que la nuict au monde
Ravit toute clarté, j'avois perdu long temps
Voye, route, et lumière, et presque avec le sens;
Perdu long temps l'object, ou plus mon heur se fonde.

Mais comme on voit, (ayans ces maux fini leur tour)
Aux bois, en mer, aux champs, le bout, le port, le jour,
Ce bien présent plus grand que son mal on vient croire.

Moy donc qui ay tout tel en vostre absence esté,

그대를 만나는 기쁨을 눈앞에서 보면 나는 잊어버린다,
길고, 거칠고, 어두운 숲, 괴로움, 그리고 밤을.

J'oublie en revoyant vostre heureuse clarté,

Forest, tourmente, et nuict, longue, orageuse, et noire.

## 12. 필립 데포르트

샤르트르 태생으로 휴머니즘 교육을 받고 자랐다. 일찍부터 대귀족을 섬겼는데, 특히 앙리 3세, 앙리 4세의 사랑을 받았고 왕실 아카데미를 창설한다. 1573년에 발표한 이탈리아 시의 영향을 받은《초기 작품집》은 호평을 받았다. 우아한 네오 페트라르키즘의 시인으로 롱사르를 능가하는 인기를 모았고 롱사르 사후 말레르브가 등장할 때까지 ▶

### 사랑의 신의 명령을 따르는 자는

사랑의 신의 명령을 따르는 자는
날마다 여러 가지로 변화한다.
아! 나야말로 그 증거이다,
쉴 새 없이 변해가는 이 몸이여.

처음에는 배에 화살을 맞아,
피에 젖은 암사슴이 되고,
이어서 백조, 가련한 목소리로
애달프게 탄식하며 죽음을 예언하였다.

그러고는 시들어 축 늘어진 꽃이 되었고,
이어서 눈물을 흘리는 샘이 되었지만
너무 눈물을 흘려 시들어 버렸다.

## Philippe Desportes, 1546-1606

제 1인자로서의 지위를 얻는다. 가톨릭의 견지에서 본《시편》의 번역(1591-1603)은 마로의 번역과는 대조적이다. 만년에는 종교시를 쓰고 승원장으로 여생을 보낸다.

## Celui que l'Amour range à son commandement

Celui que l'Amour range à son commandement
Change de jour en jour de façon différente.
Hélas! j'en ai bien fait mainte preuve apparente,
Ayant été par lui changé diversement.

Je me suis vu muer, pour le commencement,
En cerf qui porte au flanc une flèche sanglante,
Depuis je devins cygne, et d'une voix dolente
Je présageais ma mort, me plaignant doucement.

Après je devins fleur, languissante et penchée,
Fuis je fus fait fontaine aussi soudain séchée,
Epuisant par mes yeux toute l'eau que j'avais.

지금은 불새가 되어 불꽃 속에 살고 있다,
더 이상 또 변한다면 소리가 되어,
그대의 아름다움을 언제까지나 찬양하고 싶다.

Or je suis salamandre et vis dedans la flamme,
Mais j'espère bientôt me voir changer en voix,
Pour dire incessamment les beautés de Madame.

## 13. 기욤 드 살뤼스트 뒤 바르타스

몽포르 출생으로 툴루즈에서 법률을 배우고 시인, 외교관, 군인으로 국왕 앙리 4세의 신임이 두터워 외교적인 임무를 담당하였다. 1565년 시로 콩쿠르에서 수상하였으며 장엄하고 엄숙한 시를 추구하여 궁정풍의 연애시를 배제한다. 1578년 창세기의 천지창조에서 소재를 ▶

### 제1일

혼돈 속의 혼돈 제멋대로 모인 퇴적,
모든 요소가 뒤섞여 있네.
축축한 것은 메마른 것과,
둥근 것과 모진 것, 차가운 것은 뜨거운 것과,
단단한 것은 부드러운 것과 낮은 것은 높은 것과,
쓴 것은 단 것과 섞여 다투고 있다. 요컨대 이 싸움에서
흙은 공중에 있고, 하늘은 땅 속에 있다.
흙, 공기, 불은 바다 속에 있고,
바다, 불, 흙은 공중에 머물고,
공기, 바다, 불은 땅 속에 있고, 그리고 흙은
공기, 불, 바다 속에 있다.

[……]

모든 것은 아름다움도, 규칙도, 빛도 없고,

## Guillaume de Salluste du Bartas, 1544-90

얻어 대작《성주간》을 발표한다. 강력한 서사시로 대성공을 거두고 외국에서 번역이 된다. 《성주간 속편》을 집필하지만 완성을 하지 못하고 죽었다.

### Le premier jour

Un Chaos de Chaos, un tas mal entassé:
Où tous les elemens se logeoyent pesle-mesle:
Où le liquide avoit avec le sec querelle,
Le rond avec l'aigu, le froid avec le chaud,
Le dur avec le mol, le bas avec le haut,
L'amer avec le doux: bref durant ceste guerre
La terre estoit au ciel et le ciel en la terre.
La terre, l'air, le feu se tenoyent logez dans la mer;
La mer, le feu, la terre estoyent logez dans l'air,
L'air, la mer, et le feu dans la terre: et la terre
Chez l'air, le feu, la mer

.........

Tout estoit sans beauté, sans reglement, sans flamme,

모든 것은 정해진 형태도, 움직임도 영혼도 없다.
불은 조금도 불이 아니고, 바다는 조금도 바다가 아니고,
대지는 대지가 아니고, 공기는 조금도 공기가 아니었다.
혹은 공기, 불, 흙, 물의 본체가,
이렇게 세상에 이미 있다 하더라도.
공기는 투명하지 않고, 불은 뜨겁지 않고,
대지는 견고하지 않고, 물은 차갑지 않다.

Tout estoit sans façon, sans mouvement, sans ame:
Le feu n'estoit point feu, la mer n'estoit point mer,
La terre n'estoit terre, et l'air n'estoit point air:
Ou si ja se pouvoit trouver en un tel monde,
Le corps de l'air, du feu, de la terre, et de l'onde:
L'air estoit sans clarté, la flamme sans ardeur,
Sans fermeté la terre, et l'onde sans froideur.

## 14. 테오도르 아그리파 도비네

신교도로서 교육을 받고 유그노 병사로 활약하며 시를 썼다. 롱사르의 연인 카산드라의 질녀 사르비아티를 사랑하여 사랑-죽음-피를 연결한 페트라르키즘을 모방하는독백의 주제를 볼 수 있다. 앙리 4세에게 평생 봉사하였고 신교 박해를 고발한 서사시《비창곡》(1616), 신교의 투쟁사를 쓴《세계사》(1616-30)가 있다. 7권으로 된《단장의 노래》(1616)는 개신교의 적들을 향한 끊임없는 저주이다.《단장의 ▶

### 스탠스 I

.........

사람 냄새가 나는 것은 모두 나를 죽음으로 유도한다,
끔찍스런 것 속에서 나는 위로를 구한다.
기쁨, 행복, 희망, 삶이여, 나에게서 사라져라,
오라, 슬픔, 불행, 절망, 죽음이여!

나는 찾아 헤맨다. 거친 들, 주변의 바위산,
길 없는 숲길, 시들고 있는 참나무를,
그렇지만 나는 싫도다. 녹색으로 장식된 숲,
사람으로 번화한 땅, 희게 밟혀 굳어진 길.
[......]

## Theodore Agrippa d'Aubigne, 1552-1630

노래》는 신앙에 의해서 생기를 얻고 있는 점에서 서정시이지만 도비네의 환상적인 상상력에 힘입어 서사시의 경지에 이른다. 종교전쟁의 시대를 산 바로크 초기의 시인으로 19세기에 재평가되었다.

### Stance I

.........

Tout cela qui sent l'homme à mourir me convie,
En ce qui est hideux je cherche mon confort:
Fuiez de moy, plaisirs, heurs, esperence & vie,
Venez, maulz & malheurs & desespoir & mort!

Je cherche les desertz, les roches egairees,
Les forestz sans chemin, les chesnes perissans,
Mais je hay les foretz de leurs feuilles parees,
Les sejours frequentez, les chemins blanchissans.
.........

나의 존재는 겨울이고, 나의 사계절은 난잡하도다,
우주는 나의 고뇌를 느껴라
그리고 망각은, 더욱 더 심해지는 나의 고통에서,
나의 시작이 류트로 연주하는 모든 기술을 앗아가도다.
[……]

나의 존재는 샘물도 마르게 하리라.
나는 새는 내 발밑에 떨어져 죽으리라.
나의 고뇌로 인해 냄새로 숨 막혀,
고뇌여, 내 숨통을 새처럼 막히게 하라.
[……]

나도 모르게 비틀거리며, 무정한 혼은
나의 의지를 배반하고, 이 몸을 쓰러뜨리려 하도다,
숲속에서 너희들이 보는
토막 난 참나무 주위에서 헤매도다.

Mon estre soit hyver & les saisons troublées,
De mes afflictions se sente l'univers,
Et l'oubly oste encor à mes pennes doublees
L'usage de mon lict & celuy de mes vers.
.........

Ma présence fera desecher les fontaines
Et les oiseaux passans tomber mortz à mes pieds,
Estouffez de l'odeur & du vent de mes peines:
Ma peine estouffe moy, comme ilz sont estouffez!
.........

Je chancelle incertain & mon ame inhumaine
Pour ne vouloir faillir trompe mes voluntez:
Ainsi que vous voiez en la forest un chesne
Estant demy couppé branller des deux costez.

## 15. 마르크 파피용 드 라스프리스

앙브와즈생. 15세 때 군대에 나가 수많은 무훈과 연애로 이름을 떨쳤다. 종교전쟁 때는 열렬한 가톨릭 투사로 싸웠다. 롱사르와 데포르트 ▶

### 노에미에 대한 열정적 사랑

나는 오히려 변하기 쉬운 바다를 생각할 것이다,
꽃이 없는 아름다운 봄을, 수확물 없는 8월을,
눈이 없는, 얼음이 없는 겨울 추위를,
그리고 신중하게 믿을 수 있는 가난한 바보를.

나는 오히려 극히 혐오하는 행복을 생각할 것이다,
과일이 없는, 어떤 음료도 없는 가을,
욕구가 없는 세상, 물고기가 없는 바다,
조금도 진실 된 말을 생각하지 않을지어다.

두 번 다시 가식적으로 아무 것도 비난하지 않으리,
크게 경멸받을 잘못을 한 쉬잔의 명예도.
하! 지독한 독기에 대한 뱀같은 언어!

처벌하세요, 신이여, 이 절개 없는 거짓말쟁이를 처벌하세요,
부숴버리세요, 작렬하는 벼락의 우두머리를 제압하세요,
고결한 아름다움을 비난하는 것을 깨우치기 위해.

## Marc de Papillon de Lasphris, 1555-99

의 애독자였다. 그의 시는 솔직하고 강력하여 다른 시인들과는 다른 매력이 있다.《노에미에 대한 열정적 사랑》은 20,000행에 이른다.

### L'Amour passionnée de Noémie

Je penserai plutôt la mer non variable,
Le beau printemps sans fleurs, le mois d'août sans moissons,
Le froidureux hiver sans neige, sans glaçons,
Et le pauvre idiot avisément croyable.

Je penserai plutôt le bonheur abhorrable,
L'automne sans fruitage, et sans nulles boissons,
Le monde sans envie, et la mer sans poissons,
Que je pensasse en rien son dire véritable.

Jamais plus faussement nul ne fut accusé,
Ni l'honneur de Suzanne à grand tort méprisé.
Ha! langue serpentine envers tous venimeuse!

Punis, mon Dieu, punis ce menteur inconstant,
Brise, accable son chef de ton foudre éclatant,
Pour apprendre à blâmer la beauté vertueuse.

# 3

# 고전주의 시

외래어의 사용을 배제하고 정확하고 순수한 프랑스어 사용을 선호하는 이 시대 17세기의 시는 엄격한 고전주의적 형식에 보다 집착하였다.

## 1. 프랑수아 드 말레르브

서부 칸 출생. 칸과 파리, 바젤대학 및 하이델베르크대학에서 교육을 받았다. 신교도인 아버지와 다투고 가출하여 앙리 당그람 밑으로 가서 남불 엑스에 머문다. 앙리 4세의 초청으로 궁정시인이 되어 평생 그 지위를 유지하였다. 주요 작품으로는《섭정의 성과를 축하하여 왕비 마리 드 메디시스에게 바치는 오드》(1610)와 소네트(14행시) 등이 있다. 그의 시풍은 지적이면서, 내면의 감정을 노골적으로 ▶

### 스탠스

아름다운 여성, 나의 아름답고 마음에 걸리는 자여,
그 변덕스러운 마음은, 넓은 바다의 파도와 같구나.
마음을 정해서 나의 고뇌를 가라 앉혀 주시오.
아니면 내가 더는 괴롭지 않도록 고뇌를 없애야겠지요.

그대 눈에는 내가 연모하고 나를 사로잡는 매력이 있다,
그것은 나의 자유보다 훨씬 나은 것.
하지만 나를 잡아두고 싶다면,
아름다움 같은 사랑이 필요하오.

나의 여인이여 잘 생각하세요, 잃는 것은 당신의 명예
나에게 약속하고 나를 우습게 만드는 일이로다,
생각이 안 난다는 것은 기억이 나쁜 것,

## François de Malherbe, 1555-1628

나타내지 않았다. 외래어를 배척하고 프랑스어의 순화에 힘써 모음 충돌을 금하고 시상의 명확성과 엄격한 작시법을 추구하여 고전주의의 기반을 만든 선구자로 간주된다. 낭만주의가 일어날 때까지 르네상스 시대의 시의 뿌리를 잘랐다.

## Stance

Beauté, mon beau souci, de qui l'âme incertaine
A comme l'Océan son flux et son reflux:
Pensez de vous résoudre à soulager ma peine,
Ou je me vais résoudre à ne la souffrir plus.

Vos yeux ont des appas que j'aime et que je prise,
Et qui peuvent beaucoup dessus ma liberté:
Mais pour me retenir, s'ils font cas de ma prise,
Il leur faut de l'amour autant que de beauté.

Madame, songez-y, vous perdez votre gloire
De me l'avoir promis et vous rire de moi,
S'il ne vous en souvient vous manquez de mémoire,

기억하고 있다면, 성실성이 없는 것.

지금이라도 성취된다고 생각될 때,
그 실현이 핑계 때문에 언제나 방해받는다오.
오늘 저녁부터 내일 아침 사이에 작업하는,
율리시즈의 아내의 끝없는 옷자락.

이처럼 고귀한 것을 사랑하고, 죽을 때 밖에,
헤어지지는 않겠지 하고 나는 마음에 정하고 있소,
그렇지 않고 이별하게 된다면, 맹세하고
그것을 지키지 않은 당신의 잘못이로다.

Et s'il vous en souvient vous n'avez point de foi.

Quand je pense être au point que cela s'accomplisse,
Quelque excuse toujours en empêche l'effet:
C'est la toile sans fin de la femme d'Ulysse,
Dont l'ouvrage du soir au matin se défait.

J'avais toujours fait compte, aimant chose si haute,
De ne m'en séparer qu'avecque le trépas,
S'il arrive autrement ce sera votre faute
De faire des serments et ne les tenir pas.

## 2. 프랑수아 메나르

툴루즈 태생으로 그의 아버지는 법원의 서기였다. 말레르브의 제자로 들어간 메나르는 그의 제자 중 가장 재능 있는 시인이라는 평가를 받지만 생활이 불행하여 33년부터 45년까지 12년간 파리를 떠나 빈곤 ▶

### 내 영혼이여, 떠나야 합니다…

내 영혼이여 떠나야합니다. 생명력이 사라졌어요,
마지막 날이 지평선 위에 있어요.
너는 너의 자유를 두려워한다. 뭐라고! 지치지도 않은가
60년 동안의 감옥생활을 한 것이?

너의 무질서는 지대하고, 너의 덕은 일천하다,
너의 악행 중에서 좋은 점을 찾기 어렵다,
그러나 자비로운 예수님이 공덕을 주신다면,
모든 것을 기대하고 아무 것도 깨닫지 못할 것이다.

내 영혼이여, 세상을 사랑한 것을 회개하라,
내 두 눈에서 물결의 근원을 만들라
왕들의 제국이 자비를 건드리는.

얼마나 너는 용감하고 기뻐할 것인가
나의 일생 동안, 내가 한숨을 쉬어왔다면,
사막에서, 십자가의 그늘 아래서!

## François Maynard, 1583-1646

한 생활을 하게 된다. 스승의 가르침에 충실하여 균형 잡힌 간결한 시를 남기지만 그 바탕은 풍자적인 에피그램으로 되어 있다. 만년에 아카데미 프랑세즈의 회원이 된다.

## Mon âme, il faut partir ...

Mon âme, il faut partir. Ma vigueur est passée,
Mon dernier jour est dessus l'horizon.
Tu crains ta liberté. Quoi! n'es-tu pas lassée
D'avoir souffert soixante ans de prison?

Tes désordres sont grands; tes vertus sont petites;
Parmi tes maux on trouve peu de bien;
Mais si le bon Jésus te donne ses mérites,
Espère tout et n'appréhende rien.

Mon âme, repens-toi d'avoir aimé le monde,
Et de mes yeux fais la source d'une onde
Qui touche de pitié le monarque des rois.

Que tu serais courageuse et ravie
Si j'avais soupiré, durant toute ma vie,
Dans le désert, sous l'ombre de la Croix!

## 3. 테오필 드 비오

신교도 교육을 받는다. 자유 사상적 경향을 지니고 인간의 숭고성을 부정하고 자연의 법칙을 중시하는 작품을 남긴다. 말레르브의 엄격성 ▶

### 4행시

나는 몸만 가지고 태어났다,

얼마나 오래 사는지도 알 수 없다,

죽을 때까지 아무것도 가지지 않으며,

그저 살다가 갈 뿐이다.

## Théophile de Viau, 1590-1626

과 대극에 있는 바로크 시인으로 어떤 것에도 사로잡히지 않는 반항정신과 서정미의 소유자이다.

## Quatrain

Je naquis au monde tout nu,

Je ne sais combien je vivrai,

Si je n'ai rien quand je mourrai,

Je n'aurai gagné, ni perdu.

## 4. 오노라 드 비에유 드 라캉

튜렌 명문 출신으로 무관이 되어 앙리 4세에게 봉사한다. 1605년 스승 마레르 무어를 만나 그 영향으로 시를 써서 이름이 알려진다. 만년 ▶

### 봄이 오다

[……]
꽃이 싹을 틔우면
과수원이 젊어진다,
모든 들에 울려 퍼지는 것은
목동들의 노랫소리뿐,

어디나 놀이와 웃음, 춤으로 넘치고
슬픔은 사라지고,
환희의 때가 왔도다,
슬픔은 물러났다,
한숨을 쉬는 일은 없어졌다
사랑을 위한 한숨을 제외하고는.
[……]

## Honorat de Bueil de Racan, 1589-1670

에는 성서의 시편을 번역하여 평가를 받는다. 1661년부터 은둔생활을 하고 스탠스를 발표한다.

## La Venue du Printemps

.........

Déjà les fleurs qui bourgeonnent
Rajeunissent les vergers,
Tous les échos ne résonnent
Que de chansons de bergers,

Les jeux, les ris, et la danse
Sont partout en abondance,
Les délices ont leur tour,
La tristesse se retire,
Et personne ne soupire
S'il ne soupire d'amour.
.........

## 5. 뱅상 부와튀르

랑부이에 관(17세기 초의 유명한 살롱)의 중심인물. 스탠스, 마드리갈, 에피그램, 소네트 등 폭넓은 장르에서 기지에 넘치는 작품들을 남겼다.

### 샹송

이 시대의 부인들이여
요즈음은 애인이 너무나 많다.
누구나 애인으로 넘치고,
금년은 좋은 해이다.

옛날에는 남자들은,
멋이 있어야만 했으나,
그러나 지금은 그런 자가 넘치도다
금년은 좋은 해이다.

멋쟁이의 가치나
옛날의 말투,
지금은 그런 자들이 썩어난다
금년은 좋은 해이다

태양이 접근하여,

# Vincent Voiture, 1597-1648

## Chanson

Les demoiselles de ce temps
Ont depuis peu beaucoup d'amans,
On dit qu'il n'en manque à personne,
L'année est bonne.

Nous avons veû les ans passez,
Que les galans estoient glacez;
Mais maintenant tout en foisonne,
L'année est bonne.

Le temps n'est pas bien loin encor
Qu'ils se vendoient au poids de l'or,
Et pour le present on les donne,
L'année est bonne.

Le soleil de nous rapproché,

이 세상을 더욱 뜨겁게 만든다.
사랑이 지배하고, 피는 끓어오르고,
금년은 좋은 해이다.

Rend le monde plus échauffé;

L'amour regne, le sang bouillonne,

L'année est bonne.

## 6. 트리스탕 레르미트

앙리 드 부르봉 후작의 시동이었으나 결투 사건으로 궁전을 떠나 영국, 스페인, 프랑스를 방랑하였다. 1642년에 파란에 넘친 생활을 그린 자전적 시를 쓴다. 1636년에 상연한 비극《마리안》으로 코르네이 ▶

### 두 연인의 산책길

이 어두운 동굴 옆에서
너무나도 달콤한 바람을 쐬며,
파도는 잠들고,
빛은 그림자와 뒤얽히도다.

모래 위에서 희롱하는
피곤한 파도는,
이 양어장에 와서 쉬고 있구나
여기는 예전에 나르시스가 죽은 곳.

이 붉은 꽃과
이 등심초의 꽃 그림자가,
잠든 물의
꿈속에 멈추어 있다.

## Tristan l'Hermite, 1601-55

유의《르 시드》와 인기를 다투었다. 시는 당시에는 인기가 없었으나 19세기 말에 재평가를 받았다.

### Le Promenoir des Deux Amans

Auprès de cette Grote sombre
Où l'on respire un air si doux,
L'onde lutte avec les cailloux,
Et la lumière avecque l'ombre.

Ces flots, lassez de Pexercisse
Qu'ils ont fait dessus ce gravier,
Se reposent dans ce Vivier
Où mourut autre-fois Narcisse.

C'est un des miroirs où le Faune
Vient voir si son teint cramoisi,
Depuis que l'Amour l'a saisi,
Ne serait point devenu jaune.

## 7. 폴 스카롱

파리 태생. 맹트농 부인(아그리파 도비네의 손녀)이 된 프랑수아즈 도비네와 결혼한다. 그의 재능과 부인의 미모로 스카롱 가의 살롱이 크게 성하지만 그곳을 유지하기 위해 죽을 때까지 시를 발표한다. 스 ▶

### 소네트

엘렌이여, 그대는 웃을 때 이가 보인다,
이는 빠진 곳이 없지만 흰 이는 아니다,
다른 것들은 흑단처럼 검구나,
그 이는 멀쩡하지만 어느 것이나 벌레 먹고.

겨우 잇몸에 붙어 있기는 하지만
그 꼴에 뱃가죽이 흔들릴 정도로 바보처럼 웃어대는구나.
기침만 하고 숨 쉬는 것일 뿐
피가 흘러 발끝에 떨어진다.

웃고 즐기는 곳에 오지 말고,
장례식에 가서 우는 여자가 되라.
이것은 성실한 의견 모두 그것을 원할 것이다.

그런데 또 웃고 지껄인다. 머리까지 흔들며!
마음껏 웃고 떠들어라, 이 멍충아.
그대가 실컷 웃다 죽으면 나도 만족한다.

## Paul Scaron, 1610-60

스로 자학적인 시를 쓰고 시의 유행을 만들어 냈다. 풍자시와 희극 작품도 남기고 있다.

# Sonnet

Vous faites voir des os quand vous riez, Hélène,
Dont les uns sont entiers et ne sont guère blancs,
Les autres, des fragments noirs comme de l'ébène,
Et tous, entiers ou non, cariés et tremblants.

Comme dans la gencive ils ne tiennent qu'à peine
Et que vous éclatez à vous rompre les flancs,
Non seulement la toux, mais votre seule haleine
Peut les mettre à vos pieds, déchaussés et sanglants.

Ne vous mêlez donc plus du métier de rieuse;
Fréquentez les convois et devenez pleureuse:
D'un si fidèle avis faites votre profit.

Mais vous riez encore et vous branlez la tête!
Riez tout votre soûl, riez, vilaine bête:
Pourvu que vous creviez de rire, il me suffit.

## 8. 장 드 라 퐁텐

샹파뉴 지방공무원의 아들로 샤토-티에리에서 태어났다. 오라토리오회의 신학교에 들어갔으나 마로와 뒤르페의 작품을 읽고 나서 신학을 버리고 안락한 생활을 선택했다. 그의 아버지는 자신의 직업을 넘겨주고 결혼도 시켰지만 그는 직장과 가정을 버리고 파리에서 재무장관 푸케의 보호 아래 시인이 되었다. 후에도 여러 후원자의 도움으 ▶

### 이리와 양

강한 자의 말은 언제나 옳다.
지금부터 그것을 증명해 보겠다.
새끼 양 한 마리가 목이 말라서
맑은 물가에서 물을 마시고 있었다.
굶주린 이리가 요행을 바라며,
배고픔을 달래려고 거기에 왔다.
"누가 나의 물을 이처럼 대담하게 더럽히느냐?
이리가 화를 내며 말했다.
너의 겁 없는 태도를 용서할 수 없다.
— 나리, 화내지 마세요,
새끼 양이 대답했다.
생각해 보세요
나리보다 스무 걸음 이상 아래
물가에서

## Jean de La Fontaine, 1621-95

로 일생을 편안하게 지냈다. 그는 두 가지 작품으로 유명하다. 《우화》와 《풍류 해학담》이다. 1684년에 아카데미 프랑세즈 회원이 되었다.

## Le Loup et L'Agneau

La raison du plus fort est toujours la meilleure:
Nous l'allons montrer tout à l'heure.
Un Agneau se désaltérait
Dans le courant d'une onde pure.
Un Loup survient à jeun qui cherchait aventure,
Et que la faim en ces lieux attirait.
Qui te rend si hardi de troubler mon breuvage?
Dit cet animal plein de rage:
Tu seras châtié de ta témérité.
— Sire, répond l'Agneau, que votre Majesté
Ne se mette pas en colère;
Mais plutôt qu'elle considère
Que je me vas désaltérant
Et que par conséquent, en aucune façon,

나리가 마시는 물을
어떤 방법으로
더럽힐 수 있겠어요
— 더럽히고 있어, 이리가 대답했다.
작년에 너는 나를 욕했어.
— 저는 태어나지도 않았는데 어떻게 그럴 수 있겠어요?
아직 엄마의 젖을 먹고 있었는데요, 양이 대답했다.
— 네가 아니라면 네 형이겠지
— 저는 형이 없는데요. — 그러면 너의 가족 중 누구겠지.
너희들은 언제나 나를 욕하고,
너희들의 양치기와 개들도 마찬가지다.
사람들이 내게 말한다. 복수를 해야 한다고.
이렇게 말하고 숲속으로
이리는 양을 데리고 가, 그러고는 양을 먹어버렸다,
별다른 소송의 절차도 없이

Je ne puis troubler sa boisson.

Dans le courant,

Plus de vingt pas au-dessous d'Elle,

— Tu la troubles, reprit cette bête cruelle,

Et je sais que de moi tu médis l'an passé.

— Comment l'aurais-je fait si je n'étais pas né?

Reprit l'Agneau, je tette encor ma mère.

— Si ce n'est toi, c'est donc ton frère.

— Je n'en ai point. — C'est donc quelqu'un des tiens:

Car vous ne m'épargnez guère,

Vous, vos bergers, et vos chiens.

On me l'a dit: il faut que je me venge.

Là-dessus, au fond des forêts

Le Loup l'emporte, et puis le mange,

Sans autre forme de procès.

## 곳간에 들어간 족제비

길고 늘씬한 체격을 가진 족제비 아가씨가,
아주 좁은 구멍을 지나 곳간으로 들어갔다.
병에서 막 회복된 참이었다.
거기서 몰래 살면서,
즐겁고 맛있게 식사를 하고,
먹고, 또 갉아먹었다!
그래서 곳간의 양식이 줄어들었다,
그 결과, 족제비는
뺨에 살이 오르고 기름지고 뚱뚱해졌다.
한 주일 동안 실컷 먹은 다음에,
어떤 소리가 들려, 그 구멍으로 나가려 했지만,
나갈 수가 없어서, 구멍을 잘못 찾은 줄 알았다.
몇 바퀴를 돌고 나서,
"이곳이 정말 이상하네, 족제비가 말했다.
대엿새 전만 해도 이곳을 지나왔는데."
족제비가 고생하는 꼴을 본 생쥐가 말했다.
"그때는 네 배가 훨씬 홀쭉했었지.
마른 몸으로 들어왔으니, 마른 몸으로 나가야지.
내가 네게 해주는 말은, 누구나 할 수 있는 말이야,
그러나 그들의 문제를 너희들의 문제로.
너무 깊이 생각해서 혼동하지는 말아라."

# La Belette Entrée dans un Grenier

Damoiselle Belette, au corps long et flouet,
Entra dans un Grenier par un trou fort étroit:
Elle sortait de maladie.
Là, vivant à discrétion,
La galante fit chère lie,
Mangea, rongea: Dieu sait la vie,
Et le lard qui périt en cette occasion!
La voilà, pour conclusion,
Grasse, mafflue et rebondie.
Au bout de la semaine, ayant dîné son soû,
Elle entend quelque bruit, veut sortir par le trou,
Ne peut plus repasser, et croit s'être méprise
Après avoir fait quelques tours,
"C'est, dit-elle, l'endroit: me voilà bien surprise;
J'ai passé par ici depuis cinq ou six jours."
Un Rat, qui la voyait en peine,
Lui dit: "Vous aviez lors la panse un peu moins pleine.
Vous êtes maigre entrée, il faut maigre sortir.
Ce que je vous dis là, l'on le dit à bien d'autres;
Mais ne confondons point, par trop approfondir,
Leurs affaires avec les vôtres."

## 사람과 뱀

한 남자가 뱀을 보고 말했다.
“이 사악한 것, 세상 사람들이
모두 기뻐해야 할 일을 내가 해야겠다.”
그 말을 하자, 사악한 동물
(여기서 내가 말하는 것은 뱀이지
인간이 아니다. 오해하기 쉽지만)
그 말을 하자, 가만히 있는 뱀을 붙잡아
주머니에 넣었는데, 가장 나쁜 것은,
죄가 있든 없든, 죽이려고 작정한 것이다.
그럴듯한 이유를 붙이려고,
그 남자는 이렇게 연설을 했다.
“배은망덕의 상징, 사악한 놈에게,
자비는 어리석은 것, 그러니 죽어라. 너의 분노와 이빨도
결코 나를 해치지 못한다.” 뱀은 자기의 말로,
되도록 잘 반박을 했다. “만약에 세상의
모든 배은망덕한 자를 모두 처벌한다면,
누가 용서받을 수 있을까요?
당신 스스로 자신을 비난하는 꼴이지요. 당신네 저지른 일에
근거를 둔 것이니, 당신 자신을 잘 돌이켜 보세요.
나의 목숨은 당신 손에 있으니, 결단을 내리세요,
당신의 정의는 당신의 이익, 당신의 즐거움, 당신의 변덕,
그 법칙에 따라 죽이려면 죽이세요,
하지만 이왕 죽을 바에는
솔직해지는 것이 좋겠지요.

## L'homme et la Couleuvre

Un Homme vit une Couleuvre.
Ah! méchante, dit-il, je m'en vais faire une oeuvre
Agréable à tout l'univers.
A ces mots, l'animal pervers
(C'est le serpent que je veux dire
Et non l'homme: on pourrait aisément s'y tromper),
A ces mots, le serpent, se laissant attraper,
Est pris, mis en un sac; et, ce qui fut le pire,
On résolut sa mort, fût-il coupable ou non.
Afin de le payer toutefois de raison,
L'autre lui fit cette harangue:
Symbole des ingrats, être bon aux méchants,
C'est être sot, meurs donc: ta colère et tes dents
Ne me nuiront jamais. Le Serpent, en sa langue,
Reprit du mieux qu'il put: S'il fallait condamner
Tous les ingrats qui sont au monde,
A qui pourrait-on pardonner?
Toi-même tu te fais ton procès. Je me fonde
Sur tes propres leçons; jette les yeux sur toi.
Mes jours sont en tes mains, tranche-les: ta justice,
C'est ton utilité, ton plaisir, ton caprice;
Selon ces lois, condamne-moi;
Mais trouve bon qu'avec franchise
En mourant au moins je te dise

배은망덕의 상징은
뱀이 아니라 인간이죠."
이 말을 듣자 남자는 한 걸음 물러섰다.
마침내 그는 말을 이었다. "네 말은 이치에 어긋난다.
나는 마음대로 할 수 있지. 권리는 내게 있으니까.
하지만 다른 이에게 맡겨볼까?" "좋아요" 파충류가 말했다.
암소가 거기에 있어서 불렀고, 다가왔다,
사건을 설명해 주었다. "쉬운 문제로군.
이런 일 때문에 나를 부를 필요가 있었나?
뱀이 옳고말고. 무엇 때문에 숨기겠나?
나는 오랫동안 이 사람을 먹여 살렸다네,
나의 은혜를 입지 않은 날이 없었지,
모든 것이 그만을 위한 것이었어. 내 젖과 내 새끼로
돈을 많이 벌어 집으로 돌아왔지.
나이가 들었을 때는 건강을 회복시켜주기까지 했어.
나의 고생은 그의 생활뿐 아니라 즐거움을 위한 것이었어.
결국 나는 이렇게 늙었고,
그는 나를 풀도 없는 구석에 내버려 두었어,
풀이라도 좀 먹게 해주었으면 좋았을 텐데!
하지만 나는 묶여 있다네. 뱀이 주인이었다면
이렇게 심하지는 않았을 거야.
배은망덕이라고? 잘 있어요. 내가 생각한 것을 말했어요."
남자는 이 판결에 깜짝 놀라 뱀에게 말했다.
"그 놈이 말한 것을 믿을 수 있을까?

Que le symbole des ingrats

Ce n'est point le serpent, c'est l'homme. Ces paroles

Firent arrêter l'autre; il recula d'un pas.

Enfin il repartit: Tes raisons sont frivoles:

Je pourrais décider, car ce droit m'appartient;

Mais rapportons-nous-en. - Soit fait, dit le reptile.

Une Vache était là, l'on l'appelle, elle vient;

Le cas est proposé; c'était chose facile:

Fallait-il pour cela, dit-elle, m'appeler?

La Couleuvre a raison; pourquoi dissimuler?

Je nourris celui-ci depuis longues années;

Il n'a sans mes bienfaits passé nulles journées;

Tout n'est que pour lui seul; mon lait et mes enfants

Le font à la maison revenir les mains pleines;

Même j'ai rétabli sa santé, que les ans

Avaient altérée, et mes peines

Ont pour but son plaisir ainsi que son besoin.

Enfin me voilà vieille; il me laisse en un coin

Sans herbe; s'il voulait encor me laisser paître!

Mais je suis attachée; et si j'eusse eu pour maître

Un serpent, eût-il su jamais pousser si loin

L'ingratude? Adieu. J'ai dit ce que je pense.

L'homme, tout étonné d'une telle sentence,

Dit au Serpent: Faut-il croire ce qu'elle dit?

노망이 들어서 정신이 나간 거야. 저 황소의 말을 들어보자."
"들어봅시다." 기어 다니는 짐승이 말했다.
말은 즉시 행동으로 옮겨졌다. 황소는 천천히 다가왔다.
모든 이야기를 머릿속에서 되새긴 다음,
황소는 말했다. "오랫동안 일하면서
오직 우리만 가장 힘든 일을 도맡아 왔소.
이 긴 고통의 굴레 속에서 쉬지 않고 일해 나가며
대지의 여신 케레스가 인간에게는 거저 주고
짐승에게는 가혹한 대가를 받는 농산물을,
인간의 밭으로 나르는 일을 하였소.
이 일을 계속한 보답으로 우리가 받은 것이라곤,
채찍질뿐, 감사는 없었소. 그러고 나서 늙으면,
인간들은 우리의 피로 신에게 속죄하는 것이
우리에게 명예라는 듯이 여기겠지.
이렇게 황소가 이야기했다. 남자는 말했다.
"이 귀찮고 말 많은 놈을 닥치게 하라.
말을 과장하고, 여기까지 와서
재판관이 아니라 고소인이 되다니.
나는 이런 놈을 거부한다. 나무가 재판관으로 선택되었지만,
나무는 더욱 심했다.
"우리는 더위와 비, 강한 바람이 불면 피난처가 되고
우리만이 인간을 위해 정원과 들을 꾸며준다.
그늘만이 나무가 주는 선물은 아니지.
나뭇가지가 열매에 휘어져도 그 보답은

C'est une radoteuse; elle a perdu l'esprit.

Croyons ce Boeuf. - Croyons, dit la rampante bête.

Ainsi dit, ainsi fait. Le Boeuf vient à pas lents.

Quand il eut ruminé tout le cas en sa tête,

Il dit que du labeur des ans

Pour nous seuls il portait les soins les plus pesants,

Parcourant sans cesser ce long cercle de peines

Qui, revenant sur soi, ramenait dans nos plaines

Ce que Cérès nous donne, et vend aux animaux;

Que cette suite de travaux

Pour récompense avait, de tous tant que nous sommes,

Force coups, peu de gré; puis, quand il était vieux,

On croyait l'honorer chaque fois que les hommes

Achetaient de son sang l'indulgence des Dieux.

Ainsi parla le Boeuf. L'Homme dit: Faisons taire

Cet ennuyeux déclamateur;

Il cherche de grands mots, et vient ici se faire,

Au lieu d'arbitre, accusateur.

Je le récuse aussi. L'arbre étant pris pour juge,

Ce fut bien pis encore. Il servait de refuge

Contre le chaud, la pluie, et la fureur des vents;

Pour nous seuls il ornait les jardins et les champs.

L'ombrage n'était pas le seul bien qu'il sût faire;

Il courbait sous les fruits; cependant pour salaire

농민의 손에 배어지는 것, 그것이 전부라네.
일 년 내내 인간에게 기꺼이
봄에는 꽃, 가을에는 과일, 여름에는 그늘,
겨울에는 난롯가의 즐거움을 주지만,
도끼질을 안 할 수 없을까?
건강한 몸으로 오래 살도록.
남자는 이기는 것이 어렵다고 생각하면서도,
어떤 일이 있어도 소송에는 이기고 싶었다.
"이런 놈들의 말을 듣다니, 나는 참 좋은 사람이야" 그가 말했다.
바로 그는 주머니와 뱀을
벽에 쳐서 마침내 죽여 버리고 말았다.

높은 사람들은 다 똑같은 수법을 쓴다.
이치를 따지면 비위에 거슬리고, 그들 생각으로는
네발짐승도, 인간도, 그리고 뱀도,
모두가 그들을 위해 태어났다.
만약 누가 입을 연다면 그는 바보다.
"나도 그것은 인정한다. 그러나 어떻게 해야 하는가?
멀리서 말하거나, 그렇지 않으면 말하지 않아야 한다."

Un rustre l'abattait, c'était là son loyer,
Quoique pendant tout l'an libéral il nous donne
Ou des fleurs au Printemps, ou du fruit en Automne;
L'ombre l'Eté, l'Hiver les plaisirs du foyer.
Que ne l'émondait-on, sans prendre la cognée?
De son tempérament il eût encor vécu.
L'Homme trouvant mauvais que l'on l'eût convaincu,
Voulut à toute force avoir cause gagnée.
Je suis bien bon, dit-il, d'écouter ces gens-là.
Du sac et du serpent aussitôt il donna
Contre les murs, tant qu'il tua la bête.

On en use ainsi chez les grands.
La raison les offense; ils se mettent en tête
Que tout est né pour eux, quadrupèdes, et gens,
Et serpents.
Si quelqu'un desserre les dents,
C'est un sot. - J'en conviens. Mais que faut-il donc faire?
- Parler de loin, ou bien se taire.

## 도토리와 호박

신의 업적은 훌륭한 것, 그 증거를 찾으러
온 세상을 헤매고 방방곡곡 돌아다니지 않아도,
나는 호박 속에서 찾아낼 수 있다.
어떤 시골 사람이 호박의 열매는 매우 크고
줄기는 가는 것을 보고 말했다.
“이 모든 것을 창조한 신은
도대체 무슨 생각을 했던 것일까?
아무리 생각해도 이 호박은 자리를 잘못 정했어.
그렇고말고! 나라면 이것을 저 참나무에다 열리게 할 거야.
그렇게 해야 제대로 된 거지.
그만한 나무에 그만한 열매가 열려야 마땅하지.
아깝도다. 가로야. 네가 저 사제들이
설교에서 말하던 신의 상담역이 되지 않았다니,
그랬으면 모든 일이 더 잘 되었으련만.
예컨대 나의 손가락만큼도 크지 않은 도토리가,
어째서 이 호박 줄기에 붙어 있지 않는가?
신의 잘못이로다. 두 가지 열매가 달린 자리를
보면 볼수록, 이 가로 씨에게는
잘못으로밖에 보이지 않는다.”
이 깊은 생각이 사내를 괴롭히자 계속해서,
“너무 영리하면 잠도 제대로 못 자는 법이지”라고 하면서
참나무 밑에서 이내 잠이 들었다.
도토라 하나가 떨어져 잠자는 녀석의 코를 아프게 했다.
잠이 깨어, 얼굴에 손을 대니

## Le Gland et La Citrouille

Dieu fait bien ce qu'il fait. Sans en chercher la preuve

En tout cet Univers, et l'aller parcourant,

Dans les Citrouilles je la treuve.

Un villageois, considérant

Combien ce fruit est gros, et sa tige menue

A quoi songeait, dit-il, l'Auteur de tout cela?

Il a bien mal placé cette Citrouille-là:

Hé parbleu, je l'aurais pendue

A l'un des chênes que voilà.

C'eût été justement l'affaire;

Tel fruit, tel arbre, pour bien faire.

C'est dommage, Garo, que tu n'es point entré

Au conseil de celui que prêche ton Curé;

Tout en eût été mieux; car pourquoi par exemple

Le Gland, qui n'est pas gros comme mon petit doigt,

Ne pend-il pas en cet endroit?

Dieu s'est mépris; plus je contemple

Ces fruits ainsi placés, plus il semble à Garo

Que l'on a fait un quiproquo.

Cette réflexion embarrassant notre homme:

On ne dort point, dit-il, quand on a tant d'esprit.

Sous un chêne aussitôt il va prendre son somme.

Un gland tombe; le nez du dormeur en pâtit.

II s'éveille; et portant la main sur son visage,

도토리가 아직 수염 속에 끼어 있었다.
코가 아픈 이 사내, 말을 바꿔야만 했다.
"아니, 이런 코피가 나잖아! 만약 이 도토리가 호박이었고
이 나무에서 그 무거운 덩어리가
떨어졌더라면 나는 어떻게 되었을까?
신은 그렇게 되기를 바라지 않았구나. 분명히 신은 옳았어.
이제야 그 이유를 알겠어."
모든 일에 대해서 신을 찬양하고는
가로 씨는 집으로 돌아갔다.

Il trouve encor le Gland pris au poil du menton.
Son nez meurtri le force à changer de langage;
Oh, oh, dit-il, je saigne! et que serait-ce donc
S'il fût tombé de l'arbre une masse plus lourde,
Et que ce gland eût été gourde?
Dieu ne l'a pas voulu: sans doute il et raison;
J'en vois bien à présent la cause.
En louant Dieu de toute chose,
Garo retourne à la maison.

## 곰과 정원 애호가

덜 떨어진 어느 산 곰이
운명으로 말미암아 외딴 숲속에 틀어박혀서
고독에 잠긴 벨레레폰[1]처럼 혼자 숨어서 살았다.
곰은 미칠 지경이었다.
이성이란 고독한 자에게 오래 머물러 있지 않는다.
남과 이야기하는 것도 좋고
침묵을 지키는 것은 더욱 좋지만
정도가 지나치면 둘 모두 나쁘다.
이 곰이 살고 있는 곳에는 아무도 올 일이 없었다,
아무리 곰이라고 하지만 외로운 생활에 지쳐갔다.
곰이 이런 우울한 생각에 잠겨있을 때
멀지 않는 곳에서 사는 한 늙은이도
역시 자신의 생활에 권태를 느끼고 있었다.
그는 정원을 좋아하는 사람으로
꽃의 여신 플로라의 신관이며
과일의 여신의 신관이기도 했다.
둘 다 좋은 일이다, 나는 누군가
조용하고 신중한 친구가 필요해.
정원은 내 책 속이 아니라면, 말을 거의 하지 않기에,
말없는 녀석과 산다는 것이 질려
어느 날 아침 늙은이는

---

1 시시포스의 아들 글라우코스와 에우리노메의 아들인데 실제 아버지는 포세이돈이다.

## L'ours et l'amateur des jardins

Certain Ours montagnard, Ours à demi léché,
Confiné par le sort dans un bois solitaire,
Nouveau Bellérophon vivait seul et caché:
Il fût devenu fou; la raison d'ordinaire
N'habite pas longtemps chez les gens séquestrés:
Il est bon de parler, et meilleur de se taire,
Mais tous deux sont mauvais alors qu'ils sont outrés.
Nul animal n'avait affaire
Dans les lieux que l'Ours habitait;
Si bien que tout Ours qu'il était
Il vint à s'ennuyer de cette triste vie.
Pendant qu'il se livrait à la mélancolie,
Non loin de là certain vieillard
S'ennuyait aussi de sa part.
Il aimait les jardins, était Prêtre de Flore,
Il l'était de Pomone encore:
Ces deux emplois sont beaux. Mais je voudrais parmi
Quelque doux et discret ami.
Les jardins parlent peu , si ce n'est dans mon livre;
De façon que, lassé de vivre
Avec des gens muets notre homme un beau matin

동료를 찾으러 들로 나갔다.
곰도 똑같은 심정에서
산을 내려왔다.
이 둘은 정말 우연하게
어느 길모퉁이에서 딱 만났다.
늙은이는 겁이 났다. 어떻게 몸을 피하나, 어찌할까?
이런 위기는 가스코뉴[2] 식으로 벗어나는 것이 좋다고 여겨
두려움을 용케 감추었다.
인사가 서툰 곰이 그에게 말했다.
나한테 오시오. 늙은이가 대답했다. 나리,
우리 집으로 오세요. 거기 가셔서
시골 음식을 드시고 싶다면, 과일도 있고 우유도 있습니다.
나리가 드실만한 것은 못 되겠지만
제게 있는 것은 다 드리지요.
곰은 이 제안을 받아들였다.
그리고 둘은 도착하기 전에 친구가 되었다.
집에 가서도 둘은 짝이 맞았다.
하지만 바보와 같이 있는 것보다
혼자 있는 것이 더 나았을 것이다.
곰은 하루에 두 마디도 떠들지 않았으므로
남자는 방해 없이 일을 할 수 있었다.

2 프랑스의 서남부 지방으로 허풍을 떠는 사람을 경멸, 비유할 때 쓰인다.

Va chercher compagnie, et se met en campagne.
L'Ours porté d'un même dessein
Venait de quitter sa montagne:
Tous deux, par un cas surprenant
Se rencontrent en un tournant.
L'homme eut peur: mais comment esquiver; et que faire?
Se tirer en Gascon d'une semblable affaire
Est le mieux. Il sut donc dissimuler sa peur.
L'Ours très mauvais complimenteur,
Lui dit: Viens-t'en me voir. L'autre reprit: Seigneur,
Vous voyez mon logis; si vous me vouliez faire
Tant d'honneur que d'y prendre un champêtre repas,
J'ai des fruits, j'ai du lait: Ce n'est peut-être pas
De nosseigneurs les Ours le manger ordinaire;
Mais j'offre ce que j'ai. L'Ours l'accepte; et d'aller.
Les voilà bons amis avant que d'arriver.
Arrivés, les voilà se trouvant bien ensemble;
Et bien qu'on soit à ce qu'il semble
Beaucoup mieux seul qu'avec des sots,
Comme l'Ours en un jour ne disait pas deux mots
L'Homme pouvait sans bruit vaquer à son ouvrage.

곰은 사냥을 나가 먹이를 잡아왔고
그의 주된 일은
잠든 친구의 얼굴에서
저 날개가 달린 곤충을 잘 쫓아내는 일이었다,
우리가 파리라고 부르는
어느 날 노인이 깊이 잠들었을 때
코끝에 한 마리의 파리가 앉았다.
아무리 쫓아가도 소용이 없자, 곰은 화가 나서 말했다.
널 꼭 잡고 말 거야, 이걸 봐라.
말이 끝나자마자, 파리를 쫓는 충직한 곰은
벽돌 하나를 쥐고 힘껏 던져,
파리를 터뜨리는 동시에 노인의 머리도 깨졌다.
말을 못하는 것만큼 던지는 것은 잘하여
노인을 그 자리에서 죽여 버렸다.
무지한 친구보다 더 위험한 것은 없다.
현명한 적이 그보다는 낫다.

L'Ours allait à la chasse, apportait du gibier,
Faisait son principal métier
D'être bon émoucheur, écartait du visage
De son ami dormant, ce parasite ailé,
Que nous avons mouche appelé.
Un jour que le vieillard dormait d'un profond somme,
Sur le bout de son nez une allant se placer
Mit l'Ours au désespoir; il eut beau la chasser.
Je t'attraperai bien, dit-il. Et voici comme.
Aussitôt fait que dit; le fidèle émoucheur
Vous empoigne un pavé, le lance avec roideur,
Casse la tête à l'homme en écrasant la mouche,
Et non moins bon archer que mauvais raisonneur:
Roide mort étendu sur la place il le couche.
Rien n'est si dangereux qu'un ignorant ami;
Mieux vaudrait un sage ennemi.

## 구두장이와 은행가

어떤 구두장이가 아침부터 저녁까지 노래를 불렀다.
그것을 보는 일은 멋진 일이었다.
듣기에도 희한한 일이었다.

그의 이웃 사람은 반대로
온몸에 금을 두르고 있건마는,

노래는 거의 하지 않고 잠은 더욱 모자랐다.
그 이웃 사람은 은행가였다.
가끔 새벽 무렵에 잠이 들면
구두장이가 노래를 불러 그를 깨웠다.

그래서 은행가는
시장에서 음식을 팔 듯
잠을 팔지 않는 것을 .
신에게 원망했다

그는 자기의 호화로운 집으로
노래하는 구두장이를 불러서 물었다.
그런데 그레그와르 씨, 일 년에 얼마나 법니까?
일 년이라니요, 나는요, 여보시요
비웃는 듯한 말투로
쾌활한 구두장이는 말했다.

## Le Savetier et le Financier

Un Savetier chantoit du matin jusqu'au soir;
C'étoit merveilles de le voir,
Merveilles de l'ouïr; il faisoit des passages,

Plus content qu'aucun des sept sages.
Son voisin, au contraire, étant tout cousu d'or,

Chantoit peu, dormoit moins encor;
C'étoit un homme de finance.
Si, sur le point du jour, parfois il sommeilloit.
Le Savetier alors en chantant l'éveilloit;

Et le Financier se plaignoit
Que les soins de la Providence
N'eussent pas au marché fait vendre le dormir,
Comme le manger et le boire.

En son hôtel il fait venir
Le chanteur, et lui dit: Or çà, sire Grégoire,
Que gagnez-vous par an? —
Par an? Ma foi, Monsieur,
Dit, avec un ton de rieur,
Le gaillard Et si je meurs il veut avoir
Savetier, ce n'est point ma manière

나는 그렇게 계산 안합니다.
그날그날 번 것을 모으는 것이 아니라
이럭저럭 연말까지 살면 되는 겁니다.
그날그날 먹을 빵 정도는 나오거든요

그렇다면 하루에 얼마나 벌죠?
때에 따라 많고, 때에 따라 적지요. 언제나 곤란한 것은
(이 곤란만 없으면 벌이가 꽤 괜찮지만)

일 년에 며칠은 일을 못한다는 겁니다.
축일 때문에 우리는 망하는 거죠.
나는 공연히 손해를 보는데. 신부님은
설교할 때 꼭 새로운 성자 이야기를 하시죠.

은행가는 그의 순진한 이야기에 웃으며 말했다.
나는 오늘 당신을 왕좌에 앉히고 싶습니다.
여기 금화 백 에퀴를 받으시오.
그리고 필요할 때 쓸 수 있도록 잘 간수하시오.

구두장이는 이것을 보고는
백 년 전부터 사람들이 쓰고자 만든
세상 돈의 전부라고 생각했다.

De compter de la sorte; et je n'entasse guère
Un jour sur l'autre: il suffit qu'à la fin
J'attrape le bout de l'année;
Chaque jour amène son pain.

—Eh bien, que gagnez-vous, dites-moi, par journée?
—Tantôt plus, tantôt moins: le mal est que toujours
(Et sans cela nos gains seroient assez honnêtes).

Le mal est que dans l'an s'entremêlent des jours
Qu'il faut chommer; on nous ruine en fêtes;
L'une fait tort à l'autre; et Monsieur le curé
De quelque nouveau saint charge toujours son prône.

Le Financier, riant de sa naïveté,
Lui dit: Je vous veux mettre aujourd'hui sur le trône.
Prenez ces cent écus; gardez-les avec soin.
Pour vous en servir au besoin.

Le Savetier crut voir tout l'argent que la terre
Avoit, depuis plus de cent ans,
Produit pour l'usage des gens.

집에 돌아오자 지하실에 그 돈을 넣었으나
기쁨도 돈과 함께 넣었다.

더 이상 노래는 없었다. 우리에게 근심을 주는
돈이라는 것을 얻는 순간, 노랫소리는 사라졌다.

잠도 그의 집을 떠나고
걱정이 찾아왔다.

의심과 쓸데없는 불안이
하루 종일 눈을 부릅뜨고 밤은 밤대로

고양이가 소리를 내면
그 고양이가 돈을 훔치러 온 줄 알았다.
결국 이 가련한 사나이는
이웃집의 잠든 은행가에게 달려갔다.
나의 노래와 잠을 돌려주시오,
그리고 백 에퀴는 도로 가져가시오.

Il retourne chez lui; dans sa cave il enserre
L'argent, et sa joie à la lois.

Plus de chant: il perdit la voix.
Du moment qu'il gagna ce qui cause nos peines.

Le sommeil quitta son logis;
Il eut pour hôtes les soucis.

Les soupçons, les alarmes vaines;
Tout le jour, il avoit l'oeil au guet; et la nuit.

Si quelque chat faisoit du bruit.
Le chat prenoit l'argent.
A la fin le pauvre homme
S'en courut chez celui qu'il ne réveilloit plus:
«Rendez-moi, luï dit-il, mes chansons et mon somme,
Et reprenez vos cent écus.»

## 죽음과 나무꾼

온통 나뭇가지에 뒤덮인 한 불쌍한 나무꾼,
살아온 세월만큼 무거운 짐에 눌려서
낑낑대면서 굽은 허리로 무거운 발걸음으로 걸으며,
연기에 그을린 작은 초가집으로 돌아가고 있다.
마침내, 힘이 빠지고 고통을 더는 참을 수 없어,
나뭇짐을 내려놓고 자기의 불행을 생각해 본다.
이 세상에 태어나서 나에게 어떤 즐거움이 있었나?
이 둥근 땅덩이 위에 나보다 더 불쌍한 인생이 있을까?
식량도 떨어지고 쉴 틈이라고는 전혀 없다.
마누라와 자식들, 병사들과 세금,
빚쟁이와 부역,
나야말로 불행한 인간의 본보기가 아닌가.
나무꾼은 죽음의 신을 부른다. 죽음의 신이 지체 없이 와서.
그에게 무얼 해줄까 묻는다.
"할 일이란" 나무꾼은 말한다 "나에게
이 짐을 다시 지도록 도와주고, 얼른 물러가시오."
죽음은 모든 것을 치유해 준다.
그러나 우리가 있는 곳에서 움직이지 말자.
죽기보다는 괴로워하는 것이 훨씬 낫지,
이것이 인간들의 좌우명이다.

## La Mort et le Bûcheron

Un pauvre Bûcheron tout couvert de ramée,
Sous le faix du fagot aussi bien que des ans
Gémissant et courbé marchait à pas pesants,
Et tâchait de gagner sa chaumine enfumée.
Enfin, n'en pouvant plus d'effort et de douleur,
Il met bas son fagot, il songe à son malheur.
Quel plaisir a-t-il eu depuis qu'il est au monde?
En est-il un plus pauvre en la machine ronde?
Point de pain quelquefois, et jamais de repos.
Sa femme, ses enfants, les soldats, les impôts,
Le créancier, et la corvée
Lui font d'un malheureux la peinture achevée.
Il appelle la mort, elle vient sans tarder,
Lui demande ce qu'il faut faire
C'est, dit-il, afin de m'aider
A recharger ce bois; tu ne tarderas guère.
Le trépas vient tout guérir;
Mais ne bougeons d'où nous sommes.
Plutôt souffrir que mourir,
C'est la devise des hommes.

## 9. 샤를 페로

파리 태생. 1663년부터 20년 동안 정치가 코르벨에 협력한다. 1670년 아카데미 프랑세즈 회원이 된다.《루이 대왕의 세기》를 계기로 하여 일어난 '신구논쟁' 에서 진보파를 대표하여 보수파의 니콜라 부알로와 대립한다. 양파는 화해하였고, 페로의 논지는《고대인과 근대인의 비교론》,《현대 프랑스 위인》에 나타나 있다. 만년에 쓴《빨간 모 ▶

### 신데렐라 (발췌)

[……]
그건 틀림없이 큰 장점이도다.
기지가 있고, 용감하고.
귀족 출신이고, 양식이 있고,
그리고 다른 류의 재능들,
천부적으로 하늘에서 받은,
그러나 그런 것을 가져도 소용없도다
네 진보에는 이것들은 보람 없는 일이로다,
그런 것을 행사하려면,
대부 아니면 대모가 없어야할 지니라.

## Charles Perrault, 1628-1703

자》,《장화 신은 고양이》,《신데렐라》등의 이야기가 들어있는 동화집《옛날 이야기》는 세계적으로 유명하다. 비평가로서도 명성을 얻었다.

## Cendrillon (Extrait)

………

C'est sans doute un grand avantage,

D'avoir de l'esprit, du courage,

De la naissance, du bon sens,

Et d'autres semblables talents,

Qu'on reçoit du Ciel en partage;

Mais vous aurez beau les avoir,

Pour votre avancement ce seront choses vaines,

Si vous n'avez, pour les faire valoir,

Ou des parrains ou des marraines.

## 10. 니콜라 부알로

파리 고등법원 서기의 아들로 16 형제 중 15째 아들이다. 1657년 아버지의 유산을 받고 문학에 전념한다. 몰리에르, 라신의 친구로 파리인의 생활풍속을 신랄한 필체로 쓴《풍자시》를 1666년에 발표하고 명성을 얻는다. 1668년에《서간시》를 출판한다. 그 이외에 고전주의 문학이론의 집대성이며 그의 이름을 문학사에 남긴《시법》이 있다. ▶

### 기꺼이 질투도 하지 않고

기꺼이 질투하는 일 없이 교대 교대로
클로드의 부인에게 봉사하는 여섯 명의 연인들 가운데
가장 정절을 지키는 자는 장, 그의 남편
어느 날 조금 술이 취해
자기 밑에서 일하는 하녀를 껴안았다.
여섯 명 중 한 사람이 말한다. 무슨 짓을 하는 거예요.
이런 창녀를 상대한다는 것은, 만일의 일이 있을지도 모르죠.
장 나리, 장 나리 여섯 명 전부를 망칠 작정인가요?

## Nicolau Boileau-Despréaux
## 1636-1711

1674년 신구파 논쟁에서는 고대파의 옹호자로서 풍자시로 근대파를 공격하였다. 이성과 양식이 의한 비평으로 자연 혹은 인간성 속에 있는 '진실성'의 정확한 묘사를 강조한다. 그의 풍자는 다음 시에 잘 나타나 있다.

## De six amants contents et non jaloux

De six amants contents et non jaloux,
Qui tour-à-tour servoient madame Claude,
Le moins volage étoit Jean, son époux.
Un jour pourtant, d'humeur un peu trop chaude,
Serroit de près sa sevante aux yeux doux,
Lorsqu'um des six lui dit: Que faites-vous?
Le jeu n'est sûr avec cette ribaude.
Ah! voulez-vous, Jean-Jean, vous gâter tous?

# 11. 알렉시스 피롱

시인, 극작가. 디종에서 약제사의 아들로 태어났다. 그의 아버지도 부르고뉴 지방에서 풍자시로 이름을 떨쳤다. 은행 서기로 일하고 후에 법률을 공부한다. 1719년 파리에 왔다. 기지에 넘치는 그는 많은 날카로운 경구 외에 시, 이야기 풍자를 썼다.《아버지들의 학교 또는 배은망덕한 아들》(1728),《아를르켕 되칼리옹》(1722) 등의 희곡으로 ▶

## 나의 묘비명

여기 잠들어있다.
누가?
뭐라고?
나, 아무것도 아닌 놈.
살았을 땐, 하인도 주인도,
판사도, 예술가도, 사업가도, 변호사도,
농부도, 군인도, 바보도, 성직자도 아닌 놈이
교회 집사도, 아카데미 회원조차 아니고,
비밀결사대도 아니다.
그는 아무것도 되려고 하지 않았고
그리고 아무것도 아니게 살았다. 그건 분명히 좋은 일이었다.
왜냐하면, 결국, 무언가 되려는 건 정말 미친 짓이다,
무에서 태어나 무로 돌아가는데,
이승에서 무언가 되어 돌아가려는 놈은!

## Alexis Piron, 1689-1773

명성을 얻었다. 1753년 아카데미 프랑세즈의 회원으로 선출되었으나 젊었을 때 쓴《프리아포스 단시》때문에 루이 15세에 의해 비토되었다.

# Mon Épitaphe

Ci-gît...
Qui?
Quoi?
Ma foi, personne, rien.
Un qui, vivant, ne rut valet ni maître,
Juge, artisan, marchand, praticien,
Homme des champs, soldat, robin ni prêtre,
Marguillier, même académicien,
Ni frimaçon.
Il ne voulut rien être
Et véquit nul: en quoi certe il fit bien;
Car, après tout, bien fou qui se propose,
Venu de rien et revenant à rien,
D'être en passant ici-bas quelque chose!

기억하기 쉽게,
이 묘비명을 두 구절로
요약하는 것이 더 낫다고 생각한다.

여기 잠들어있다.
피롱이, 아무것도 하지 않았고.
아카데미 회원조차도 아닌 놈이.

Pour le soulagement des mémoires,
et pour le mieux, j'ai cru devoir réduire
celte épitaphe à deux vers:

Ci-git
Piron, qui ne fut rien.
Pas même académicien.

## 12. 니콜라 레스티프 드 라 브르톤

농민의 아들로 태어나 고전주의적 교양은 결여되어 있지만 민중의 생활 속에 숨 쉬는 서정이 엿보이는 점이 장점이다. 당시 사회의 퇴폐적인 모습을 생생하게 묘사했다. 사회개혁과 신비주의 색채로 '빈민굴의 루소'라고도 불린다. 8권으로 출간된《파리의 밤》에서는 모든 악 ▶

### 아름다운 빵 굽는 아가씨

귀여운 빵집 아가씨,
케레스[3]가 베풀어 준 밀가루를,
가볍게 비벼 반죽을 만들어
부드럽게 부푼 빵을 만든다.
그대가 주는 좋은 것을,
즐기지 않으면 벌 받으리라.
그대 손은 사람을 살리고,
그러나 그 눈은 사람을 죽인다.

부드럽게 부풀어 포근한 피부,
그 모습에 나는 황홀해진다.
그것은 최상품 밀가루

3 농업의 여신으로 대지에서 자라는 곡물, 특히 밀의 성장과 땅의 생산력을 관장하는 여신. 그리스 신화의 데메테르.

## Nicolas Restif de la Bretonne, 1734-1806

이 창궐하는 사회를 묘사하면서 본명으로 여성들을 등장시켜 화제가 되었다. 시가 자연묘사와 의고전적인 수사학에 지배당한 시대로 서정이 가곡 세계에 나타나 있다.

### La jolie Fournalière

Gentille Boulangère,
Qui ds dons de Cérès,
Sait d'une main légère
Nous donner du pain frais;
Des biens que tu nous livre,
Doit-on se réjouir?
Si ta main nous fait-vivre,
Tes yeus nous font mourir,

De sa peau douce et fine,
J'admire la fraîcheur,
C'est la fleur de farine

완전한 순백 안에서,
코르셋의 안 소박한
자연이 만든 우유가 든,
작은 빵이 부풀어 있는
둥근 모양은 누구나 사랑한다.

귀여운 그대의 빵이기에,
사랑이 언제나 넘치는구나,
주지 않는다고 하면,
차라리 몰래 건드리려고,
그래도 그대는 귀를 막고,
나의 탄식을 웃을 따름이다!
따끈따끈한 빵 팔면서,
왜 그렇게도 차갑게 구느냐?

차분히 좋은 가루를 반죽하여,
맺어진 마음이라고 보이는데,
뜨겁지 않을 리가 없다.
아 젊디젊은 아가테여,
그처럼 거칠게 굴지 말고,
사랑으로 부드럽게 해 다오.
잘 익은 사랑이 몸을 태우러,
화덕 속에 들어가게 해다오.

Dans toute sa blancheur;
On aime la tournure
Des petits-pain-au-lait,
Que la simple nature
A mis dans ton corset.

De ces pains, ma Mignone,
L'Amour a toujours soin;
Si tu ne les lui donne';
Permets-en le larcin:
Mais tu ne veux m'entendre,
Tu ris de mes hélas!
Quand on vend du pain tendre,
Pourquoi ne l'être pas?

D'une si bonne pâte,
Ton coeur semble paîtri;
Pourrait-il, jeune Agathe,
N'être pas attendri?
Ne sois plus si févère,
Soid sensible à l'amour,
Et permets-lui, ma Chère,
D'aler cuire à ton four.

# 13. 니콜라 질베르

로렌 지방에서 농부의 아들로 태어났다. 1772년《불행한 시인》다음해《최후의 심판》을 아카데미 프랑세즈의 콩쿠르에 보내지만 낙선한다. 화가 난 그는 당시 아카데미의 주류를 이루고 있는 계몽사상가와 싸우고 풍자시《18세기》를 쓴다. 비니는 그의 생애를《스텔로》에서 전설화하여 빈곤과 비참함으로 죽은 낭만파의 영웅으로 만든다. 오랜 ▶

## 몇 개의 시편을 모방한 송가

나는 사랑의 신에게 이 마음을 바쳤다.
신은 나의 회한을 알아보았다.
신은 회한을 치료하고 불굴의 인내심을 주었다.
불행이란 사실 신의 아이.

적은 크게 웃으며 노여움에 떨며 말한다.
"죽어버리고 명예도 사라져 버려라"
괴로운 나의 마음에 신은 아버지로서 이렇게 말한다.
"적의 증오는 너의 힘이 될 것이다.

둘도 없는 친구의 마음에 적이 노여움을 불어넣어.
모두가 소박한 그대를 속이고,
그대를 길러 준 자는 그 악의로 그려낸 어둠
즉 그대를 그린 그림을 팔아버리려고 분주하다.

## Nocola Gilbert, 1750-80

정신착란으로 암흑 속에 잠겨 있었으나 죽기 8일 전에 갑자기 맑은 의식을 되찾아《몇 개의 시편을 모방한 송가》를 쓰고 죽었다.

## Ode imitée de plusieurs psaumes

J'ai révélé mon coeur au Dieu de l'innocence;
Il a vu mes pleurs pénitents.
Il guérit mes remords, il m'arme de constance;
Les malheureux sont ses enfants.

Mes ennemis, riant, ont dit dans leur colère:
"Qu'il meure et sa gloire avec lui!"
Mais à mon coeur calmé le Seigneur dit en père:
"Leur haine sera ton appui.

À tes plus chers amis ils ont prêté leur rage:
Tout trompe ta simplicité;
Celui que tu nourris court vendre ton image
Noire de sa méchanceté.

그렇지만 신은 비탄의 말을 듣고, 그 신의 곁에
고뇌에서 태어난 참된 회한이 그대를 데려온다.
역경에 마음이 좌절당한 인간의 본성을
결국 용서하는 것은 신밖에 없다.

그대를 위해 나는 연민과 변함없는 영원을 가져오는
정의를 불러 깨우치게 될 것이다.
적이 오랫동안 수단을 부려 더럽혀온 그대의 명예를
그것들이 정화시켜 줄 것이다."

Mais Dieu t'entend gémir, Dieu vers qui te ramène
Un vrai remords né des douleurs;
Dieu qui pardonne enfin à la nature humaine
D'être faible dans les malheurs.

J'éveillerai pour toi la pitié, la justice
De l'incorruptible avenir;
Eux-mêmes épureront, par leur long artifice,
Ton honneur qu'ils pensent ternir."

## 14. 앙드레 셰니에

18세기 최대의 시인으로 롱사르와 위고 사이를 잇는 중요한 시인이다. 외교관의 아들로 태어났다. 파리의 나바르 학원을 졸업했다. 런던 주재 프랑스 대사관 서기관으로 근무했으나, 1789년 귀국하여 프랑스혁명에 가담하고 저널리즘에 참가하였다. 로베스피에르의 공포정치에 반대하다 체포되어 그의 실각 2일 전 32세의 나이로 단두대의 이슬로 사라졌다. 생전에는 2편의 시밖에 발표되지 않았으나, 그가 ▶

### 타렌툼의 처녀

울어라, 온순한 물총새들아! 오 너희들, 성스러운 새들아,
테티스가 사랑하는 새들, 온순한 물총새들아, 울어라.
타렌툼의 처녀 미르토가 살았는데.
한 척의 배가 그녀를 카마리나의 해안으로 실어갔다.
거기서 결혼식이 열리고 노랫소리, 피리 소리에 싸여 천천히,
그녀를 애인의 문턱으로 다시 바래다주게 되어 있었다.
주의 깊은 열쇠는 이 날을 위해
서양 삼나무 함 속에 넣어두었다. 신부의 옷과
축하연에서 그녀의 팔을 치장할 금팔찌,
그리고 그녀의 금발을 위해 준비한 향수를.
그러나 홀로 뱃머리에서, 별들에게 기도할 때,
돛에 부딪는 맹렬한 바람이
그녀를 감싸버렸다. 망연자실하여 수부들로부터 멀리 떨어져,

## André Chénier, 1762-94

남긴 서류 속에서 걸작이 발견되어 1819년 라투시에 의해 유고집이 간행되었다.《젊은 여죄수》는 옥중에서 쓰였고, 철학시《헤르메스》는 미완으로 끝났다.《목가》,《풍자 시집》 등이 있다.

## La Jeune Tarentine

Pleurez, doux alcyons, ô vous, oiseaux sacrés,
Oiseaux chers à Thétis, doux alcyons, pleurez.
Elle a vécu, Myrto, la jeune Tarentine.
Un vaisseau la portait aux bords de Camarine.
Là l'hymen, les chansons, les flûtes, lentement,
Devaient la reconduire au seuil de son amant.
Une clef vigilante a pour cette journée
Dans le cèdre enfermé sa robe d'hyménée
Et l'or dont au festin ses bras seraient parés
Et pour ses blonds cheveux les parfums préparés.
Mais, seule sur la proue, invoquant les étoiles,
Le vent impétueux qui soufflait dans les voiles
L'enveloppe. Étonnée, et loin des matelots,

그녀는 소리쳤다, 그녀는 떨어졌다. 파도의 한 가운데 있었다.

파도의 한 가운데 있었다. 타렌툼의 처녀는.
그녀의 아름다운 육체는 바다 물결 아래서 굴렀다.
테티스는, 눈물이 글썽하여, 바위틈에다
탐욕스러운 괴물로부터 시체를 감추어 주었다.
이윽고 테티스의 명령으로 아름다운 바다 요정들이
축축한 곳으로 그녀를 끌어 올리고
해변으로 옮겼다, 그리고 제피로스의 곶에
이 궁전 안에 부드럽게 옮겨다 놓았다.
그러고 나서 멀리서 큰 고함으로 그들의 동료를 불렀다
그리고 숲과 샘과 산의 요정들은,
모두들 가슴을 치고 긴 수의를 끌며
되풀이한다. "슬프도다!" 그녀의 관 둘레에서.
슬프도다! 너의 애인의 곁에 너는 가보지도 못했구나.
너는 신부의 옷을 입어보지도 못했구나.
네 팔 둘레에 황금 팔찌의 고리를 채워보지도 못했구나.
네 머리카락에 부드러운 향수를 발라보지도 못하고 갔구나.

Elle crie, elle tombe, elle est au sein des flots.

Elle est au sein des flots, la jeune Tarentine.
Son beau corps a roulé sous la vague marine.
Thétis, les yeux en pleurs, dans le creux d'un rocher
Aux monstres dévorants eut soin de le cacher.
Par ses ordres bientôt les belles Néréides
L'élèvent au-dessus des demeures humides,
Le portent au rivage, et dans ce monument
L'ont, au cap du Zéphir, déposé mollement.
Puis de loin à grands cris appelant leurs compagnes,
Et les Nymphes des bois, des sources, des montagnes,
Toutes frappant leur sein et traînant un long deuil,
Répétèrent: « hélas! » autour de son cercueil.
Hélas! chez ton amant tu n'es point ramenée.
Tu n'as point revêtu ta robe d'hyménée.
L'or autour de tes bras n'a point serré de nœuds.
Les doux parfums n'ont point coulé sur tes cheveux.

4

# 낭만주의 시

우주와 세계와 인간의 일치를 주장하는 낭만주의는, 괴테를 위시한 독문학과 셰익스피어를 위시한 영문학의 영향을 받았으며, 혁명의 소용돌이 속에서 억압된 감정의 해방을 추구하였다.

## 1. 마르셀린 데보르드 발모르

대혁명으로 몰락한 귀족가문 출생. 애인에게 버림받고 후에 데보르드와 결혼한다. 비평가 생트뵈브와 알게 되어 시작(詩作)의 재능을 인정받았다. 그녀의 시는 스스로의 슬픔과 고뇌를 노래하여 위고, 라마 ▶

### 사아디[1]의 장미

오늘 아침 그대에게 장미를 바치려 했어요,
그러나 꼭 낀 허리띠에다 너무 많이 꽂아
꼭 죄인 매듭은 장미를 지닐 수 없었어요.

매듭은 터지고, 장미들은 바람에 날려
모두 바다 쪽으로 가버렸습니다.
장미는 물결 따라 흘러 영영 돌아오지 않았어요.

파도는 장미로 빨갛게 물들어 마치 불타는 듯했지요.
오늘 저녁, 내 옷이 아직 장미 향기로 그득하니
들여 마셔요 내 몸에서 향기로운 추억을.

1 (1194-1282) 페르샤의 시인이자 신비가. 그의 시집 〈장미원〉의 서문에서 주제를 빌려왔다.

## Marceline Desbordes-Valmore, 1786-1859

르틴에게 절찬을 받는다.《엘레지와 로망스》(1819),《눈물》(1833),《슬픈 꽃》(1839),《꽃다발과 기도》(1843) 등이 있다.

### Les Roses de Saadi

J'ai voulu ce matin te rapporter des roses;
Mais j'en avais tant pris dans mes ceintures closes
Que les nœuds trop serrés n'ont pu les contenir.

Les nœuds ont éclaté. Les roses, envolées
Dans le vent, à la mer s'en sont toutes allées.
Elles ont suivi l'eau pour ne plus revenir;

La vague en a paru rouge et comme enflammée.
Ce soir, ma robe encore en est tout embaumée...
Respires-en sur moi l'odorant souvenir.

## 2. 알퐁스 드 라마르틴

마콩의 소귀족의 가문에서 태어났다. 위고, 뮈세, 비니와 더불어 낭만파 4대 시인 중의 한 사람. 휴양지에서 알게 된 여인과 사랑에 빠졌고 다음 해에 그녀는 병사했지만 엘비르의 모델이 되었다. 그는 비통 ▶

### 나비

봄이 오면 태어나 장미 따라 죽어가는 너,
미풍의 날개를 타고 맑은 하늘 속을 헤엄치며,
갓 핀 꽃들의 가슴 위에서 나풀거리며,
향기, 빛과 하늘에 도취되어,
아직 젊은, 날개의 가루를 흔들어 뿌리며
영원한 회랑에서 숨결처럼 날아간다,
그렇게 황홀한 나비의 운명!
결코 지칠 줄 모르는 욕망과도 같다,
그래서 만족할 줄 모르고, 모든 것을 스쳐가며,
마침내는 쾌락을 찾아 하늘로 돌아간다.

## Alphonse de Lamartine, 1790-1869

한 체험으로《첫 명상 시집》(1820)을 탄생시켰다. 이것은 잊혔던 리리시즘[2]을 회복하는 데 큰 영향을 주었다.

## Le papillon

Naître avec le printemps, mourir avec les roses,
Sur l'aile du zéphyr nager dans un ciel pur,
Balancé sur le sein des fleurs à peine écloses,
S'enivrer de parfums, de lumière et d'azur,
Secouant, jeune encor, la poudre de ses ailes,
S'envoler comme un souffle aux voûtes éternelles,
Voilà du papillon le destin enchanté!
Il ressemble au désir, qui jamais ne se pose,
Et sans se satisfaire, effleurant toute chose,
Retourne enfin au ciel chercher la volupté!

2 lyricism: 시나 산문, 음악 따위에 나타난 서정적인 정취.

# 호수

이렇게 항상 새로운 기슭으로 밀리며,
영원한 밤 속으로 되돌아옴이 없이 실려 가며,
우리 단 하루만이라도 이 세월의 대양에
닻을 던질 수는 없을까?

오 호수여! 한 해가 겨우 지났거늘,
그녀가 다시 한 번 보아야 할 정다운 물가에,
보라! 나 홀로 이 돌 위에 앉아 있음을
그녀가 전에 앉았었던 이 돌 위에!

그대는 이렇게 속삭였었다. 이 가파른 바위 밑에서,
이렇게 그대는 찢겨진 바위의 허리에 부서졌다,
이렇게 바람은 물거품을 물결로부터 내던졌다
사랑스런 그대의 발 아래서.

어느 날 저녁, 그대는 기억하는가? 우린 말 없이 배를 저었다,
물결 위 그리고 하늘 아래, 멀리서 오직 들리는 것이라곤,
조화롭게 너의 물결에 박자 맞춰 치고 있었던
노 젓는 소리뿐.

별안간 이 세상 소리 같지 않은 목소리가
마술에 걸린 호숫가에서 메아리를 쳤다,
물결은 귀를 기울였다. 그리고 내게 그리운 그 목소리는
이런 말을 떨어뜨렸다.

## Le lac

Ainsi, toujours poussés vers de nouveaux rivages,
Dans la nuit éternelle emportés sans retour,
Ne pourrons-nous jamais sur l'océan des âges
Jeter l'ancre un seul jour?

Ô lac! l'année à peine a fini sa carrière,
Et près des flots chéris qu'elle devait revoir,
Regarde! je viens seul m'asseoir sur cette pierre
Où tu la vis s'asseoir!

Tu mugissais ainsi sous ces roches profondes,
Ainsi tu te brisais sur leurs flancs déchirés,
Ainsi le vent jetait l'écume de tes ondes
Sur ses pieds adorés.

Un soir, t'en souvient-il? nous voguions en silence;
On n'entendait au loin, sur l'onde et sous les cieux,
Que le bruit des rameurs qui frappaient en cadence
Tes flots harmonieux.

Tout à coup des accents inconnus à la terre
Du rivage charmé frappèrent les échos;
Le flot fut attentif, et la voix qui m'est chère
Laissa tomber ces mots:

"오 시간이여, 날기를 멈춰라, 그리고 너 행복한 시간이여!
그대의 흐름을 멈춰라!
맛보게 하여다오 쏜살같은 행복을
우리들의 일생 중 가장 아름다운 날들의!

"너무나 많은 이 세상의 불행한 사람들은 네게 기도하나니,
흘러가거라, 흘러가거라, 그들을 위해서,
앗아가거라, 시간과 함께 그들을 먹어치우는 근심 걱정도,
잊어버려다오, 행복한 사람일랑.

"허나 헛되이 나는 조금의 시간을 더 요구하지만,
시간은 나를 비켜서 달아나 버린다,
나는 이 밤에게 말한다. "천천히 가거라, 그리고 새벽은
이윽고 밤을 흩트려 버리리라.

"사랑해요, 그러니, 사랑해요! 사라져가는 시간을,
서둘러요, 얼른 즐겨요!
인간에겐 항구가 없고, 시간엔 기슭이 없어요,
시간은 흐르고, 우리는 지나가 버려요!"

시기하는 시간이여, 사랑이 우리들에게 행복을,
담뿍 부어주는 이 도취의 순간들이,
불행의 날들만큼이나 빨리 우리로부터
멀리 날아가 버린다 말인가?

"Ô temps! suspends ton vol, et vous, heures propices!
Suspendez votre cours:
Laissez-nous savourer les rapides délices
Des plus beaux de nos jours!

"Assez de malheureux ici-bas vous implorent,
Coulez, coulez pour eux;
Prenez avec leurs jours les soins qui les dévorent;
Oubliez les heureux.

"Mais je demande en vain quelques moments encore,
Le temps m'échappe et fuit;
Je dis à cette nuit: Sois plus lente; et l'aurore
Va dissiper la nuit.

"Aimons donc, aimons donc! de l'heure fugitive,
Hâtons-nous, jouissons!
L'homme n'a point de port, le temps n'a point de rive;
Il coule, et nous passons!"

Temps jaloux, se peut-il que ces moments d'ivresse,
Où l'amour à longs flots nous verse le bonheur,
S'envolent loin de nous de la même vitesse
Que les jours de malheur?

뭐라고, 그 흔적을 적어도 보존할 수는 없을까?
뭐, 영원히 지나가버렸다고? 뭐, 모두가 사라져 버렸다고!
도취를 주었던 이 시간, 도취를 지워버리는 이 시간이,
우리들에게 그것을 다시는 돌려주지 않을 것인가?

영원, 무, 과거, 어두운 심연이여,
너희가 삼킨 날들을 어찌하느냐?
말하라. 우리에게 되돌려 줄 테냐, 숭고한 황홀을
너희들이 우리로부터 앗아간?

오 호수여! 말 없는 바위여! 동굴이여! 검은 숲이여!
세월이 목숨을 앗지 않고 또 시간이 또다시 젊게 해 줄 수 있는 그대들,
이 밤을 간직해다오, 간직해다오, 아름다운 자연이여,
적어도 그 추억만이라도!

그대의 휴식 속에서든, 폭풍 속에서든,
아름다운 호수여, 그리고 그대 미소 짓는 언덕의 모습 속에서든,
그리고 이 검은 전나무 속에서든, 그리고 호수 위로 돌출한
이 거친 바위 속에서든.

살랑거리며 지나가는 미풍 속에서든,
메아리쳐 오는 호숫가의 호안의 노래 속에서든,
그대의 수면을 부드러운 빛으로 하얗게 물들이는
은빛 이마의 별 속에서든.

Eh quoi! n'en pourrons-nous fixer au moins la trace?
Quoi! passés pour jamais! quoi! tout entiers perdus!
Ce temps qui les donna, ce temps qui les efface,
Ne nous les rendra plus!

Éternité, néant, passé, sombres abîmes,
Que faites-vous des jours que vous engloutissez?
Parlez: nous rendrez-vous ces extases sublimes
Que vous nous ravissez?

Ô lac! rochers muets! grottes! forêt obscure!
Vous, que le temps épargne ou qu'il peut rajeunir,
Gardez de cette nuit, gardez, belle nature,
Au moins le souvenir!

Qu'il soit dans ton repos, qu'il soit dans tes orages,
Beau lac, et dans l'aspect de tes riants coteaux,
Et dans ces noirs sapins, et dans ces rocs sauvages
Qui pendent sur tes eaux.

Qu'il soit dans le zéphyr qui frémit et qui passe,
Dans les bruits de tes bords par tes bords répétés,
Dans l'astre au front d'argent qui blanchit ta surface
De ses molles clartés.

흐느끼는 바람, 한숨짓는 갈대,
그대 향긋한 공기의 가벼운 향기,
듣고 보고, 호흡하는 모든 것,
모두가 속삭이리라. "그들은 사랑하였느니라!"

Que le vent qui gémit, le roseau qui soupire,
Que les parfums légers de ton air embaumé,
Que tout ce qu'on entend, l'on voit ou l'on respire,
Tout dise: Ils ont aimé!

# 가을

안녕! 아직 남아있는 푸르름에 덮인 숲이여!
잔디 위 흩어져 있는 노란빛의 낙엽들이여!
안녕! 아름다운 마지막 날들이여! 자연의 슬픔은
내 괴로움과 어울려 내 눈길을 즐겁게 하는구나!

나는 꿈결 같은 걸음으로 한적한 오솔길을 따라간다,
마지막으로, 나는 다시 한 번 보고 싶구나,
창백한 태양은 그 희미한 빛으로
내 발밑에서 간신히 어두운 숲을 밝히고 있다!

그렇다. 자연이 사라져 가는 이 가을날들,
베일에 싸인 그의 시선에서, 나는 더욱 매력을 느낀다.
가을은 친구와의 이별이다, 죽음으로 영원히
닫혀지려는 입술에 띄우는 마지막 미소이다!

이렇게, 인생의 지평선을 떠날 준비를 하고,
내 오랜 나날의 희망이 사라져가는 것을 눈물지으며,
나는 다시 한 번 몸을 돌린다, 부러운 시선으로
내가 누리지 못했던 좋은 일을 생각해 본다!

대지여, 태양이여, 계곡이여, 아름답고 다정한 자연이여,
나는 내 무덤가에서 그대들에게 눈물을 흘린다.
대기는 너무도 향기롭다! 빛은 너무도 순수하다!
죽어가는 자의 시선에는 태양은 정말 아름답다!

## L'Automne

Salut! bois couronnés d'un reste de verdure!
Feuillages jaunissants sur les gazons épars!
Salut, derniers beaux jours! Le deuil de la nature
Convient à la douleur et plaît à mes regards!

Je suis d'un pas rêveur le sentier solitaire,
J'aime à revoir encor, pour la dernière fois,
Ce soleil pâlissant, dont la faible lumière
Perce à peine à mes pieds l'obscurité des bois!

Oui, dans ces jours d'automne où la nature expire,
A ses regards voilés, je trouve plus d'attraits,
C'est l'adieu d'un ami, c'est le dernier sourire
Des lèvres que la mort va fermer pour jamais!

Ainsi, prêt à quitter l'horizon de la vie,
Pleurant de mes longs jours l'espoir évanoui,
Je me retourne encore, et d'un regard d'envie
Je contemple ses biens dont je n'ai pas joui!

Terre, soleil, vallons, belle et douce nature,
Je vous dois une larme aux bords de mon tombeau;
L'air est si parfumé! la lumière est si pure!
Aux regards d'un mourant le soleil est si beau!

나는 이제 단맛 쓴맛이 뒤섞인 이 술잔을
마지막 한 방울까지 비우고 싶다.
내가 생명을 마시던 이 잔 밑바닥에
어쩌면 한 방울의 꿀이 남아 있지 않을까?

어쩌면 미래가 다시 한 번 나에게
희망이 사라진 행복을 돌려줄 수 있을까?
어쩌면 군중 속에 내가 모르는 어떤 영혼이
내 영혼을 이해하고 그리고 내게 응답해 줄 수 있을까?

미풍에 향기를 풍기며 꽃잎이 떨어진다,
생명에, 태양에, 이별이다,
나는, 나는 죽어간다, 숨이 멈추는 그 순간에,
슬프고도 가락진 소리처럼 내 영혼은 퍼져간다.

Je voudrais maintenant vider jusqu'à la lie
Ce calice mêlé de nectar et de fiel!
Au fond de cette coupe où je buvais la vie,
Peut-être restait-il une goutte de miel?

Peut-être l'avenir me gardait-il encore
Un retour de bonheur dont l'espoir est perdu?
Peut-être dans la foule, une âme que j'ignore
Aurait compris mon âme, et m'aurait répondu?

La fleur tombe en livrant ses parfums au zéphire;
A la vie, au soleil, ce sont là ses adieux;
Moi, je meurs; et mon âme, au moment qu'elle expire,
S'exhale comme un son triste et mélodieux

## 3. 알프레드 드 비니

낭만파 시인, 소설가, 극작가이다. 프랑스 혁명으로 인해 몰락한 지방 귀족 출신으로, 처음에는 군인에 뜻을 두었으나 군대 생활이 싫어 문학에 발을 들여놓았다. 위고의 권유로 시를 쓰기 시작하여 1826년 출 ▶ 세작《고금 시집》을 발표하였다. 스토이크한 태도로 격정을 억누르고

### 들판을 가로질러 … 목동의 집

[……]
떠나라 용감히, 모든 도시를 버리고,
더럽히지 말라 길의 먼지로 너의 발을,
우리의 사상의 고지로부터 내려 보라, 인간을 노예로 하는
숙명적 바위 같은 비천한 도시들을.
큰 삼림과 들판은 넓은 안식처,
검은 섬들을 둘러싼 바다처럼 자유롭다.
들판을 거닐라, 손에 한 송이 꽃을 들고.

자연은 엄숙한 침묵 속에 너를 기다린다,
풀들은 너의 발밑에 저녁 구름을 솟게 하고
대지에서 태양에 이르는 이별의 탄식은
이리저리 흔든다, 향로처럼 아름다운 백합꽃을.
숲은 깊은 원주들을 감추고
산은 숨고, 창백한 물결 위에

## Alfred de Vigny, 1797-1863

예지의 빛으로 대상을 응시하는 점에서 독자적인 시풍을 보인다.《생 마르》,《스텔로》,《군대의 복종과 위대함》등의 작품을 남겼다.

## Marche à travers les champs ... La Maison du Berger

.........

Pars courageusement, laisse toutes les villes;
Ne ternis plus tes pieds aux poudres du chemin,
Du haut de nos pensers vois les cités serviles
Comme les rocs fatals de l'esclavage humain.
Les grands bois et les champs sont de vastes asiles,
Libres comme la mer autour des sombres îles.
Marche à travers les champs une fleur à la main.

La Nature t'attend dans un silence austère;
L'herbe élève à tes pieds son nuage des soirs,
Et le soupir d'adieu, du soleil à la terre,
Balance les beaux lys comme des encensoirs.
La forêt a voilé ses colonnes profondes,
La montagne se cache, et sur les pâles ondes

버드나무가 정숙한 휴식처를 늘어뜨리고 있다.

정다운 황혼이 잠든다, 골짜기에
에메랄드 빛 풀 위에, 황금빛 잔디 위에.
외딴 샘가의 수줍은 등심초 위에,
그리고 지평선에서 떨고 있는 꿈 꾸는 나무 아래,
산포도들 속에서 도망치며 흔들리고
그의 회색 망토를 강가에 던진다.
그리고 밤의 꽃들은 감옥을 살며시 연다.

Le saule a suspendu ses chastes reposoirs.

Le crépuscule ami s'endort dans la vallée,
Sur l'herbe d'émeraude et sur l'or du gazon,
Sous les timides joncs de la source isolée
Et sous le bois rêveur qui tremble à l'horizon,
Se balance en fuyant, dans les grappes sauvages,
Jette son manteau gris sur le bord des rivages,
Et des fleurs de la nuit entr'ouvre la prison.

# 이리의 죽음

1

[……]
이리는 다가와, 갈고리 같은 발톱을 모래 속에 푹 박은 채
두 다리를 곧추세우고 앉았다.
이제 끝장이라고 생각했다, 기습을 당해서
퇴로는 차단되고, 모든 수단이 막혀버렸으니까.
그러고는 불타는 듯한 아가리로
제일 용감한 사냥개의 헐떡이는 목덜미를 물었고,
인간의 총알이 제 살을 꿰뚫어도
날카로운 단검들이 집게처럼 엇갈리며
깊숙한 내장 속을 파고들어도,
목 졸린 개가 이미 먼저 죽어서
자신의 발치에 굴러 떨어지는 마지막 순간까지,
굳게 다문 그 강철 같은 턱을 풀지 않았다.
이윽고 이리는 개를 버려두고 우리를 쳐다본다.
옆구리엔 여전히 칼 밑까지 박혀 있는 단검들 때문에
제 피로 흥건한 풀밭 위에서 이리는 못 박힌 듯 꼼짝하지 못한다.
음산한 초승달처럼 우리들의 총구가 그를 둘러쌌다.
입가에 번진 피를 핥으면서 이리가 다시 한 번
우리를 쳐다보더니, 바닥에 다시 엎드린다.
그리고 자신이 어쩌다가 죽게 되었는지 알려고도 않고,
큰 눈을 감으며, 비명 소리 한 번 내지 않고, 죽어간다.

# La Mort du loup

I

.........

Le Loup vient et s'assied, les deux jambes dressées
Par leurs ongles crochus dans le sable enfoncées.
Il s'est jugé perdu, puisqu'il était surpris,
Sa retraite coupée et tous ses chemins pris;
Alors il a saisi, dans sa gueule brûlante,
Du chien le plus hardi la gorge pantelante
Et n'a pas desserré ses mâchoires de fer,
Malgré nos coups de feu qui traversaient sa chair
Et nos couteaux aigus qui, comme des tenailles,
Se croisaient en plongeant dans ses larges entrailles,
Jusqu'au dernier moment où le chien étranglé,
Mort longtemps avant lui, sous ses pieds a roulé.
Le Loup le quitte alors et puis il nous regarde.
Les couteaux lui restaient au flanc jusqu'à la garde,
Le clouaient au gazon tout baigné dans son sang;
Nos fusils l'entouraient en sinistre croissant.
Il nous regarde encore, ensuite il se recouche,
Tout en léchant le sang répandu sur sa bouche,
Et, sans daigner savoir comment il a péri,
Refermant ses grands yeux, meurt sans jeter un cri.

2

화약 없는 총 위에 이마를 얹은 채
나는 생각에 빠져들었고, 뒤쫓을 마음이 일지 않았다.
포기하지 않고 아비 이리를 기다렸을
암이리와 어린 이리들, 셋 모두를,
두 마리의 새끼 이리가 없었더라면, 아름답고 슬픈 암이리는
결코 아비 이리 혼자서 그 큰 시련을 겪도록 내버려 두지 않았으리라.
그렇지만 암이리의 의무는 그들을 구해서
그들에게 배고픔을 견디는 법을 가르치는 것이었다.
잠자리를 얻기 위해 인간의 앞잡이가 되어
숲과 바위의 최초의 주인들을 뒤쫓는 비굴한 짐승들,
그 짐승들과 인간이 맺은 도시의 계약에
빠져들지 않도록 가르치는 것이었다.

3

아, 인간이라는 이 거대한 이름에도 불구하고
우리들이 너무나 허약한 것이 나는 수치스러웠다!
삶과 그 모든 악으로부터 어떻게 떠나야 하는지를
너희들은 알고 있구나, 숭고한 짐승들이여!
우리가 이 세계에서 무엇이었고 또 무얼 남기는지 생각할 때,
오직 침묵만이 위대하고, 나머지 모든 것은 나약한 것이다.

II

J'ai reposé mon front sur mon fusil sans poudre,
Me prenant à penser, et n'ai pu me résoudre
A poursuivre sa Louve et ses fils qui, tous trois,
Avaient voulu l'attendre, et, comme je le crois,
Sans ses deux louveteaux la belle et sombre veuve
Ne l'eût pas laissé seul subir la grande épreuve;
Mais son devoir était de les sauver, afin
De pouvoir leur apprendre à bien souffrir la faim,
A ne jamais entrer dans le pacte des villes
Que l'homme a fait avec les animaux serviles
Qui chassent devant lui, pour avoir le coucher,
Les premiers possesseurs du bois et du rocher.

III

Hélas! ai-je pensé, malgré ce grand nom d'Hommes,
Que j'ai honte de nous, débiles que nous sommes!
Comment on doit quitter la vie et tous ses maux,
C'est vous qui le savez, sublimes animaux!
A voir ce que l'on fut sur terre et ce qu'on laisse
Seul le silence est grand; tout le reste est faiblesse.

— 아, 야생의 떠돌이여, 나는 잘 알고 있다!
너의 마지막 시선은 심장까지 나를 파고들었다!
그 시선은 말하고 있었다. "할 수만 있다면, 너의 영혼이
근면하고 사유에 머물도록 하라,
스토아적인 긍지의 드높은 경지에까지,
숲에서 태어나서, 나는 단숨에 올라갔다.
탄식하고, 눈물 흘리고, 간청하는 것은 똑같이 비겁하다.
길고도 어려운 너의 임무를 정열적으로 수행하라.
운명이 너를 부르고자 하는 길 위에서
그리고 나서는, 나처럼, 말없이 고통을 받고 죽으라."

– Ah! je t'ai bien compris, sauvage voyageur,
Et ton dernier regard m'est allé jusqu'au coeur!
Il disait: »Si tu peux, fais que ton âme arrive,
A force de rester studieuse et pensive,
Jusqu'à ce haut degré de stoïque fierté
Où, naissant dans les bois, j'ai tout d'abord monté.
Gémir, pleurer, prier est également lâche.
Fais énergiquement ta longue et lourde tâche
Dans la voie où le Sort a voulu t'appeler,
Puis après, comme moi, souffre et meurs sans parler.«

## 4. 빅토르 위고

브장송에서 태어났다. 낭만파의 리더로 19세기 최고의 시인, 소설가, 극작가이다.《에르나니》의 상연으로 프랑스의 낭만주의는 시작되었다. 그는 소설《노트르담의 곱추》,《레 미제라블》에서 민중, 자유, 인 ▶

### 오세요! 눈에 보이지 않는 피리가

오세요! 눈에 보이지 않는 피리가
목장에서 한숨 쉽니다.
가장 평화로운 노래는
목동의 노래.

바람은 떡갈나무 밑에서,
물의 어두운 거울에 잔물결을 일게 합니다.
가장 즐거운 노래는
새들의 노래.

어떤 걱정에도 괴로워해선 안 됩니다.
우리 사랑해요! 언제까지나 사랑해요!
가장 매혹적인 노래는
사랑의 노래.

Victor Hugo, 1802-85

도주의를 찬양하였다. 1851년부터 19년간의 망명생활 동안《징벌 시집》,《관조 시집》, 그의 시의 집대성인《여러 세기의 전설》을 썼다.

## Viens! une flûte invisible

Viens! une flûte invisible
Soupire dans les vergers. -
La chanson la plus paisible
Est la chanson des bergers.

Le vent ride, sous l'yeuse,
Le sombre miroir des eaux. -
La chanson la plus joyeuse
Est la chanson des oiseaux.

Que nul soin ne te tourmente.
Aimons-nous! aimons toujours! -
La chanson la plus charmante
Est la chanson des amours.

## 씨 뿌리는 계절, 저녁 때

지금은 황혼
나는 황홀히 바라본다, 문턱에 앉아,
노동의 마지막 시간이
비춰주는 하루의 나머지를.

밤이 짙어가는 대지에서
나는 감동하여 바라본다.
미래의 수확을 밭고랑에
한줌 가득 던지는 누더기 입은 한 노인을,

그의 키 큰 검은 실루엣은
어둠이 짙은 밭을 지배한다.
어느 정도 그는 유익한 날들이
하루하루 지나감을 믿어도 좋으리라.

그는 넓은 들판을 걷는다,
갔다 왔다 씨를 머얼리 뿌린다,
손을 다시 펴서는 다시 시작한다,
그리고 나는 생각에 잠긴다, 모호한 증인이 되어,

그러는 동안, 닻을 내리며,
어둠은, 소란한 소리와 뒤섞이어,
씨 뿌리는 농부의 엄숙한 모습을
별에까지 뻗치는 듯하다.

## Saison des semailles. Le soir

C'est le moment crépusculaire.
J'admire, assis sous un portail,
Ce reste de jour dont s'éclaire
La dernière heure du travail.

Dans les terres, de nuit baignées,
Je contemple, ému, les haillons
D'un vieillard qui jette à poignées
La moisson future aux sillons.

Sa haute silhouette noire
Domine les profonds labours.
On sent à quel point il doit croire
A la fuite utile des jours.

Il marche dans la plaine immense,
Va, vient, lance la graine au loin,
Rouvre sa main, et recommence,
Et je médite, obscur témoin,

Pendant que, déployant ses voiles,
L'ombre, où se mêle une rumeur,
Semble élargir jusqu'aux étoiles
Le geste auguste du semeur.

## 왔노라, 보았노라, 이겼노라

이제 살 만큼 살아서, 아무리 괴로워도
날 부축해 줄 사람도 없이 혼자 걷는다.
어린아이들에게 둘러싸여도 웃음을 잃었고
꽃을 쳐다봐도 이제 즐겁지가 않다.

봄이 되어 하느님이 자연의 축제를 벌여도
기쁜 마음도 없이 이 찬란한 사랑을 받고 있을 뿐이다.
햇빛을 피해 도망치는 사람이 때맞춰
오호! 은밀한 슬픔만 느끼고 있다.

내 마음의 은근한 희망 이제 깨어지고,
장미 마음 훈훈한 이 봄철에,
아, 내 딸아, 네가 잠들어 있는 무덤을 생각한다.
이젠 내 가슴도 시들고 살 만큼 살았으니,

나는 이 지상에서의 임무를 거절하지 않았다.
내가 가꾼 밭? 여기 있다, 내가 거둔 열매? 저기 있다.
나는 미소 지으며, 언제나 더 편안한 마음으로
굳건히, 그러나 신비한 것에 마음 끌리며 살아왔다.

내가 할 수 있는 일은 다 했다, 봉사해 왔고, 밤을 새웠다,
남들이 내 슬픔을 비웃는 것도 보아왔다.
남달리 많이 고통받고 적잖이 일했지만,
놀랍게도 원한의 대상이 되기도 하였다.

## Veni, vidi, vixi

J'ai bien assez vécu, puisque dans mes douleurs
Je marche, sans trouver de bras qui me secourent,
Puisque je ris à peine aux enfants qui m'entourent,
Puisque je ne suis plus réjoui par les fleurs;

Puisqu'au printemps, quand Dieu met la nature en fête,
J'assiste, esprit sans joie, à ce splendide amour;
Puisque je suis à l'heure où l'homme fuit le jour;
Hélas! et sent de tout la tristesse secrète;

Puisque l'espoir serein de mon âme est vaincu;
Puisqu'en cette saison des parfums et des roses,
O ma fille! j'aspire à l'ombre où tu reposes,
Puisque mon cœur est mort, j'ai bien assez vécu.

Je n'ai pas refusé ma tâche sur la terre.
Mon sillon? Le voilà. Ma gerbe? La voici.
J'ai vécu souriant, toujours plus adouci,
Debout, mais incliné du côté du mystère.

J'ai fait ce que j'ai pu; j'ai servi, j'ai veillé,
Et j'ai vu bien souvent qu'on riait de ma peine.
Je me suis étonné d'être un objet de haine,
Ayant beaucoup souffert et beaucoup travaillé.

날개도 펼 수 없는 이 지상의 도형장,
불평도 없이 피를 흘리며 두 손으로 넘어진 채,
서글프게 기진하여 죄수들의 비웃음을 사며,
나는 영원한 쇠사슬의 고리를 끌고 왔다.

이제 내 눈은 반밖에 뜨이지 않고,
누가 불러도 몸을 돌릴 수가 없다.
한잠도 못 자고 새벽 일찍 일어난 사람같이
권태와 무감각만이 나를 누른다.

입을 모아 나를 비난하는 정적에게도,
이제 나는 지쳐 응수할 용기조차 없다.
오 주여, 밤의 문을 열어 주소서
내 여기를 떠나 멀리 사라지도록.

Dans ce bagne terrestre où ne s'ouvre aucune aile,
Sans me plaindre, saignant, et tombant sur les mains,
Morne, épuisé, raillé par les forçats humains,
J'ai porté mon chaînon de la chaîne éternelle.

Maintenant, mon regard ne s'ouvre qu'à demi;
Je ne me tourne plus même quand on me nomme;
Je suis plein de stupeur et d'ennui, comme un homme
Qui se lève avant l'aube et qui n'a pas dormi.

Je ne daigne plus même, en ma sombre paresse,
Répondre à l'envieux dont la bouche me nuit.
O seigneur! ouvrez-moi les portes de la nuit
Afin que je m'en aille et que je disparaisse

## 깨어진 항아리

오! 전 중국이 땅에 떨어져 깨어졌구나!
어른대는 물결같이 맑고 부드러운 이 항아리,
새와 꽃, 과일이며 거짓말 같은 상상도,
파란 꿈이 솟아나는 이상의 파도,
다시는 본 딸 수 없는 이상하게 굳어진 이 항아리,
대낮에도 보름달을 담은 듯하고,
불꽃 튀기며 살아 있는 것 같고,
거의 짐승 같기도 하고
거의 영혼 같기도 했다.

마리에트가 방청소를 하다
잘못해서 팔꿈치로 밀어 그 항아리를 깨버렸다!
아름다운 항아리, 꿈을 가득 담은 둥근 항아리,
황금의 소가 목장에서 풀을 뜯었지!
내 사랑했던 항아리, 그 중국 도자기를 부두에서 사서,
때로는 철든 애들에게 보여주곤 했는데……

[……]

자, 여기 굴속에 숨은 호랑이가 있고
저기 부엉이는 둥지에, 왕은 궁전에

## Le pot cassé

Ô ciel! toute la Chine[1] est par terre en morceaux!
Ce vase pâle et doux comme un reflet des eaux,
Couvert d'oiseaux, de fleurs, de fruits, et des mensonges
De ce vague idéal qui sort du bleu des songes,
Ce vase unique, étrange, impossible, engourdi,
Gardant sur lui le clair de lune en plein midi,
Qui paraissait vivant, où luisait une flamme,
Qui semblait presque un monstre
et semblait presque une âme,

Mariette, en faisant la chambre, l'a poussé
Du coude par mégarde, et le voilà brisé!
Beau vase! Sa rondeur était de rêves pleine,
Des boeufs d'or y broutaient des prés de porcelaine.
Je l'aimais, je l'avais acheté sur les quais,
Et parfois aux marmots pensifs je l'expliquais.

.........

Attention, ceci, c'est le tigre en son antre,
Le hibou dans son trou, le roi dans son palais,

1 la Chine: 중국이라는 뜻과 도자기라는 뜻이 있다.

또한 악마는 지옥에 흉물스레 있구나!
그래도 애들은 괴물을 귀엽다고 생각하네,
짐승이 그들을 홀리다니 놀랍도다.
그래서 내 그 항아리를 사랑했더니, 끝장이 났구나.
처음에는 화가 나고 속이 상해 쫓아가서,
- 누가 이 모양으로 만들었느냐 소리 질렀다!
잔느는 질겁한 마리에트를 눈여겨보고,
화가 난 나를 쳐다보다 그녀가 무서워하는 걸 보고,
천사 같은 얼굴로 나를 보며 말하기를, 제가 그랬어요.
잔느가 마리에트에게 말하기를 - 난 잘 알아.
내가 그랬다 하면 아버지는 아무 말 하지 않을 거야.
우리 할아버진데 뭐가 무섭담.
거봐, 아버지는 화를 낼 시간이 없어.
할아버지는 별로 화낸 적이 없으니까.
할아버지는 꽃을 보시거나 날씨가 더울 땐
으레 말씀하시기를, 맨 머리로 뙤약볕을 쬐지 마라.
개나 고양이한테 물리지 않도록 하렴.
개 목걸이를 끌고 가지 말고.
계단에서 헛디디지 않도록 조심해라.
벽에 부딪히지 않도록 잘 놀아라.
이렇게 말씀하시고는 숲속으로 가셨으니까,

Le diable en son enfer; voyez comme ils sont laids!

Les monstres, c'est charmant, et les enfants le sentent.

Des merveilles qui sont des bêtes les enchantent.

Donc, je tenais beaucoup à ce vase. Il est mort.

J'arrivai furieux, terrible, et tout d'abord:

- Qui donc a fait cela? criai-je. Sombre entrée!

Jeanne alors, remarquant Mariette effarée,

Et voyant ma colère et voyant son effroi,

M'a regardé d'un air d'ange, et m'a dit: - C'est moi.

Et Jeanne à Marianne a dit - Je savais bien.

Qu'en répondant c'est moi, papa ne dirait rien.

Je n'ai pa peur de lui puisqu'il est mon grand-père.

Vois-tu, papa n'a pas le temps d'être en colère,

Il n'est jamais beaucoup faché, parce qu'il faut

Qu'il regarde les fleurs, et quand il fait bien chaud

Il nous dit <Niallez pas au grand soleil nu-tête,

Et ne vous laissez pas piquer par une bête,

Courez, ne tirez pas le chien par soncolier,

Prenez garde aux faux pas dans le grand escalier,

Et ne vous cogner pas contre les coins des marbres,

Jouez.> Et puis après il s'en va dans les arbres.

## 5. 알로이쥐스 베르트랑

어머니가 이탈리아 인으로 디종에서 태어났다. 어릴 때부터 힘든 생활을 한다. 생트뵈브의 서문을 동반한《밤의 가스파르 - 램브란트 풍의 환상시》는 죽은 이듬해 유고집으로 간행되었다. 보들레르의《파리 ▶

### 다섯 손가락

엄지손가락은 빈정대고 쾌활한 기질의 플랑드르의 뚱뚱한 술집주인, 3월까지 마실 강한 맥주가 있다고 알려주며 문에서 담배를 피운다.

검지는 그의 아내, 대구같이 바짝 마른 여장부, 아침부터 질투하는 하녀와 싸우고, 좋아하는 술병을 안고 있다.

중지는 그들의 아들, 도끼로 갈아대는 덤벙대는 녀석, 맥주장수가 아니면 군인, 사람이 아니면 말일 거야.
약지는 딸, 민첩하고 건방진 제르빈, 부인들에게 레이스를 팔지만 기사들에게 미소를 팔지는 않는다.

새끼손가락은 이 집의 막내아들, 언제나 엄마의 허리에 매달려 징징대는 어린아이, 마치 식인할멈의 갈고리에 매달린 것처럼.

다섯 손가락은 이전에 할렘의 고상한 도시의 지면을 장식한 다섯 가닥의 엄청나게 큰 따귀 자국.

## Aloysius Bertrand, 1807-41

의 우울》보다 17년이나 앞서서 산문시를 써서 산문시의 기념비적인 존재로 말라르메 등에게 높은 평가를 받았다.

## Les Cinq Doigts de la Main

Le pouce est ce gras cabaretier flamand, d'humeur goguenarde et grivoise, qui fume sur sa porte, à l'enseigne de la double bière de mars.

L'index est sa femme, virago sèche comme une merluche, qui, dès le matin, soufflette sa servante dont elle est jalouse, et caresse la bouteille dont elle est amoureuse.

Le doigt du milieu est leur fils, compagnon dégrossi à la hache, qui serait soldat s'il n'était brasseur, et qui serait cheval s'il n'était homme.

Le doigt de l'anneau est leur fille, leste et agaçante Zerbine qui vend des dentelles aux dames, et ne vend pas ses sourires aux cavaliers.

Et le doigt de l'oreille est le Benjamin de la famille, marmot pleureur qui toujours se brimbale à la ceinture de sa mère comme un petit enfant pendu au croc d'une ogresse.

Les cinq doigts de la main sont la plus mirobolante giroflée à cinq feuilles qui ait jamais brodé les parterres de la noble cité de Harlem.

## 6. 제라르 드 네르발

파우스트의 번역으로 문단에 데뷔한다. 괴테로부터 명역이라는 평가를 받았다. 의학을 공부하려 하였으나 유산을 상속받게 되자 이탈리아로 여행을 떠났다. 여배우 제니 콜롱을 사랑하여 전 재산을 탕진하지만 제니의 모습은 그의 작품에 투영된다. 위고가 이끄는 낭만파 운동에 고티에와 함께 참여했다. 자주 광기에 빠졌고 의문의 자살로 생 ▶

### 엘 데스디차도

나는 음울한 사람, — 홀아비 — 위로 없는 자,
폐탑 속에 사는 아키텐 왕자.
내 별은 죽었다 — 별들이 박혀 있는 내 비파엔
'우울'의 검은 '태양'이 새겨져 있다.

무덤의 한밤중에, 나를 위로해 준 너,
내게 돌려다오 포질리프와 이탈리아의 바다,
비탄에 잠긴 내 마음을 몹시도 기쁘게 해 주던 '꽃',
그리고 포도가지가 장미에 맺힌 포도나무 시렁을.

나는 사랑의 신인가 태양신인가? 뤼지냥 아니면 비롱?
내 이마는 아직도 여왕의 입맞춤으로 불그레하도다.
나는 꿈 꾸었다 인어가 헤엄치는 동굴 속에서…

Gerard de Nerval, 1808-55

을 마감했다. 후에 그의 진가가 인정받게 되었고 만년의 《환상 시집》은 상징주의의 선구적 작품으로 평가받고 있다. 꿈과 현실이 뒤섞인 '마음의 간헐' 수법은 프루스트에게 영향을 끼쳤다.

## El Desdichado

Je suis le ténébreux, — le veuf, — l'inconsolé,
Le prince d'Aquitaine à la tour abolie:
Ma seule étoile est morte, — et mon luth constellé
Porte le Soleil noir de la Mélancolie.

Dans la nuit du tombeau, toi qui m'as consolé,
Rends-moi le Pausilippe et la mer d'Italie,
La fleur qui plaisait tant à mon cœur désolé,
Et la treille où le pampre à la rose s'allie.

Suis-je Amour ou Phébus?… Lusignan ou Biron?
Mon front est rouge encor du baiser de la reine;
J'ai rêvé dans la grotte où nage la syrène…

그리고 두 번이나 정복자처럼 지옥의 강을 건넜다,
오르페우스의 칠현금에 차례로
성녀의 한숨과 요정의 울음을 켜면서

Et j'ai deux fois vainqueur traversé l'Achéron:
Modulant tour à tour sur la lyre d'Orphée
Les soupirs de la sainte et les cris

# 환상

그 가락이라면 나는 모든 것을 바치리
로시니도, 모차르트도, 웨버도,
그것은 오직 나에게만 은밀한 매력을 지닌
너무나 오래되고 권태로운 구슬픈 가락.

그런데 이 가락을 들을 때마다,
이백 살이나 내 영혼은 젊어진다.
때는 루이 13세의 시대… 그리하여 나는 보는 듯하다.
노을이 황금빛으로 물들어가는 푸른 언덕이 펼쳐지는 것을,

그리고 불그스레한 색깔로 물든 유리창이 있고,
거대한 공원으로 둘러싸인, 그리고 성의 발목을,
적시며 꽃 사이로 강이 흐르는
연석의 벽돌 성을,

그리고 검은 눈에 금발, 고풍의 의상을 입은,
높은 창문가에 나타난 한 귀부인,
어쩌면 전생에서 내가,
본 적 있는… 그리고 지금 회상 중인 한 여인을!

## Fantaisie

Il est un air pour qui je donnerais
Tout Rossini, tout Mozart et tout Weber,
Un air très-vieux, languissant et funèbre,
Qui pour moi seul a des charmes secrets.

Or, chaque fois que je viens à l'entendre,
De deux cents ans mon âme rajeunit:
C'est sous Louis treize; et je crois voir s'étendre
Un coteau vert, que le couchant jaunit,

Puis un château de brique à coins de pierre,
Aux vitraux teints de rougeâtres couleurs,
Ceint de grands parcs, avec une rivière
Baignant ses pieds, qui coule entre des fleurs;

Puis une dame, à sa haute fenêtre,
Blonde aux yeux noirs, en ses habits anciens,
Que dans une autre existence peut-être,
J'ai déjà vue... et dont je me souviens!

## 7. 패트뤼스 보렐

리용 출생. 건축가를 지망하나 후에 회화, 문학에 뜻을 둔다. 위고를 스승으로 모시고 고티에와 '청년 프랑스 파'를 결성한다. 1830년 '에 ▶

### 운명에 저항하는 자

끝없이 계속되는 숨 막히는 이 사막.
발을 들여놓은 지 이윽고 두 밤,
새벽부터 밤까지 걸어도 벗어날 수 없다.
두 다리는 무겁게 모래 속에 박혀,
내 몸의 무게를 못 견디고 지팡이는 부러진다.

기진맥진하여 나는 주저앉았다, 외롭게 죽어가며,
성의 폐허에서 헤매는 망령처럼.
아무것도 없다. 이 광대한 고원에 단 하나의 오두막도.
지친 눈에 비치는 것은 끝도 없고,
거대한 망토처럼 멀리까지 펼쳐진 대지.

아무것도 없다. 나의 갈증과 나 밖에. 끔찍한 침묵!
극도의 침묵 속에 나의 숨소리와 심장의 고동 소리만 들린다.
괴로움에 짓눌려 고개를 숙일 뿐인 나.

## Pétrus Borel, 1809-59

르나니 싸움'에 가담한다. 시집으로는《랩소디》를 남겼다. 1846년 알제리아에 가서 이후 평생 식민지 감독관으로 살았다.

## L'aventurier

Ce désert étouffant est donc infranchissable?...
Voilà bientôt deux nuits que j'ai quitté les bords;
De l'aube à l'Occident je marche, et n'en suis hors.
SI es deux, pieds lourdement s'enfoncent dans le sable,
Et mon bambou se rompt sous le poids de mon corps.

Harassé, je m'assieds, mourant solitaire,
Ainsi qu'une ombre errante aux débris d'un château.
Rien! pas un seul carbet sur ce vaste plateau.
D'un stupide regard je mesure la terre,
Qui se déploie au loin comme un large manteau.

Rien, que ma soif et moi: quel horrible silence!
Je n'entends que mon râle et le bruit de mon cœur.
Je penche, je faiblis courbé par la douleur.

신이여! 적막한 사막 속에 들어간 인간이란 얼마나 가련한가!
신이여! 불행한 바람에 휘감긴 인간이란 얼마나 무력한가!
신을 모독하고, 저항하고, 울어라, 너는 절망한다,
너무 잔인하고 너무 짧은 황금의 꿈이 깰 때…
내 운명은 그런 거지, 더 나쁠 수도 있다.
떠나면서 나는 늙은 아버지를 무덤으로 밀었다.
부를 원했지만, 죽음을 껴안는다.

Dieu! que l'homme est piteux en un désert immense!

Dieu! que l'homme est débile au souffle du malheur!

Blasphème, aventurier, pleure, et te désespère,

Au réveil trop cruel d'un trop court songe d'or…

Mon sort est mérité, peut être pire encor;

Dans la tombe en partant j'ai poussé mon vieux père:

Je voulais l'opulence, et j'embrasse la mort.

## 8. 알프레드 드 뮈세

낭만파 4대 시인 중 하나. 1810년 파리에서 문학가 집안에서 태어남. 감수성이 예민하고 신경질적이었다. 친구의 소개로 세나클에 들어가 인기를 얻는다. 시집《에스파냐와 이탈리아 이야기》(1830)로 데뷔했다. 바이런의 영향을 받았고 다정다감했으며 조르주 상드와의 연애로도 유명하다.《세기아의 고백》(1836), 4편의 시로 된《밤》▶

### 임종의 시간

열여덟 달 전부터 임종의 시간이,
사방에서 내 귀에 울려 퍼진다.
권태와 불면으로 지샌 열여덟 달,
도처에서 나는 죽음을 느끼고 있었다.

고통과 싸우려 몸부림칠수록,
불행은 더욱 크게 눈을 뜬다.
땅 위에 한 걸음 내딛는 순간,
내 가슴이 갑자기 멈추는 걸 느낀다.

나의 힘은 소모되고 낭비되었다.
휴식마저, 투쟁이 되어버렸다,
기진맥진한 준마처럼,
나의 꺼진 용기는 비틀거리고 쓰러진다.

## Alfred de Musset, 1810-57

(1835~37), 《비애》(1840), 《추억》(1841) 등을 발표한다. 그의 재능은 30세에 고갈되었으나 솔직하고 진실하고 아름다운 시를 썼다. 죽기 5년 전에 아카데미 프랑세즈의 회원으로 선출되었다.

### L'heure de ma mort

L'heure de ma mort, depuis dix-huit mois,
De tous les côtés sonne à mes oreilles,
Depuis dix-huit mois d'ennuis et de veilles,
Partout je la sens, partout je la vois.

Plus je me débats contre ma misère,
Plus s'éveille en moi l'instinct du malheur;
Et, dès que je veux faire un pas sur terre,
Je sens tout à coup s'arrêter mon coeur.

Ma force à lutter s'use et se prodigue.
Jusqu'à mon repos, tout est un combat;
Et, comme un coursier brisé de fatigue,
Mon courage éteint chancelle et s'abat.

## 슬픔

나는 나의 힘과 삶,
그리고 친구와 기쁨을 잃었다.
나는 나의 천재성을 믿게 하는
자존심까지 잃었다.

내가 진리를 알았을 때,
그것이 친구라 나는 믿었다.
내가 진리를 이해하고 느꼈을 때,
나는 벌써 진저리가 났다.

그러나 진리는 영원하다,
그것을 모르는 자는
이 세상에서 아무것도 모른다.

신은 말한다. 인간이 그에게 대답해야 한다고.
이 세상에서 내게 남은 유일한 재산은
가끔 울었다는 것뿐.

# Tristesse

J'ai perdu ma force et ma vie,
Et mes amis et ma gaieté;
J'ai perdu jusqu'à la fierté
Qui faisait croire à mon génie.

Quand j'ai connu la Vérité,
J'ai cru que c'était une amie;
Quand je l'ai comprise et sentie,
J'en étais déjà dégoûté.

Et pourtant elle est éternelle,
Et ceux qui se sont passés d'elle
Ici-bas ont tout ignoré.

Dieu parle, il faut qu'on lui réponde.
Le seul bien qui me reste au monde
Est d'avoir quelquefois pleuré.

## 이웃 여인의 커튼

이웃 여인의 커튼이
서서히 걷히네. 그녀를 상상해본다
잠시 바람 쐬러 가겠지.

창문이 살며시 열리네.
내 가슴이 두근거리네.
아마도 그녀가
내 동정을 살피는 듯.

그러나 아! 이는 한낱 꿈이었다,
이웃 여인은 풋내기 사내를 사랑한다네.
커튼 끝을 들어 올린 것은
그녀가 아닌 바람이었네.

## Le rideau de ma voisine

Imité de Goethe.

Se soulève lentement.
Elle va, je l'imagine,
Prendre l'air un moment.

On entr'ouvre la fenêtre:
Je sens mon coeur palpiter.
Elle veut savoir peut-être
Si je suis à guetter.

Mais, hélas! ce n'est qu'un rêve;
Ma voisine aime un lourdaud,
Et c'est le vent qui soulève
Le coin de son rideau.

## 창백한 저녁별……

석양의 베일을 제치고 빛나는 얼굴을 드러내는,
먼 곳에서 온 사자, 창백한 저녁별이여,
창공 속 그대의 푸르른 궁전에서,
그대는 이 들판의 무엇을 바라봅니까?

폭풍우는 물러가고 바람도 가라앉았습니다.
떨고 있는 숲은 히드 황야에서 울고 있습니다,
금빛 나방이 가벼운 날개를 치며
향긋한 초원을 지나갑니다.
그대는 잠든 이 땅 위에서 무엇을 찾습니까?
그러나 이미 그대는 산봉우리 쪽으로 내려가고 있습니다,
그대는 웃음 지으며 도망갑니다. 우수의 친구여,
그대의 떨리는 눈초리는 꺼질 듯합니다.

푸른 언덕 위에 내리는 별이여,
칠흑의 밤 망토 위에 달린 슬픈 은의 눈물방울,
목자가 타박타박 걷는 긴 양 떼를 거느리고,
길을 가며 멀리서 쳐다보는 그대,
별이여, 이 무한한 밤 속에 어디로 가는 겁니까?
강가의 갈대숲 속에 잠자리를 찾으려는 겁니까?
그렇잖으면 아름다운 별이여, 이 고요한 시각에,
그대는 한 알의 진주알 같이 물속 깊이 떨어지려는 겁니까?
아아, 그대가 죽어야 한다면 아름다운 별이여

## Pâle étoile du soir...

Pâle étoile du soir, messagère lointaine,
Dont le front sort brillant des voiles du couchant,
De ton palais d'azur, au sein du firmament,
Que regardes-tu dans la plaine?

La tempête s'éloigne et les vents sont calmés.
La forêt, qui frémit, pleure sur la bruyère;
Le phalène doré, dans sa course légère.
Traverse les prés embaumés.
Que cherches-tu sur la terre endormie?
Mais déjà vers les monts je te vois t'abaisser;
Tu fuis en souriant, mélancolique amie,
Et ton tremblant regard est près de s'effacer.

Étoile qui descends sur la verte colline,
Triste larme d'argent du manteau de la Nuit,
Toi que regarde au loin le pâtre qui chemine,
Tandis que pas à pas son long troupeau le suit,
- Étoile, où t'en vas-tu, dans cette nuit immense?
Cherches-tu sur la rive un lit dans les roseaux?
Où t'en vas-tu si belle, à l'heure du silence,
Tomber comme une perle au sein profond des eaux?
Ah! si tu dois mourir, bel astre, et si ta tête

만일 그대가 금발의 머리를 막막한 바다 물속에 던지려 한다면,
우리를 떠나기 전 잠깐 멈추어,
부디 하늘에서 내려오지 말기를, 사랑하는 별이여!

Va dans la vaste mer plonger ses blonds cheveux,

Avant de nous quitter, un seul instant arrête;

- Étoile de l'amour, ne descends pas des cieux!

## 잘 있어라 쉬종

잘 있어라 쉬종, 금발의 장미화야,
네가 날 사랑한 건 단 일주일이지만,
이 세상의 가장 짧은 쾌락이
때로는 가장 진실한 사랑도 된다.
널 두고 떠나는 이 순간도 나는 몰라,
떠돌이 내 별 따라가는 이 내 몸은 어디로 가는지?
그러나 나는 간다 내 사랑아,
　멀리멀리 바삐 바삐,
　항상 달음질치며,

떠나는 내 더운 입술 위에
네 마지막 키스가 아직 타고 있다.
내 두 팔 속에, 분별없는 아가씨야,
네 예쁜 얼굴이 와 묻혔으니.
내 가슴 얼마나 고동치는지 들리는가?
지난 날 네 가슴 얼마나 즐겁게 뛰었던가!
그러나 나는 간다 내 사랑아,
　멀리멀리 바삐 바삐,
　항상 널 사랑하며,

철썩! 내 말 위에 안장 얹는 소리.
어찌하여 나 가는 길에, 내 사랑아
네 퉁명스런 얼굴 데려갈 수 없나,
내 손은 네 머리 향기로 온통 물들었는데!

## Adieux Suzon

Adieu, Suzon, ma rose blonde,
Qui m'as aimé pendant huit jours;
Les plus courts plaisirs de ce monde
Souvent font les meilleurs amours.
Sais-je, au moment où je te quitte,
Où m'entraîne mon astre errant?
Je m'en vais pourtant, ma petite,
    Bien loin, bien vite,
    Toujours courant.

Je pars, et sur ma lèvre ardente
Brûle encor ton dernier baiser.
Entre mes bras, chère imprudente,
Ton beau front vient de reposer.
Sens-tu mon cœur, comme il palpite?
Le tien, comme il battait gaiement!
Je m'en vais pourtant, ma petite,
    Bien loin, bien vite,
    Toujours t'aimant.

Paf! c'est mon cheval qu'on apprête.
Enfant, que ne puis-je en chemin
Emporter ta mauvaise tête,
Qui m'a tout embaumé la main!

너는 미소 짓는다, 귀여운 위선자는,
요정처럼, 달아나며,
그러나 나는 간다, 내 사랑아
　멀리멀리 바삐 바삐,
　활짝 웃음 지으며.

네 정다운 이별 속에는 귀여운 아가씨야,
슬픔도 많고 매혹도 많아!
네 눈 속에 진정이 담겨있을 땐,
네 모든 것이, 네 눈물까지 날 취하게 해.
네 눈을 보면 나는 살고 싶어,
그 눈은 나 죽을 때 위로되리라.
그러나 나는 간다, 내 사랑아,
　멀리멀리 바삐 바삐,
　온통 눈물 뿌리며.

혹시 네가 나를 잊는다 해도,
쉬종, 우리들의 사랑만은 잠시 남기도록,
창백해진 꽃다발인 양,
네 귀여운 가슴속에 숨겨 두어라!
잘 있거라 행복일랑 이 집에 두고,
추억만이 나와 함께 떠나가니.
그 기억은 나와 함께 가리라, 나의 사랑아,
　멀리멀리 바삐 바삐,
　언제나 네 생각 품고.

Tu souris, petite hypocrite,
Comme la nymphe, en t'enfuyant.
Je m'en vais pourtant, ma petite
Bien loin, bien vite,
Tout en riant.

Que de tristesse, et que de charmes,
Tendre enfant, dans tes doux adieux!
Tout m'enivre, jusqu'à tes larmes,
Lorsque ton cœur est dans tes yeux.
A vivre ton regard m'invite;
Il me consolerait mourant.
Je m'en vais pourtant, ma petite,
Bien loin, bien vite,
Tout en pleurant.

Que notre amour, si tu m'oublies,
Suzon, dure encore un moment;
Comme un bouquet de fleurs pâlies,
Cache-le dans ton sein charmant!
Adieu; le bonheur reste au gîte,
Le souvenir part avec moi:
Je l'emporterai, ma petite,
Bien loin, bien vite,
Toujours à toi.

## 9. 오귀스트 바르비에

극작가, 정치적 풍자시인. 파리 태생. 《앙리 4세 리세》에서 수학하고 법률을 공부하기도 했다. 7월 혁명 때 《사냥개에게 주는 고기》(1830)라는 풍자시를 써서 갑자기 유명해진다. 각종 시사문제를 다룬 시를 ▶ 발표하고 분노를 뿌리고 심판을 내리는 시로서 프랑스 풍자시의 전통

### 미켈란젤로

얼마나 그대 얼굴 슬프고 그대 이마 수척한가.
숭고한 미켈란젤로, 오 늙은 석공이여!
어떠한 눈물도 그대 눈꺼풀을 결코 적신 적이 없었다,
단테처럼, 그대 한 번도 웃지 않았으리라.

아! 시신이 그대에게 먹인 너무 강한 우유로 인해,
예술은 그대 유일의 사랑이 되어 그대의 전 생애를 빼앗아 버렸다,
60년 동안 그대는 세 종류의 경력을 쫓아다녔다
연민하는 자에게 그대 마음 쉬게 할 틈조차 없이.

가련한 부오나로티여! 이 세상에서 그대의 유일한 행복은
심원한 장엄함을 대리석에 새겨,
신처럼 강력하게 인간을 두렵게 하는 것.

그리하여 그대가 최후의 계절에 다다랐을 때,

## Auguste Barbier, 1805-82

을 잇고 있다. 주요 작품으로《라자르》(1833), 《풍자와 시》(1837) 등이 있다. 1869년 아카데미 프랑세즈의 회원이 되었다.

## Michel-Ange

Que ton visage est triste et ton front amaigri,
Sublime Michel-Ange, ô vieux tailleur de pierre!
Nulle larme jamais n'a mouillé ta paupière;
Comme Dante, on dirait que tu n'as jamais ri.

Hélas! d'un lait trop fort la Muse t'a nourri,
L'art fut ton seul amour et prit ta vie entière;
Soixante ans tu courus une triple carrière
Sans reposer ton cœur sur un cœur attendri.

Pauvre Buonarotti! ton seul bonheur au monde
Fut d'imprimer au marbre une grandeur profonde,
Et, puissant comme Dieu, d'effrayer comme Lui:

Aussi, quand tu parvins à ta saison dernière,

흰 구레나룻 밑에 피로에 지친 늙은 사자,
그대는 오랫동안 죽어갔다 영광과 권태에 가득 찬 채로.

Vieux lion fatigué, sous ta blanche crinière,

Tu mourus longuement plein de gloire et d'ennui.

5

# 고답파 시

19세기 중반 이후 태동한 고답파는 감상 위주인 낭만주의에 반동하여 객관주의와 감정적 거리감 그리고 언어의 조탁 등에 치중한 시적 태도를 견지하였다.

# 1. 테오필 고티에

피레네 산맥의 타르브 출생으로 어릴 때 파리에 온다. 화가를 지망했으나, 친구 네르빌의 소개로 위고를 만난 후, 문학으로 방향을 바꾸고 낭만파의 선두가 되었다. 그러나 차츰 낭만파와 멀어져《모팡양》의 서문에서 '예술을 위한 예술'을 제창하여 절대미를 추구한다. 회화나 조각의 조형미를 문학작품에 도입하여 형식을 우선하는 ▶

## 비둘기들

저기 무덤들 널려 있는 언덕 위에,
아름다운 종려나무 한 그루, 녹색 깃털처럼,
머리를 세우고, 거기에 저녁마다 비둘기들
몰려와 그 속에, 깃들이며 몸을 숨긴다.

아침이면 이 새들, 나뭇가지를 떠나간다,
목걸이 구슬알이 풀려나가듯
흰 비둘기들 푸른 하늘 속으로 산산이 흩어졌다가,
좀 더 먼 지붕 위에 내려앉는다.

나의 영혼은 이 종려나무, 거기에,
밤마다, 비둘기처럼 산란한 환상의 흰 떼들이
날개를 퍼덕이며 하늘에서 내려왔다가,
새벽빛이 들자마자 날아가 버린다.

## Théophile Gautier, 1811-72

유미적 작풍을 수립하여 후의 고답파 시인들에게 큰 영향을 주게 된다. 시로는《죽음의 희극》(1838),《나전칠보집》(1852), 소설은《모팽 양》(1835), 문예비평으로《낭만주의의 역사》(1874) 등이 있다.

# Les colombes

Sur le coteau, là-bas où sont les tombes,
Un beau palmier, comme un panache vert,
Dresse sa tête, où le soir les colombes
Viennent nicher et se mettre à couvert.

Mais le matin elles quittent les branches;
Comme un collier qui s'égrène, on les voit
S'éparpiller dans l'air bleu, toutes blanches,
Et se poser plus loin sur quelque toit.

Mon âme est l'arbre où tous les soirs, comme elles,
De blancs essaims de folles visions
Tombent des cieux en palpitant des ailes,
Pour s'envoler dès

## 예술

그렇다, 작품은 더욱 아름답게 나타난다
작업에 저항하는
형식으로부터,
시, 대리석, 줄마노, 칠보.

잘못된 속박일랑 말아라!
오직 똑바로 걷기 위해
신어라,
뮤즈여, 좁은 반장화를.

안이한 리듬을 멸시하라,
너무 큰 구두처럼,
어떤 발이라도
벗고 신을 수 있는 그런 리듬을!

조각가여, 배척하라
엄지손가락으로 이기는
찰흙을
정령이 딴 곳을 헤맬 때.

싸워라, 카라라 대리석으로,
단단하고 귀한
파로스 대리석으로,
순수한 윤곽의 수호자여,

## L'Art

Oui, l'oeuvre sort plus belle
D'une forme au travail
Rebelle,
Vers, marbre, onyx, émail.

Point de contraintes fausses!
Mais que pour marcher droit
Tu chausses,
Muse, un cothurne étroit.

Fi du rythme commode,
Comme un soulier trop grand,
Du mode
Que tout pied quitte et prend!

Statuaire, repousse
L'argile que pétrit
Le pouce
Quand flotte ailleurs l'esprit:

Lutte avec le carrare,
Avec le paros dur
Et rare,
Gardiens du contour pur;

빌려오라, 시러큐스에게서,
자랑스럽고 매력적인 모습이
분명하게
찍혀있는 청동 조각을

섬세한 손으로
추구하라. 마노의
광맥 속에서
아폴로의 옆모습을.

화가여, 수채화법을 피하라,
그리고 색채를 정착시켜라
아주 연한 색채를
칠보공의 가마 속에서.

창조하라, 백 가지로,
꼬리를 비틀고 있는
푸른 인어들을
문장의 괴물들을.

삼엽 장식 후광 있는
성모와 예수를
그 위에

Emprunte à Syracuse
Son bronze où fermement
S'accuse
Le trait fier et charmant;

D'une main délicate
Poursuis dans un filon
D'agate
Le profil d'Apollon.

Peintre, fuis l'aquarelle,
Et fixe la couleur
Trop frêle
Au four de l'émailleur.

Fais les sirènes bleues,
Tordant de cent façons
Leurs queues,
Les monstres des blasons;

Dans son nimbe trilobe
La Vierge et son Jésus,
Le globe

십자가 있는 지구를.

모든 것은 지나간다. 오직
확고한 예술만이 영원하다.
흉상은
도시에서 살아남는다.

그리고 농부가 땅 속에서
발견하는 위엄 있는
메달은
드러낸다 황제를.

신들마저 죽어간다,
그러나 최고의 시는
남아있다
청동보다 더 강하게.

새기고, 닦고, 갈아라,
너의 떠돌고 있는 꿈이
강건한
덩어리 속에 봉인되도록!

Avec la croix dessus.

Tout passe. - L'art robuste
Seul a l'éternité.
Le buste
Survit à la cité.

Et la médaille austère
Que trouve un laboureur
Sous terre
Révèle un empereur.

Les dieux eux-mêmes meurent,
Mais les vers souverains
Demeurent
Plus forts que les airains.

Sculpte, lime, cisèle;
Que ton rêve flottant
Se scelle
Dans le bloc résistant!

## 바닷가에서

드높은 창공에서 달님이
손에 든 오색찬란한 큰 부채를
잠시 방심한 사이
바다의 푸른 융단 위에 떨어뜨렸소.

건지려고 달님은 몸을 숙여
은빛 고운 팔을 내밀었으나,
부채는 흰 손을 빠져나가,
지나는 파도에 실려 나갔소.

그대에게 부채를 돌려주기 위해,
달님이시여, 천 길 물속에라도 뛰어들리다,
그대가 하늘에서 내려오신다면,
이 몸이 하늘로 올라갈 수만 있다면!

## Au bord de la mer

La lune de ses mains distraites
A laissé choir, du haut de l'air,
Son grand éventail à paillettes
Sur le bleu tapis de la mer.

Pour le ravoir elle se penche
Et tend son beau bras argenté;
Mais l'éventail fuit sa main blanche,
Par le flot qui passe emporté.

Au gouffre amer pour te le rendre,
Lune, j'irais bien me jeter,
Si tu voulais du ciel descendre,
Au ciel si je pouvais monter!

## 지는 해

노트르담 성당
얼마나 아름다운가!
빅토르 위고

어느 저녁, 투르넬 다리를 지나가다가,
잠시 걸음을 멈추고 노트르담 사원 뒤로 지는 해를 바라본다.
불타는 지평선에는 장엄한 구름 하나가,
막 비상하려는 거대한 새처럼,
하늘 이 끝에서 저 끝까지 금빛의 날개를 펼치고 있다.
- 눈을 뜨지 못하게 하는 빛이 있었지.
정면이 돌 레이스로 장식된 탑들,
바람에 펄럭이는 깃발,
전나무 숲처럼 우뚝 솟은 첨탑,
이상한 얼굴에 강인한 육체를 지닌
천사들이 올라앉아 있는 틈난 톱니바퀴,
밝은 배경 때문에 까맣게 보인다.
주교 저택은 엄마 발치에 잠든 아이처럼
성당 발치에 그 모습을 보이고, 그 그림자는
신비롭고 어둡게 주위에 늘어져 있다.
저 멀리, 붉은 햇살이 강변의 어느 집 십자 창에 불을 붙인다.
공기는 상쾌하다. 물을 아치다리에 부딪치며 소곤거리고,
물결은 오랜 도시의 희미한 그림자를 흔들어대고,
나는 여전히 바라보고 있다.
별 총총 뜬 밤이 성큼 다가오고 있음을 생각하지도 못하고.

## Soleil couchant

Notre-Dame

Que c'est beau!

Victor HUGO

En passant sur le pont de la Tournelle, un soir,
Je me suis arrêté quelques instants pour voir
Le soleil se coucher derrière Notre-Dame.
Un nuage splendide à l'horizon de flamme,
Tel qu'un oiseau géant qui va prendre l'essor,
D'un bout du ciel à l'autre ouvrait ses ailes d'or,
- Et c'était des clartés à baisser la paupière.
Les tours au front orné de dentelles de pierre,
Le drapeau que le vent fouette, les minarets
Qui s'élèvent pareils aux sapins des forêts,
Les pignons tailladés que surmontent des anges
Aux corps roides et longs, aux figures étranges,
D'un fond clair ressortaient en noir; l'Archevêché,
Comme au pied de sa mère un jeune enfant couché,
Se dessinait au pied de l'église, dont l'ombre
S'allongeait à l'entour mystérieuse et sombre.
- Plus loin, un rayon rouge allumait les carreaux
D'une maison du quai; - l'air était doux; les eaux
Se plaignaient contre l'arche à doux bruit, et la vague
De la vieille cité berçait l'image vague;
Et moi, je regardais toujours, ne songeant pas
Que la nuit étoilée arrivait à grands pas.

## 2. 샤를 르콩트 드 릴

인도양의 레위니옹 섬의 주도인 생폴에서 태어났다. 군의관의 아들로 어린 시절부터 이국의 풍물을 접하여 시적 감수성을 길렀다. 1846년 파리에 돌아와서 공상적 사회주의에 열중했으나 1848년 2월 혁명에 절망하고 시작에 전념한다. 엄격한 시법에 따라 고대 그리스를 이상으로 몰개성적인 무감동의 조각미를 추구하여 고답파의 시풍을 확립하였다. 《고대시집》(1852) 《이적시집》(1862) 《비극시집》(1886) 등 ▶

### 태양의 죽음

가을바람은, 멀리서 들려오는 바닷소리처럼,
장엄한 이별, 알지 못하는 탄식으로 가득 차,
거리를 따라 너의 피로 붉게 물든
무거운 건축물들을 슬프게 흔든다, 오 태양이여!

나뭇잎은 소용돌이치며 하늘로 날고,
주홍빛 대하 속에서 흔들리는 것이 보인다,
잠으로 기운 저녁이 가까워지면,
앙상한 나뭇가지 끝에 자줏빛으로 물든 커다란 둥지들이.

떨어져라, 영광의 별, 빛의 원천인 횃불이여!
황금의 천으로 된 너의 영광은 상처에서 흐른다,
마치 힘찬 가슴에서 지고의 사랑이 떨어지듯이.

Charles Leconte de Lisle,
1818-94

이 있다. 인간의 고뇌, 죽음과 자연의 허무 등의 문제를 해결하기 위하여 고대이교·힌두교·불교 등의 종교를 탐구하였다. 1886년에 아카데미 프랑세즈 회원으로 선출.

## La Mort du Soleil

Le vent d'automne, aux bruits lointains des mers pareil,
Plein d'adieux solennels, de plaintes inconnues,
Balance tristement le long des avenues
Les lourds massifs rougis de ton sang, ô soleil!

La feuille en tourbillons s'envole par les nues;
Et l'on voit osciller, dans un fleuve vermeil,
Aux approches du soir inclinés au sommeil,
De grands nids teints de pourpre au bout des branches nues.

Tombe, Astre glorieux, source et flambeau du jour!
Ta gloire en nappes d'or coule de ta blessure,
Comme d'un sein puissant tombe un suprême amour.

죽어라 그러니, 너는 부활하리라! 그 희망은 확실하다.
그러나 누가 생명과 불꽃과 목소리를 되돌려 줄까
마지막으로 부서져버린 이 가슴에?

Meurs donc, tu renaîtras! L'espérance en est sûre.
Mais qui rendra la vie et la flamme et la voix
Au coeur qui s'est brisé pour la dernière fois?

## 3. 테오도르 드 방빌

물랭 출생으로 고티에, 위고의 영향을 받았다. 귀족의 아들로 파리대학교 법학부를 중퇴하고,《여인상》(1842)으로 데뷔하여 호평을 받은 그는 색채의 풍부함과 절묘한 운율과 서정의 시인이었다. '예술을 위한 예술'이라는 창작 태도를 극도로 고집하여 기교로 흘러가게 되었 ▶

### 루이 왕의 과수원

넓게 펼쳐진 그의 큰 팔 위에,
꽃의 여신 플로라가 잠을 깨는 숲은,
늘어뜨린 묵주에
황금빛으로 어루만져주는 아침.
떡갈나무 줄지어 있는 이 어두운 숲은
터키인과 무어인조차
들어 본 적 없는 과일 다발들,
이곳이 루이 왕의 과수원이다.

모두 기다림에 지친 불쌍한 사람들,
자신들도 모르는 생각이 흘러가고,
격렬한 회오리바람 속에서
나부끼고, 또 다시 요동친다.
떠오르는 태양은 그들을 잡아먹는다.
그들을 보라, 눈부신 하늘,

Théodore de Banville, 1823-91

다. 조형적 미를 중시한 자유자재한 압운으로 언어의 마술사라 불리기도 했다.《술잔의 피》(1857),《기괴한 오드》(1857)로 고답파 시인으로서의 기반을 굳힘.

## Le Verger du Roi Louis

Sur ses larges bras étendus,
La forêt où s'éveille Flore,
A des chapelets de pendus
Que le matin caresse et dore.
Ce bois sombre, où le chêne arbore
Des grappes de fruits inouïs
Même chez le Turc et le Maure,
C'est le verger du roi Louis.

Tous ces pauvres gens morfondus,
Roulant des pensées qu'on ignore,
Dans des tourbillons éperdus
Voltigent, palpitants encore.
Le soleil levant les dévore.
Regardez-les, cieux éblouis,

여명의 불꽃 속에서 춤추고 있다.
이곳이 루의 왕의 과수원이다.

이 교수형 당한 자들, 악마는 소식을 듣고,
더 많이 매달 것을 요구한다.
반면 하늘에는, 푸른 하늘이 펼쳐지고,
유성이 빛나는 것 같이,
이슬이 대기로 사라지고,
새 떼가 몰려와
그들의 머리 위에서 쪼고 있다.
여기는 루의 왕의 과수원이다.

왕자여, 부드러운 나뭇잎 소리 안에서
교수형 당한 무리가 묻혀있는
아름답게 꾸민 숲이다.
이곳이 루이 왕의 과수원이다

Danser dans les feux de l'aurore.
C'est le verger du roi Louis.

Ces pendus, du diable entendus,
Appellent des pendus encore.
Tandis qu'aux cieux, d'azur tendus,
Où semble luire un météore,
La rosée en l'air s'évapore,
Un essaim d'oiseaux réjouis
Par-dessus leur tête picore.
C'est le verger du roi Louis.

Prince, il est un bois que décore
Un tas de pendus enfouis
Dans le doux feuillage sonore.
C'est le verger du toi Louis!

# 조각가여

조각가여, 정성을 다해 찾으라, 영감을 기다리면서,
아름다운 항아리가 될 흠 없는 대리석을.
찾아라 오래도록 그 형상을 그리고 거기에 다시 조각하지 말라
신비스러운 사랑도 신들의 싸움도.
네메아의 괴물을 정복한 헤라클레스도,
향기로운 바다에서 태어난 큐프리스도,
반역했다 패한 거인족 티탄들도,
포도나무 가지와 잎으로 엮은 재갈고삐를 쥐고
사자들이 끄는 수레를 타고 웃고 있는 바커스도,
꽃핀 월계수 그늘 아래서 백조의 무리 속에서
놀고 있는 레다도, 물속에서 백합처럼.
흰 살을 들켜 놀라는 아르테미스도.
바캉트에게는 너무나 아름다운, 깨끗한 항아리 둘레에
아칸사스의 잎사귀에 섞인 마편초의 꽃이 피게 하라,
그리고 그 밑으로 소녀들이 천천히 두 사람씩
걸어가게 하라, 자신 있고 매혹적인 걸음으로,
두 팔은 곧게 무릎까지 내려온 웃옷에 늘어뜨리고
그리고 땋은 머리카락을 좁은 머리 위에 올리고.

## Sculpteur, cherche avec soin ...

Sculpteur, cherche avec soin, en attendant l'extase,
Un marbre sans défaut pour en faire un beau vase;
Cherche longtemps sa forme et n'y retrace pas
D'amours mystérieux ni de divins combats.
Pas d'Héraklès vainqueur du monstre de Némée,
Ni de Cypris naissant sur la mer embaumée;
Pas de Titans vaincus dans leurs rébellions,
Ni de riant Bacchus attelant les lions
Avec un frein tressé de pampres et de vignes;
Pas de Léda jouant dans la troupe des cygnes
Sous l'ombre des lauriers en fleurs, ni d'Artémis
Surprise au sein des eaux dans sa blancheur de lys.
Qu'autour du vase pur, trop beau pour la Bacchante,
La verveine mêlée à des feuilles d'acanthe
Fleurisse, et que plus bas des vierges lentement
S'avancent deux à deux, d'un pas sûr et charmant,
Les bras pendant le long de leurs tuniques droites
Et les cheveux tressés sur leurs têtes étroites.

# 차

미스 엘렌, 차를 따라 주세요
아름다운 중국 찻잔에,
금붕어들이 겁에 질린 장밋빛 괴물에게
싸움을 거는.

나는 미친 듯한 잔인함을 좋아합니다
길들여진 괴물들의.
미스 엘렌, 차를 따라 주세요
아름다운 중국 찻잔에.

저기 화난 붉은 하늘 아래,
오만하고 음흉한 어느 귀부인이
보여줍니다 터키석 색깔의 그녀의 긴 눈으로
황홀함과 순진함을.
미스 엘렌, 차를 따라주세요

## Le Thé

Miss Ellen, versez-moi le Thé
Dans la belle tasse chinoise,
Où des poissons d'or cherchent noise
Au monstre rose épouvanté.

J'aime la folle cruauté
Des chimères qu'on apprivoise:
Miss Ellen, versez-moi le Thé
Dans la belle tasse chinoise.

Là, sous un ciel rouge irrité,
Une dame fière et sournoise
Montre en ses longs yeux de turquoise
L'extase et la naïveté:
Miss Ellen, versez-moi le Thé

# 4. 쉴리 프리돔

파리 태생으로 처음에는 공학을 후에는 법률을 공부했다. 에레디아를 통해 르콩트 드 릴과 친교를 맺고《현대 고답파 시집》(1866)에 가담한다. 과학과 진보의 시대풍조에 부응하는 작풍으로 인정을 받았다. 만년에는 철학적인 시를 많이 썼지만 서정시적인 경향도 적지 않 ▶

## 금이 간 꽃병

이 마편초 꽃이 시든 꽃병은
부채가 부딪쳐 금이 간 것,
살짝 스치기만 하고
아무 소리 나지 않았는데.

그러나 가벼운 금은,
매일 수정을 좀 먹어,
보이지는 않지만 확실한 걸음으로
천천히 그 둘레를 돌았다.

신선한 물은 방울방울 새어 나와,
꽃의 수분이 말라버렸다.
그런데 아무도 알지 못했다,
손대지 말아라, 금이 갔으니.

## Sully Prudhomme, 1839-1907

다. 1920년 제 1회 노벨 문학상을 받았다. 노벨 위원회는 '낭만적인 기질과 예술적인 완전함, 그리고 감성과 지성의 결합을 인정하여 이 상을 드린다'라고 밝혔다.

## Le Vase Brisé

Le vase où meurt cette verveine
D'un coup d'éventail fut fêlé;
Le coup dut effleurer à peine:
Aucun bruit ne l'a révélé.

Mais la légère meurtrissure,
Mordant le cristal chaque jour,
D'une marche invisible et sûre
En a fait lentement le tour.

Son eau fraîche a fui goutte à goutte,
Le suc des fleurs s'est épuisé;
Personne encore ne s'en doute;
N'y touchez pas, il est brisé.

때때로 사랑하는 사람의 손도,
마음을 스쳐, 상처를 입힌다.
그러면 마음은 저절로 금이 가서,
사랑의 꽃은 시들어 버린다.

언제나 사람들의 눈에 띄지 않지만,
가늘고 깊은 그 상처가
커지고 소리 낮춰 우는 것을 느낀다,
금이 갔으니 손대지 말라.

Souvent aussi la main qu'on aime,
Effleurant le cœur, le meurtrit;
Puis le cœur se fend de lui-même,
La fleur de son amour périt;

Toujours intact aux yeux du monde,
Il sent croître et pleurer tout bas
Sa blessure fine et profonde;
Il est brisé, n'y touchez pas.

## 5. 프랑수아 코페

파리 출생. 가난한 집 아들로 태어나 육군성, 상원 도서관, 프랑스 극장 등에 근무하면서 고답파 시인들과 사귀었다. 첫 시집《성유물함》(1866)을 발표하였고, 단막 시극《행인》으로 문단에서 인정을 받았다. 도시에 사는 평범한 사람을 동경하는 시를 읊은《비천한 사람들》(1872)에서는 서민의 검소한 생활, 애환과 감정을 소박하게 묘사했 ▶

### 새들의 죽음

저녁에, 화롯가에서, 나는 자주 생각했다.
어느 숲속에서의 새의 죽음을.
단조로운 겨울의 슬픈 나날 동안
황막한 가여운 둥지들, 새들이 버리고 간 둥지,

쇠 같은 회색 하늘 위에서 바람이 흔들린다.
아! 겨울에 새들은 어떻게 죽는 것일까!
하지만 제비꽃 피는 시절이 돌아올 때,
우리는 새들의 가냘픈 해골을 발견하지 못한다.
우리가 뛰어다닐 4월의 잔디에서.
새들은 죽기 위해 숨는 것일까?

## François Coppée, 1842-1908

다. 다소 고풍스럽고 감상적인 스타일로 고답파 중에서 민중시인이라고 불렸다.《이야기와 엘레지》(1878),《왕관을 위해서》(1895) 등의 작품이 있다.

## La Mort des Oiseaux

Le soir, au coin du feu, j'ai pensé bien des fois
À la mort d'un oiseau, quelque part dans les bois.
Pendant les tristes jours de l'hiver monotone,
Les pauvres nids déserts, les nids qu'on abandonne,

Se balancent au vent sur un ciel gris de fer.
Oh! comme les oiseaux doivent mourir l'hiver!
Pourtant lorsque viendra le temps des violettes,
Nous ne trouverons pas leurs délicats squelettes
Dans le gazon d'avril où nous irons courir.
Est-ce que les oiseaux se cachent pour mourir?

## 6. 샤를 크로

시인이자 과학자. 독학으로 과학을 공부하여 14세 때에 대학 입학자격시험에 합격, 과학 교사가 되었으나 3년 후에 그만두었다. 컬러사진의 간접 처리법, 에디슨보다 일 년 앞서 축음기의 원리를 발표했다. 고답파, 상징파의 문학 서클에도 참여하고 공상과 기지에 넘치는 시 ▶

### 자유

외양간의 부정한 바람은
동에서, 서에서, 남에서, 북에서 불어온다.
더 이상 행복한 사람들의 식탁에 앉을 수 없다.
이미 죽었기 때문에.

허리가 아름다운 왕녀들은
그들의 가장 감미로운 보물을 내놓는다.
그러나 사람들은 사막으로 가버린다
잊혀지고, 무시당한다, 완전히.

달을 쳐다볼 수 있다
깜깜한 하늘에서 고요히
그리고 어떤 교훈인가? 아무것도 없다.

당신을 보며 나는 위로 받는다.

## Charles Cros, 1842-88

를 발표했다. 현실의 비참함이나 불안을 주로 표현했다. 후에 초현실주의의 선구자로 재평가 받았다. 《백단의 상자》(1873), 《강》(1874), 《발톱 목걸이》(1908) 등의 작품이 있다.

# Liberté

Le vent impur des étables
Vient d'ouest, d'est, du sud, du nord.
On ne s'assied plus aux tables
Des heureux, puisqu'on est mort.

Les princesses aux beaux râbles
Offrent leurs plus doux trésors.
Mais on s'en va dans les sables
Oublié, méprisé, fort.

On peut regarder la lune
Tranquille dans le ciel noir.
Et quelle morale?... aucune.

Je me console à vous voir,

오늘 밤 당신을 껴안는다
갈색 머리의 눈부신 애인을.

À vous étreindre ce soir

Amie éclatante et brune.

## 7. 조제 마리아 드 에레디아

쿠바 출생. 스페인인 아버지와 프랑스인 어머니 사이에 태어나, 일찍이 프랑스에서 교육을 받았다. 르콩트 드릴(1818-1894)에게 사사하여, 완벽한 기교를 구사한 소네트를 지었다. 1893년에 첫 시집《트로피》를 발표하고 이례적으로 이 한 권의 시집으로 아카데미 프랑세 ▶

### 바다의 미풍

겨울은 황야와 농가 마당의 꽃을 지게 했다.
모든 것은 죽었다.
대서양의 파도가 끝없이 부서지는
변함없는 회색 바위 위에서,
시든 꽃잎은 마지막 암술에 축 늘어진다.

그러나 알 수 없는 미묘한 향이
바다에서 미풍을 타고 내게로 와 ,
훈훈한 방향으로 마음을 채워 취하게 한다,
이 이상한 향기의 입김은, 어디에서 오는 걸까?

아! 나는 알고 있다.
그것이 오는 곳은 서쪽 삼천리,
저기, 푸른 서인도 제도가

## José-Maria de Heredia, 1826-90

즈의 회원이 되었다. 고대 그리스신화, 로마, 중세, 동양, 열대, 자연, 꿈 등을 소재로 하여 대상의 아름다운 이미지를 완벽하게 조형적으로 새긴 전형적인 고답파 시인이다. 회화적이고 환상적인 시풍은 후대에 깊은 영향을 주었다.

## Brise Marine

L'hiver a défleuri la lande et le courtil.
Tout est mort.
Sur la roche uniformément grise
Où la lame sans fin de l'Atlantique brise,
Le pétale fané pend au dernier pistil.

Et pourtant je ne sais quel arôme subtil
Exhalé de la mer jusqu'à moi par la brise,
D'un effluve si tiède emplit mon cœur qu'il grise;
Ce souffle étrangement parfumé, d'où vient-il?

Ah! Je le reconnais.
C'est de trois mille lieues
Qu'il vient, de l'Ouest, là-bas où les Antilles bleues

서쪽별의 열기 아래 기절하는 곳,

그리고 나는, 웨일즈의 파도에 씻긴 이 암초에서,
고향 공기가 향기롭게 담긴 바람을 들이마셨다
옛날 아메리카 정원에 피었던 꽃향기를.

Se pâment sous l'ardeur de l'astre occidental;

Et j'ai, de ce récif battu du flot kymrique,
Respiré dans le vent qu'embauma l'air natal
La fleur jadis éclose au jardin d'Amérique.

6

# 상징주의 시

보들레르, 베를레느, 랭보로 대변되는 상징주의는 고전주의의 규범을 탈피하고 낭만파의 열광과 고답파의 객관주의에 반해 인습과 상식을 타파하며 삶의 숙명과 전반적인 문제들을 깊이 다루었다. 근대시의 정점을 보여주며 현대시의 통로를 열었다.

## 1. 샤를 보들레르

파리 출생. 36세 때《악의 꽃》을 발표해 빅톨 위고로부터 '새로운 전율을 창조했다'는 평을 받았다. 프랑스 최고의 시인이며 상징파의 선구이기도 하다. 그에 대한 연구는 날이 갈수록 방대해지고 있다.《인 ▶

### 교감

자연은 하나의 신전, 살아있는 기둥들에서
이따금 어렴풋한 말들이 새어나오는 곳,
사람은 다정한 눈길로 그를 바라보는
상징의 숲속을 지난다.

어둡고 깊은 조화 속에
멀리서 합쳐지는 메아리처럼,
밤처럼 그리고 광명처럼 한없이,
향기와 색채와 음향이 서로 화답한다.

어린이의 살결처럼 풋풋하고,
오보에처럼 부드럽고, 초원처럼 푸른 향기가 있고,
- 또 한편엔 썩고, 풍요롭고 승리에 찬 향기가 있어,

용현향, 사향, 안식향과 훈향처럼,
무한한 것으로 퍼져나가
정신과 감각의 환희를 노래한다.

## Charles Baudelaire, 1821-67

공 낙원》,《파리의 우울》 등에 담긴 그의 작품은 전 세계에 영향을 미치고 있다.

## Correspondances

La Nature est un temple où de vivants piliers
Laissent parfois sortir de confuses paroles;
L'homme y passe à travers des forêts de symboles
Qui l'observent avec des regards familiers.

Comme de longs échos qui de loin se confondent
Dans une ténébreuse et profonde unité,
Vaste comme la nuit et comme la clarté,
Les parfums, les couleurs et les sons se répondent.

Il est des parfums frais comme des chairs d'enfants,
Doux comme les hautbois, verts comme les prairies,
- Et d'autres, corrompus, riches et triomphants,

Ayant l'expansion des choses infinies,
Comme l'ambre, le musc, le benjoin et l'encens,
Qui chantent les transports de l'esprit et des sens.

## 여행에의 초대

내 사랑, 내 누이야,
꿈꾸어 보렴 달콤한 행복을,
거기 가서 함께 사는!
한가로이 사랑하며,
사랑하고 죽는 것을,
너를 닮은 그 나라에서!
안개 서린 하늘의
축축한 태양은
내 영혼을 매혹시킨다
눈물을 통해 반짝이고 있는,
너무나 신비스런
너의 눈처럼.

그곳은 모두가 질서와 아름다움,
호사, 고요 그리고 쾌락뿐.

세월에 닦이어,
광택 나는 가구들이,
우리의 침실을 꾸미리,
가장 귀한 꽃들이
그 꽃향기를 섞으며
용현향의 은은한 향기,
화려한 천장,
심오한 거울,

## L'invitation au voyage

Mon enfant, ma sœur,
Songe à la douceur,
D'aller là-bas vivre ensemble!
Aimer à loisir,
Aimer et mourir
Au pays qui te ressemble!
Les soleils mouillés
De ces ciels brouillés
Pour mon esprit ont les charmes
Si mystérieux
De tes traîtres yeux,
Brillant à travers leurs larmes,

Là, tout n'est qu'ordre et beauté,
Luxe, calme et volupté.

Des meubles luisants,
Polis par les ans,
Décoreraient notre chambre;
Les plus rares fleurs
Mêlant leurs odeurs
Aux vagues senteurs de l'ambre,
Les riches plafonds,
Les miroirs profonds,

동양적인 광채,
이 모두가 말하리
은밀히 영혼에게
제 고향의 정다운 언어로.

그곳은 모두가 질서와 아름다움,
호사, 고요, 그리고 쾌락뿐.

보라 저 운하에
잠들어 있는 배들을,
방랑이 그들의 기질,
너의 조그마한 욕망을
만족시키려
이 배들은 세계의 끝에서 몰려든다.
저무는 태양은
들판, 운하,
온 도시를 물들인다,
히아신스 색깔과 황금빛으로,
세계는 잠이 든다
뜨거운 황혼 속에.

그곳은 모두가 질서와 아름다움,
호사, 고요 그리고 쾌락뿐.

La splendeur orientale,
Tout y parlerait
A l'âme en secret
Sa douce langue natale.

Là, tout n'est qu'ordre et beauté,
Luxe, calme et volupté.

Vois sur ces canaux
Dormir ces vaisseaux
Dont l'humeur est vagabonde;
C'est pour assouvir
Ton moindre désir
Qu'ils viennent du bout du monde.
Les soleils couchants
Revêtent les champs,
Les canaux, la ville entière,
D'hyacinthe et d'or;
Le monde s'endort
Dans une chaude lumière.

Là, tout n'est qu'ordre et beauté,
Luxe, calme et volupté.

## 전생

나는 오랫동안 거대한 주랑 아래 살고 있었다
태양빛은 수천의 불빛으로 바다를 물들이고 있었다
바르고 당당하게 솟은 거대한 기둥은,
저녁이면 그것은 마치 현무암의 동굴이 되었다.

큰 파도는 하늘의 이미지를 만들며,
장엄하고 신비롭게 섞여 있었다
그 풍부한 음악의 전능한 화음을
나의 눈에 비치는 석양의 색으로.

그곳은 고요한 쾌락 안에서 내가 살아온 곳,
푸른 하늘과, 파도와, 찬란한 빛 가운데서,
온몸에 향기가 스며든 벌거벗은 노예들 가운데서,

그들은 종려 잎으로 나의 이마를 식혀 주고,
그리고 그 유일한 배려는 나를 괴롭히는
고뇌의 비밀을 깊이 파고드는 것이었다.

## La vie anterieur

J'ai longtemps habité sous de vastes portiques
Que les soleils marins teignaient de mille feux
Et que leurs grands piliers, droits et majestueux,
Rendaient pareils, le soir, aux grottes basaltiques.

Les houles, en roulant les images des cieux,
Mêlaient d'une façon solennelle et mystique
Les tout-puissants accords de leur riche musique
Aux couleurs du couchant reflété par mes yeux.

C'est là que j'ai vécu dans les voluptés calmes,
Au milieu de l'azur, des vagues, des splendeurs
Et des esclaves nus, tout imprégnés d'odeurs,

Qui me rafraîchissaient le front avec des palmes,
Et dont l'unique soin était d'approfondir
Le secret douloureux qui me faisait languir.

## 호기심 많은 남자의 꿈

너도 알고 있는가, 나처럼, 달콤한 고통을,
그리고 너에게 말하지 않는가, "오! 이상한 사람이군!"
나는 죽으려고 했다. 사랑하는 내 영혼 안에서,
그것은 공포가 뒤섞인, 독특한 고통이었다,

불안과 생생한 희망, 선동적인 기분 없이.
운명의 모래시계가 비어져 갈수록,
고통은 더욱 쓰고 달콤해졌다.
내 마음은 온통 이 친숙한 세상을 떠나려 했다.

빨리 연극이 보고 싶어 안달하는 어린아이처럼,
장애물을 미워하는 것처럼 장막을 미워하며 …
마침내 냉엄한 사실이 밝혀졌다.

싱겁게도 나는 죽어있었다, 그리고 끔찍한 새벽이
나를 감싸고 있었다. - 뭐라고! 그것뿐이라고?
막은 올랐고 그리고 나는 여전히 기다리고 있었다.

## Le reve d'un curieux

Connais-tu, comme moi, la douleur savoureuse,
Et de toi fais-tu dire: "Oh! l'homme singulier!"
- J'allais mourir. C'était dans mon âme amoureuse,
Désir mêlé d'horreur, un mal particulier;

Angoisse et vif espoir, sans humeur factieuse.
Plus allait se vidant le fatal sablier,
Plus ma torture était âpre et délicieuse;
Tout mon coeur s'arrachait au monde familier.

J'étais comme l'enfant avide du spectacle,
Haïssant le rideau comme on hait un obstacle...
Enfin la vérité froide se révéla:

J'étais mort sans surprise, et la terrible aurore
M'enveloppait. - Eh quoi! n'est-ce donc que cela?
La toile était levée et j'attendais encore.

## 가난한 자들의 죽음

그것은 죽음이다, 아아! 우리를 위로하고 살게 하는 것은,
그것이 인생의 목표, 그리고 유일한 희망이다
그것은 묘약처럼, 우리의 기분을 좋게 하고 취하게 한다,
그리고 우리에게 저녁까지 걷게 하는 용기를 준다,

폭풍, 눈, 안개를 넘어서,
그것은 우리의 어두운 지평선에서 흔들리는 빛이다,
그것은 책에 기록되어 있는 유명한 여관이다,
거기서 인간은 먹고, 자고 앉을 수 있다.

그것은 손가락에 자석을 지니고 있는 천사이다
잠과 황홀한 꿈의 선물,
그리고 가난하고 헐벗은 자들의 침대를 다시 만들어 준다

그것은 신의 영광이며, 신비의 창고이다,
그것은 가난한 자의 지갑이고 옛 고향이다,
그것은 미지의 천국을 향해 열려진 문이다!

## La mort des pauvres

C'est la Mort qui console, hélas! et qui fait vivre;
C'est le but de la vie, et c'est le seul espoir
Qui, comme un élixir, nous monte et nous enivre,
Et nous donne le coeur de marcher jusqu'au soir;

A travers la tempête, et la neige, et le givre,
C'est la clarté vibrante à notre horizon noir;
C'est l'auberge fameuse inscrite sur le livre,
Où l'on pourra manger, et dormir, et s'asseoir;

C'est un Ange qui tient dans ses doigts magnétiques
Le sommeil et le don des rêves extatiques,
Et qui refait le lit des gens pauvres et nus;

C'est la gloire des Dieux, c'est le grenier mystique,
C'est la bourse du pauvre et sa patrie antique,
C'est le portique ouvert sur les Cieux inconnus!

## 한낮의 끝

창백하게 물든 빛 아래에서
달리고, 춤추고 그리고 이유 없이 몸을 비튼다
인생, 파렴치하고 그리고 시끄러운 놈.
또한, 지평선에서처럼 빨리

관능적인 밤이 기어오르고 있다.
모든 것을, 굶주림까지도 가라앉히면서,
모든 것을, 부끄러움까지도 없애버리면서,
시인은 생각한다. "마침내!

나의 정신은 나의 척추처럼,
휴식을 강렬하게 상기하고,
이 마음은 음산한 꿈으로 넘쳐있다.

나는 등을 대고 자고 싶다
그리고 너의 커튼 안에서 뒹굴고 있다,
오 어둠의 신선함이여!"

## La Fin de la Journée

Sous une lumière blafarde
Court, danse et se tord sans raison
La Vie, impudente et criarde.
Aussi, sitôt qu'à l'horizon

La nuit voluptueuse monte,
Apaisant tout, même la faim,
Effaçant tout, même la honte,
Le Poète se dit: "Enfin!

Mon esprit, comme mes vertèbres,
Invoque ardemment le repos;
Le coeur plein de songes funèbres,

Je vais me coucher sur le dos
Et me rouler dans vos rideaux,
Ô rafraîchissantes ténèbres!"

## 애인들의 죽음

우리의 침대는 가벼운 향기로 넘쳐흐르리,
깊고 긴 의자는 무덤과도 같이,
그리고 선반 위에는 신기한 꽃들로,
가장 아름다운 하늘 아래 우리를 위해 피게 하리.

그 마지막 정열에 대항하여,
우리 둘의 마음은 그 이중의 빛을 비추는
두 개의 거대한 불꽃이 되리라,
우리의 두 정신 속에서, 이 쌍둥이 거울을.

장밋빛과 신비로운 푸른빛의 어느 날 밤에,
우리는 단 한 번뿐인 섬광을 주고받으리라,
긴 흐느낌처럼, 이별의 정을 가득 담고서,

그리고 더 늦게 천사가, 문을 살짝 열고,
들어와서 충실하게 그리고 즐겁게,
흐린 거울과 죽은 불꽃을 되살리리라.

## La Mort des Amants

Nous aurons des lits pleins d'odeurs légères,
Des divans profonds comme des tombeaux,
Et d'étranges fleurs sur des étagères,
Ecloses pour nous sous des cieux plus beaux.

Usant à l'envi leurs chaleurs dernières,
Nos deux coeurs seront deux vastes flambeaux,
Qui réfléchiront leurs doubles lumières
Dans nos deux esprits, ces miroirs jumeaux.

Un soir fait de rose et de bleu mystique,
Nous échangerons un éclair unique,
Comme un long sanglot, tout chargé d'adieux;

Et plus tard un Ange, entr'ouvrant les portes,
Viendra ranimer, fidèle et joyeux,
Les miroirs ternis et les flammes mortes.

## 독자에게

어리석음, 과오, 죄악, 인색함이,
우리 마음을 차지하고 우리의 육체에 미치고,
그리고 우리의 무가치한 후회를 키우고 있다,
거지들이 몸에 해충을 기르는 것처럼.

우리 죄악들은 끈덕지고, 우리의 참회는 부족하다,
우리의 고해로 마음은 편안해진다,
그리고 진창길로 유쾌하게 돌아오는구나,
그 천한 눈물로 우리의 모든 죄를 씻어버린 듯.

악의 배게 위에 자리 잡은 마왕 트리스메지스트
오랫동안 우리의 마음을 황홀하게 잠재우고,
그리고 우리의 의지라는 귀금속은
이 박식한 연금술사에 걸려 모두 날아가 버린다.

우리를 조종하는 실을 쥔 것은 악마이니라!
그 더러운 물건에 우리는 마음이 끌리고,
매일처럼 지옥을 향해 우리는 발걸음을 내린다,
겁도 없이, 악취 풍기는 어둠을 향해.

이렇게 우리는 옛 창녀의 박해당한 젖가슴에
입 맞추고 먹어대는 불쌍한 탕아처럼,
우리는 지나가며 박해당한 쾌락을 훔쳐
오래된 오렌지처럼 세게 쥐어짠다.

# Au Lecteur

La sottise, l'erreur, le péché, la lésine,
Occupent nos esprits et travaillent nos corps,
Et nous alimentons nos aimables remords,
Comme les mendiants nourrissent leur vermine.

Nos péchés sont têtus, nos repentirs sont lâches;
Nous nous faisons payer grassement nos aveux,
Et nous rentrons gaiement dans le chemin bourbeux,
Croyant par de vils pleurs laver toutes nos taches.

Sur l'oreiller du mal c'est Satan Trismégiste
Qui berce longuement notre esprit enchanté,
Et le riche métal de notre volonté
Est tout vaporisé par ce savant chimiste.

C'est le Diable qui tient les fils qui nous remuent!
Aux objets répugnants nous trouvons des appas;
Chaque jour vers l'Enfer nous descendons d'un pas,
Sans horreur, à travers des ténèbres qui puent.

Ainsi qu'un débauché pauvre qui baise et mange
Le sein martyrisé d'une antique catin,
Nous volons au passage un plaisir martyrisé
Que nous pressons bien fort comme une vieille orange.

수많은 구더기처럼 우글거리고 꽉 끼어서,
우리의 뇌 속에는 한 무리의 마군이 날뛰고,
그리고, 우리가 숨을 들이켜면 죽음이 폐 속으로
보이지 않는 강물처럼, 둔탁한 신음소리를 내며 내려간다.

만약 성폭행, 독살, 칼부림, 방화가,
아직 우리의 불쌍한 운명의 진부한 캔버스를
그 유쾌한 그림으로 장식하고 있지 않다면,
그것은 우리 영혼이, 오호! 그렇게 대담하지 않다는 것.

그러나, 재칼, 표범, 암사냥개,
원숭이, 전갈, 독수리, 뱀 등의 괴물들,
짖어대고, 울부짖고, 으르렁대고, 날뛰고,
우리들 악덕의 더러운 우리 안에서,

그중에서 더 추악하고, 더 심술궂고, 더 추잡한 놈이 있다!
눈에 띌 정도의 몸짓도 없고, 크게 짖어대지도 않지만,
마음만 내키면 대지를 작살낼 수도 있을 것이며
그리고 하품을 하면서 세상을 삼키리라,

그 권태라는 놈! – 무의식적으로 눈물 고인 한쪽 눈으로,
그의 수연통을 물고 담배를 피우면서 처형대를 꿈꾸고 있다.
너는 그를 알고 있다, 독자여, 이 다루기 힘든 괴물을,
– 위선가인 독자여, – 나의 동포여, – 나의 형제여!

Serré, fourmillant, comme un million d'helminthes,
Dans nos cerveaux ribote un peuple de Démons,
Et, quand nous respirons, la Mort dans nos poumons
Descend, fleuve invisible, avec de sourdes plaintes.

Si le viol, le poison, le poignard, l'incendie,
N'ont pas encor brodé de leurs plaisants dessins
Le canevas banal de nos piteux destins,
C'est que notre âme, hélas! n'est pas assez hardie.

Mais parmi les chacals, les panthères, les lices,
Les singes, les scorpions, les vautours, les serpents,
Les monstres glapissants, hurlants, grognants, rampants,
Dans la ménagerie infâme de nos vices,

II en est un plus laid, plus méchant, plus immonde!
Quoiqu'il ne pousse ni grands gestes ni grands cris,
Il ferait volontiers de la terre un débris
Et dans un bâillement avalerait le monde;

C'est l'Ennui! L'oeil chargé d'un pleur involontaire,
II rêve d'échafauds en fumant son houka.
Tu le connais, lecteur, ce monstre délicat,
- Hypocrite lecteur, - mon semblable, - mon frère!

# 키테라로의 여행

내 마음은 새처럼 즐겁게 훨훨 솟아올라
돛밧줄 주위를 자유롭게 떠돌고 있었다,
배는 구름 한 점 없는 하늘 아래 여행 중이었다,
마치 눈부신 태양에 취한 천사처럼.

무엇인가 저 슬프고 검은 섬은? - 그것은 키테라,
사람들의 말로는 노래로 유명한 섬,
모든 늙은 총각들의 진부한 엘도라도,
보라! 결국, 그것은 초라한 땅.

달콤한 비밀과 마음의 향연의 섬이여!
고대 비너스의 아름다운 환영이
너의 바다 위에 향기처럼 감돌고,
그리고 영혼을 채운다 사랑과 권태로.

활짝 핀 꽃으로 가득한, 영원히
온 겨레로부터 숭배받는 푸른 천인화의 섬,
그곳에서는 찬미하는 마음의 숨결이
흐른다, 장미원의 향기처럼.

혹은 산비둘기의 영원한 구구 울음처럼!
그러나 키테라는 더할 수 없이 황폐한 땅,
날카로운 비탄으로 소란한 자갈투성이의 사막,
그러나 나는 얼핏 보았다 해괴한 물체를!

## Un Voyage a Cythère

Mon coeur, comme un oiseau, voltigeait tout joyeux
Et planait librement à l'entour des cordages;
Le navire roulait sous un ciel sans nuages,
Comme un ange enivré d'un soleil radieux.

Quelle est cette île triste et noire? - C'est Cythère,
Nous dit-on, un pays fameux dans les chansons,
Eldorado banal de tous les vieux garçons.
Regardez, après tout, c'est une pauvre terre.

- Ile des doux secrets et des fêtes du coeur!
De l'antique Vénus le superbe fantôme
Au-dessus de tes mers plane comme un arôme,
Et charge les esprits d'amour et de langueur.

Belle île aux myrtes verts, pleine de fleurs écloses,
Vénérée à jamais par toute nation,
Où les soupirs des coeurs en adoration
Roulent comme l'encens sur un jardin de roses

Ou le roucoulement éternel d'un ramier!
- Cythère n'était plus qu'un terrain des plus maigres,
Un désert rocailleux troublé par des cris aigres.
J'entrevoyais pourtant un objet singulier!

그것은 그늘이 진 작은 숲 신전이 아니었다,
꽃을 사랑하는 젊은 여승이,
남모르게 정욕에 불타는 몸으로 스쳐가는 산들바람에,
그녀의 옷을 살며시 벌리며 걷고 있는,

아니, 우리들 하얀 돛으로 새들이 놀랄 만큼
해안에 바싹 다가 지나갈 때,
우리는 보았다, 그것은 세 개의 가지로 된 교수대였다.
사이프러스처럼 시커멓게 하늘로 솟아오른.

사나운 새들이 먹이 위에 올라앉아
이미 무르익은 교수형 당한 자를 맹렬히 찢고 있었다.
저마다 송장의 피 흐르는 온통 구석구석에
더러운 주둥이를, 연장처럼, 찍어대면서,

그의 눈은 벌써 텅 빈 두 구멍, 그리고 파헤쳐진 배로부터
무거운 창자가 그의 허벅다리 아래로 굴러내라고 있었다.
그리고 끔찍한 진미를 잔뜩 먹은 집행인들은
부리로 찍어 완전히 그를 거세해 버렸었다.

그의 발밑에는 부러워하는 네발짐승들의 무리가
콧등을 쳐들고서 빙빙 돌며 어슬렁거리고 있었다,
그중 큰 놈 한 마리가 서성거렸다,
마치 조수들에 둘러싸인 사형집행인처럼.

Ce n'était pas un temple aux ombres bocagères,
Où la jeune prêtresse, amoureuse des fleurs,
Allait, le corps brûlé de secrètes chaleurs,
Entre-bâillant sa robe aux brises passagères;

Mais voilà qu'en rasant la côte d'assez près
Pour troubler les oiseaux avec nos voiles blanches,
Nous vîmes que c'était un gibet à trois branches,
Du ciel se détachant en noir, comme un cyprès.

De féroces oiseaux perchés sur leur pâture
Détruisaient avec rage un pendu déjà mûr,
Chacun plantant, comme un outil, son bec impur
Dans tous les coins saignants de cette pourriture;

Les yeux étaient deux trous, et du ventre effondré
Les intestins pesants lui coulaient sur les cuisses,
Et ses bourreaux, gorgés de hideuses délices,
L'avaient à coups de bec absolument châtré.

Sous les pieds, un troupeau de jaloux quadrupèdes,
Le museau relevé, tournoyait et rôdait;
Une plus grande bête au milieu s'agitait
Comme un exécuteur entouré de ses aides.

키테라의 주민, 참으로 아름다운 하늘의 아들이여,
말없이 너는 참는다 이 모욕들을
너의 불경한 예배와 그리고 너에게
무덤을 금하는 죄인들을 단죄하며

웃음거리 사형수여, 너의 고통은 내 것이다!
나는 느꼈다, 달랑거리는 사지를 보고,
내 옛 고통의 쓸개즙의 긴 강물이
구토처럼 이 이빨에 솟아오름을,

너무나 그리운 추억 지닌 가엾은 악마여, 그대 앞에서,
나는 느꼈다, 한때 내 육체를 씹어 먹기 좋아하고
찌르는 까마귀들과 검은 표범들의
모든 부리와 모든 이빨을.

하늘은 아름답고 바다는 잔잔했다,
앞으로 내게는 모든 것이 어둡고 피투성이,
아 슬프다! 그리고 두꺼운 수의에나 싸인 듯,
내 마음은 이 알레고리 속에 묻혀있다.

그대의 섬에서, 오 비너스여! 나는 발견했다
서 있는 것이라곤 내 모습이 매달려 있는 상징적인 교수대뿐임을…
아! 주여! 내게 주소서 내 마음과 내 몸을
구역질 없이 바라볼 수 있는 힘과 용기를!

Habitant de Cythère, enfant d'un ciel si beau,
Silencieusement tu souffrais ces insultes
En expiation de tes infâmes cultes
Et des péchés qui t'ont interdit le tombeau.

Ridicule pendu, tes douleurs sont les miennes!
Je sentis, à l'aspect de tes membres flottants,
Comme un vomissement, remonter vers mes dents
Le long fleuve de fiel des douleurs anciennes;

Devant toi, pauvre diable au souvenir si cher,
J'ai senti tous les becs et toutes les mâchoires
Des corbeaux lancinants et des panthères noires
Qui jadis aimaient tant à triturer ma chair.

- Le ciel était charmant, la mer était unie;
Pour moi tout était noir et sanglant désormais,
Hélas! et j'avais, comme en un suaire épais,
Le coeur enseveli dans cette allégorie.

Dans ton île, ô Vénus! je n'ai trouvé debout
Qu'un gibet symbolique où pendait mon image...
- Ah! Seigneur! donnez-moi la force et le courage
De contempler mon coeur et mon corps sans dégoût!

## 일곱 명의 노인

빅톨 위고에게

개미떼처럼 꿈틀거리는 도시, 도시는 꿈으로 넘친다,
거기서는 대낮에도 이상한 그림자가 통행인의 소매를 잡아당긴다!
수많은 신비는 이 거대체의 도처에 흐르고 있다
수액처럼 좁은 운하관을 통하여,

그러나 어느 날 아침, 그 슬픈 오솔길에
안개가 그 크기를 높게 만드는 집들,
집들이 물로 불어난 강의 양 둑과도 닮은 아침,
배우의 영혼과도 닮은 모습을 띠고,

더러운 노란 안개가 사방을 적시는 시각에,
나는 따라갔다, 주인공처럼 신경을 곤두세우고
벌써 진력이 난 나의 영혼과 다투며,
무거운 화차에 뒤흔들리는 변두리 길을.

갑자기 노란 누더기를 걸친 노인이,
비 오는 하늘의 색을 닮아,
보시물이 비 오듯 쏟아지기를 바라며,
그 빛나는 눈에는 악의조차 없이,

내 앞에 나타났다. 담즙에 절은 듯한 흰 눈의 색
그 눈초리는 아침의 찬 기운을,
그리고 수염 없는 턱의 긴 털이 마치 짐처럼,
유대인의 턱수염처럼 솟아났다.

## Les Sept Vieillards

À Victor Hugo.

Fourmillante cité, cité pleine de rêves,
Où le spectre en plein jour raccroche le passant!
Les mystères partout coulent comme des sèves
Dans les canaux étroits du colosse puissant.

Un matin, cependant que dans la triste rue
Les maisons, dont la brume allongeait la hauteur,
Simulaient les deux quais d'une rivière accrue,
Et que, décor semblable à l'âme de l'acteur,

Un brouillard sale et jaune inondait tout l'espace,
Je suivais, roidissant mes nerfs comme un héros
Et discutant avec mon âme déjà lasse,
Le faubourg secoué par les lourds tombereaux.

Tout à coup, un vieillard dont les guenilles jaunes,
Imitaient la couleur de ce ciel pluvieux,
Et dont l'aspect aurait fait pleuvoir les aumônes,
Sans la méchanceté qui luisait dans ses yeux,

M'apparut. On eût dit sa prunelle trempée
Dans le fiel; son regard aiguisait les frimas,
Et sa barbe à longs poils, roide comme une épée,
Se projetait, pareille à celle de Judas.

허리는 구부러진 것이 아니라 척추가 부러져 있고
다리는 직각으로 연결되고,
지탱하고 있는 지팡이가 직각으로,
다리가 버티고 있는 어색한 걸음이다.

절름발이 사족수 또는 세발 다리의 유태인
눈과 진흙 속에서 헤매고 있었다,
신발 바닥이 죽은 자의 몸을 밟고 있는 듯하다,
이 세상에 무관심하다기보다 적의를 느끼는 듯.

그와 닮은 자가 계속 나타났다. 수염, 눈, 등, 지팡이, 누더기,
같은 지옥에서 나온 백 살쯤 되는 이 쌍둥이는,
먼젓번 녀석과 구별하기 어려웠다, 이 똑같은 망령들은
알지 못하는 목적을 향해 똑같은 걸음을 걷고 있었다.

그 무슨 끔찍한 음모에 내가 말려든 것일까,
아니면 어떤 악의적인 우연이 이처럼 나를 모욕한 것일까?
그래서 나는 일곱 번 세었다, 계속해서,
점점 늘어나는 이 악의에 찬 노인들을!

나의 불안을 비웃는 사람이 있다,
그리고 동족의 전율에 사로잡히지도 않는다,
어이없는 노령자인데도 불구하고
이 못생긴 일곱 괴물은 영원을 꿈꾼다!

Il n'était pas voûté, mais cassé, son échine
Faisant avec sa jambe un parfait angle droit,
Si bien que son bâton, parachevant sa mine,
Lui donnait la tournure et le pas maladroit

D'un quadrupède infirme ou d'un juif à trois pattes.
Dans la neige et la boue il allait s'empêtrant,
Comme s'il écrasait des morts sous ses savates,
Hostile à l'univers plutôt qu'indifférent.

Son pareil le suivait: barbe, oeil, dos, bâton, loques,
Nul trait ne distinguait, du même enfer venu,
Ce jumeau centenaire, et ces spectres baroques
Marchaient du même pas vers un but inconnu.

A quel complot infâme étais-je donc en butte,
Ou quel méchant hasard ainsi m'humiliait?
Car je comptai sept fois, de minute en minute,
Ce sinistre vieillard qui se multipliait!

Que celui-là qui rit de mon inquiétude,
Et qui n'est pas saisi d'un frisson fraternel,
Songe bien que malgré tant de décrépitude
Ces sept monstres hideux avaient l'air éternel!

나는 죽지 않고 여덟 번째를 주시할 수 있을까.
어쩔 수 없이 빈정대는 치사함이 그들과 유사하다,
기분 나쁜 피닉스, 스스로의 아들이며 아버지인 자여?
그러나 이 지옥의 행렬에 나는 등을 돌려버렸다.

사물이 이중으로 보이는 술 취한 사람처럼 실망하여,
나는 돌아가, 문을 닫고, 겁을 먹으며,
병들고 기다림에 지쳐, 열병이 나고 고통받는 정신은,
신비하고 기이함에 상처받아!

나의 이성이 선을 그으려 했으나 소용없었다,
폭풍은 놀리며 그 노력을 따돌렸다,
그리고 나의 영혼은 춤을 추었다, 춤을 추었다, 늙은 거룻배는
돛대도 없이, 괴물 같은 바다 위에 그리고 기슭도 없는!

Aurais-je, sans mourir, contemplé le huitième.

Sosie inexorable, ironique et fatal,

Dégoûtant Phénix, fils et père de lui-même?

- Mais je tournai le dos au cortège infernal.

Exaspéré comme un ivrogne qui voit double,

Je rentrai, je fermai ma porte, épouvanté,

Malade et morfondu, l'esprit fiévreux et trouble,

Blessé par le mystère et par l'absurdité!

Vainement ma raison voulait prendre la barre;

La tempête en jouant déroutait ses efforts,

Et mon âme dansait, dansait, vieille gabarre

Sans mâts, sur une mer monstrueuse et sans bords!

# 인간과 바다

자유로운 사람이여, 언제나 너는 바다를 좋아할 것이다!
바다는 너의 거울, 너는 너의 영혼을 주시한다
그 파도의 무한한 꿈틀거림 속에서,
그리고 너의 정신은 그 쓰디쓴 심연에 못지않다.

너는 너의 이미지의 가슴에 기꺼이 몸을 던진다,
너는 눈으로 그리고 팔로 그를 껴안고, 그리고 너의 마음은
때로는 그 본래의 웅성거림을 즐기고 있었다
길들일 수 없는 야만의 이 불평에 찬 외침에서.

너희는 둘 다 어둡고 말이 없다.
인간이여, 아무도 너의 깊은 구렁텅이의 깊이를 잴 수 없었으니,
오 바다여, 아무도 너의 은밀한 보물을 모르고 있으니,
그처럼 너희는 질투를 받을 만큼 너희의 비밀을 지켰다!

그리고 수천만 년 전부터였다
너희는 연민도 후회도 없이 싸워왔다,
그토록 너희는 학살과 죽음을 사랑하고 있다,
오 영원한 싸움꾼들이여, 오 어쩔 수 없는 형제들이여!

# L'homme et la Mer

Homme libre, toujours tu chériras la mer!
La mer est ton miroir; tu contemples ton âme
Dans le déroulement infini de sa lame,
Et ton esprit n'est pas un gouffre moins amer.

Tu te plais à plonger au sein de ton image;
Tu l'embrasses des yeux et des bras, et ton coeur
Se distrait quelquefois de sa propre rumeur
Au bruit de cette plainte indomptable et sauvage.

Vous êtes tous les deux ténébreux et discrets:
Homme, nul n'a sondé le fond de tes abîmes;
Ô mer, nul ne connaît tes richesses intimes,
Tant vous êtes jaloux de garder vos secrets!

Et cependant voilà des siècles innombrables
Que vous vous combattez sans pitié ni remord,
Tellement vous aimez le carnage et la mort,
Ô lutteurs éternels, ô frères implacables!

## 알바트로스

곧잘 뱃사람들은 장난삼아
거대한 바다새, 알바트로스를 잡는다.
여행의 성가신 길동무인 그 새는,
고통의 심연 위를 미끄러져 가는 배를 따라온다.

뱃사람들이 그 새들을 바닥에 내려놓자,
이 푸른 하늘의 왕들은, 어색하고 부끄러워,
가엾게도 그 커다란 흰 날개를
마치 노처럼 옆으로 질질 끈다.

이 날개 달린 여행자는, 얼마나 서투르고 무기력한지!
예전에는 그토록 아름답던 그가, 얼마나 우습고 흉한지!
어떤 사람은 담뱃대로 부리를 자극하고,
다른 사람은 절뚝이며 날아다니던 불구자를 흉내 낸다!

시인은 구름의 왕자를 닮았다
폭풍우를 넘나들고 궁수를 비웃던 그가,
야유의 한 가운데 지상에 유배되어,
거대한 날개가 되려 걷는 것을 방해하고 있구나.

# L'Albatros

Souvent, pour s'amuser, les hommes d'équipage
Prennent des albatros, vastes oiseaux des mers,
Qui suivent, agace compagnons de voyage,
Le navire glissant sur les gouffres amers.

A peine les ont-ils déposés sur les planches,
Que ces rois de l'azur, maladroits et honteux,
Laissent piteusement leurs grandes ailes blanches
Comme des avirons traîner à côté d'eux.

Ce voyageur ailé, comme il est gauche et veule!
Lui, naguère si beau, qu'il est comique et laid!
L'un agace son bec avec un brûle-gueule,
L'autre mime, en boitant, l agacequi volait!

Le Poète est semblable au prince des nuées
Qui hante la tempête et se rit de l'archer;
Exilé sur le sol au milieu des huées,
Ses ailes de géant l'empêchent de marcher.

## 2. 폴 베를렌

프랑스 메스 출생. 파리 대학 법학부에서 공부하였으나 파리시청의 서기로 일하면서 시를 쓰기 시작하였다. 말라르메, 랭보와 함께 상징파 3대 거장의 하나. 고답파 시인들과 교제하여 제1차《현대 고답시집》에 시 7편을 싣고 동시에 처녀시집《토성인의 시집》(1866)을 간 ▶

### 시법

무엇보다도 먼저 음악을,
그러기 위해 기수각을 택하라
노래 속에서 더 모호하고 더 잘 녹아들어,
무게감이나 침체가 전혀 없는.

또 애매하지 않는 말을
선택하려고 해서는 안 된다.
정확과 부정확이 하나로 합치는
회색 노래보다 더 귀중한 것은 없느니.

그것은 베일 뒤의 아름다운 눈,
그것은 정오의 떨고 있는 밝은 빛,
그것은 서늘한 가을 하늘에,
맑은 별들의 파랗게 흩어져 있는 빛!

## Paul Verlaine, 1844-96

행하여 격찬을 받았다. 1872년 아내를 버리고 랭보와 같이 런던으로 간다. 다음 해 그를 권총으로 쏘아 2년간 수감생활을 한다. 제2시집 《화려한 향연》(1869)에서는 근대의 우수와 권태를 노래하였다.

## L'Art Poétique

De la musique avant toute chose,
Et pour cela préfère l'Impair
Plus vague et plus soluble dans l'air,
Sans rien en lui qui pèse ou qui pose.

Il faut aussi que tu n'ailles point
Choisir tes mots sans quelque méprise:
Rien de plus cher que la chanson grise
Où l'Indécis au Précis se joint.

C'est des beaux yeux derrière des voiles,
C'est le grand jour tremblant de midi,
C'est, par un ciel d'automne attiédi,
Le bleu fouillis des claires étoiles!

우리는 뉘앙스를 원하기 때문이니,
색채가 아니라, 오직 뉘앙스만을!
오! 뉘앙스만이 결합시킨다
꿈과 꿈을, 플루트와 뿔피리를!

멀리 피하라, 뇌쇄적인 신랄함을,
창공의 눈을 눈물짓게 하는,
그 잔인한 기지, 그 불순한 웃음을,
그리고 맛없는 요리의 모든 마늘 맛을!

웅변을 붙잡아서 그 목을 비틀어라!
힘을 쓰는 김에 각운을,
약간 완화함이 좋으리라.
주의하지 않으면, 어디까지 가버릴까?

오 누가 각운의 잘못을 말하랴?
그 어떤 귀먹은 아이, 미친 흑인이
줄 아래서 텅 비고 귀에 거슬리는
이 한 푼짜리 보석을 날조했는가?

또다시 그리고 언제나 음악을!
너의 시가 솟아오르게 하라
다른 하늘과 다른 사랑을 향해
영혼이 나아감을 느끼고 있을지니.

Car nous voulons la Nuance encor,
Pas la Couleur, rien que la nuance!
Oh! la nuance seule fiance
Le rêve au rêve et la flûte au cor!

Fuis du plus loin la Pointe assassine,
L'Esprit cruel et le Rire impur,
Qui font pleurer les yeux de l'Azur,
Et tout cet ail de basse cuisine!

Prends l'éloquence et tords-lui son cou!
Tu feras bien, en train d'énergie,
De rendre un peu la Rime assagie.
Si l'on n'y veille, elle ira jusqu'où?

O qui dira les torts de la Rime?
Quel enfant sourd ou quel nègre fou
Nous a forgé ce bijou d'un sou
Qui sonne creux et faux sous la lime?

De la musique encore et toujours!
Que ton vers soit la chose envolée
Qu'on sent qui fuit d'une âme en allée
Vers d'autres cieux à d'autres amours.

당신의 시가 행운이 되게 하라
박하와 백리향을 꽃피우며
아침의 산들바람에 흩어지게…
그리고 그 나머지는 전부가 문학이다.

Que ton vers soit la bonne aventure
Eparse au vent crispé du matin
Qui va fleurant la menthe et le thym...
Et tout le reste est littérature.

## 자주 꾸는 꿈

나는 자주 이상하고 가슴 깊이 스며드는 꿈을 꾼다
내가 사랑하고 나를 사랑하는 미지의 여인의 꿈을
그녀를 볼 때마다 전혀 똑같은 사람이 아니고
또 전혀 다른 사람도 아닌데, 나를 사랑하고 나를 이해해 준다.

그녀가 나를 이해하기에, 투명한 내 마음은
그녀에게만, 오호! 문제가 되지 않는다
그녀만이, 내 창백한 이마의 땀을,
그녀만이 알고 있다, 눈물로 식히는 법을.

그녀의 머리카락이 갈색인지, 금발 아니면 붉은지, 나는 모른다.
그녀 이름은? 부드럽고 낭랑한 것이 기억난다.
인생이 내쫓아버린 애인들의 이름처럼.

그녀의 시선은 조각상들의 시선과 같다.
그녀의 목소리는 아득하고, 고요하고, 침착하여,
말 없는 그리운 목소리의 억양을 지니고 있다.

## Mon rêve familier

Je fais souvent ce rêve étrange et pénétrant
D'une femme inconnue, et que j'aime, et qui m'aime
Et qui n'est, chaque fois, ni tout à fait la même
Ni tout à fait une autre, et m'aime et me comprend.

Car elle me comprend, et mon coeur, transparent
Pour elle seule, hélas! cesse d'être un problème
Pour elle seule, et les moiteurs de mon front blême,
Elle seule les sait rafraîchir, en pleurant.

Est-elle brune, blonde ou rousse? - Je l'ignore.
Son nom? Je me souviens qu'il est doux et sonore
Comme ceux des aimés que la Vie exila.

Son regard est pareil au regard des statues,
Et, pour sa voix, lointaine, et calme, et grave, elle a
L'inflexion des voix chères qui se sont tues.

## 가을의 노래

가을날
바이올린의
긴 흐느낌

단조로운 우수로
내 마음
쓰라려.

종소리 울리면
숨 막히고
창백히,

옛날을
추억하며
눈물짓노라

그리고 나는 간다
모진 바람이
날 휘몰아치는 대로

이리저리
마치
낙엽처럼.

## Chanson D'automne

Les sanglots longs
Des violons
De l'automne

Blessent mon coeur
D'une langueur
Monotone.

Tout suffocant
Et blême, quand
Sonne l'heure,

Je me souviens
Des jours anciens
Et je pleure

Et je m'en vais
Au vent mauvais
Qui m'emporte

Deçà, delà,
Pareil à la
Feuille morte.

## 내 마음에 눈물 흐른다

거리에 비 내리듯
내 마음에 눈물 흐른다.
가슴 속에 스며드는
이 슬픔은 무엇인가?

오 부드러운 빗소리는
대지 위에 또 지붕 위에!
울적한 마음에 울리는,
오 비의 노래여.

낙담한 이 가슴에
까닭 없는 눈물 흐르네.
웬일인가! 원한도 없는데?
이 슬픔은 까닭이 없네.

이유를 모르는 슬픔이란
가장 견디기 괴로운 것
사랑도 없고, 증오도 없는데
이 마음은 너무나 고통스럽구나!

## Il pleure dans mon coeur

Il pleure dans mon coeur
Comme il pleut sur la ville;
Quelle est cette langueur
Qui pénètre mon coeur?

Ô bruit doux de la pluie
Par terre et sur les toits!
Pour un coeur qui s'ennuie,
Ô le chant de la pluie!

Il pleure sans raison
Dans ce coeur qui s'écoeure.
Quoi! nulle trahison?...
Ce deuil est sans raison.

C'est bien la pire peine
De ne savoir pourquoi
Sans amour et sans haine
Mon coeur a tant de peine!

## 하늘은 지붕 너머

하늘은 지붕 너머,
저렇게 푸르고 조용하다!
종려나무는 지붕 위에서,
잎사귀를 흔들고 있네.

하늘에서 보이는 종,
은은하게 울리고.
나무 위에 새 한 마리
구슬프게 지저귀네.

아, 삶은 저기 저렇게 있네
단순하고 고요하게.
마을에서 들려오는
저 평화로운 웅성거림.

뭘 했니, 여기 이렇게 있는 너는
끊임없이 울고 있는 너는,
말해봐, 뭘 했니? 여기 이렇게 있는 너는,
너의 젊음으로?

## Le ciel est par-dessus le toit

Le ciel est, par-dessus le toit,
Si bleu, si calme!
Un arbre, par-dessus le toit,
Berce sa palme.

La cloche, dans le ciel qu'on voit,
Doucement tinte.
Un oiseau sur l'arbre qu'on voit
Chante sa plainte.

Mon Dieu, mon Dieu, la vie est là
Simple et tranquille.
Cette paisible rumeur-là
Vient de la ville.

Qu'as-tu fait, ô toi que voilà
Pleurant sans cesse,
Dis, qu'as-tu fait, toi que voilà,
De ta jeunesse?

## 하얀 달

하얀 달이
숲에서 빛나고,
우거진 나무 그늘 아래서
가지마다
소리가 새어 나온다…

오, 사랑하는 이여,

연못은
깊은 거울,
바람이 울고 있는
검은 버드나무
그림자를 비춘다…

꿈을 꾸자, 그럴 때이니.

넓고 부드러운
고요가
별빛을 받아 무지갯빛으로
반짝이는 하늘에서
내려오는 듯하다…

지금은 감미로운 시간.

## La lune blanche

La lune blanche
Luit dans les bois;
De chaque branche
Part une voix
Sous la ramée...

Ô bien-aimée.

L'étang reflète,
Profond miroir,
La silhouette
Du saule noir
Où le vent pleure...

Rêvons, c'est l'heure.

Un vaste et tendre
Apaisement
Semble descendre
Du firmament
Que l'astre irise...

C'est l'heure exquise.

## 3. 아르튀르 랭보

샤를빌 출생의 조숙한 천재로 15세부터 20세 사이에 작품을 썼다. 어머니의 횡포와 인습적인 삶에서 도피하기 위해 여러 번 가출한다.《취한 배》로 상징주의의 하늘에 혜성처럼 나타나 20세가 되기 전에 문학과 완전히 절연한다. 랭보의 시는 보들레르의 인공적 미, 말라르메 ▶

### 감각

여름의 파아란 저녁때면, 나는 오솔길을 가리라,
보리에 찔리며, 잔풀을 짓밟으며.
몽상가, 나는 그 시원함을 발에서 느끼리.
바람에 내 맨 머리를 멱 감기리.

나는 말하지 않으리, 아무것도 생각지 않으리라.
그러나 무한한 사랑이 내 영혼 속에 솟아오르리라,
그리고 나는 가리라, 멀리 저 머얼리, 보헤미안처럼.
자연 속을, - 마치 여자와 함께 가듯 행복하게.

## Arthur Rimbaud, 1854-91

의 이지적 미에 비해, 생생한 감각적 미로 넘친다. 산문 시집으로《착색 판화집》,《지옥에서 보낸 한 철》을 남겼다. 1872년에 18살의 나이로 베를렌을 만나 영국과 벨기에에서 기이한 유랑 생활을 했으나 1873년에 파국을 맞이한다.

### Sensation

Par les soirs bleus d'été, j'irai dans les sentiers,
Picoté par les blés, fouler l'herbe menue:
Rêveur, j'en sentirai la fraîcheur à mes pieds.
Je laisserai le vent baigner ma tête nue.

Je ne parlerai pas, je ne penserai rien:
Mais l'amour infini me montera dans l'âme,
Et j'irai loin, bien loin, comme un bohémien,
Par la Nature, - heureux comme avec une femme.

## 취한 배

유유한 강물을 타고 내려갈 때에,
더는 선원들에게 끌려간다고 느끼지는 않았어.
갖가지 색 말뚝에 발가벗겨 못 박아 놓고서,
인디언들은 요란스레 그들을 공격했었어.

플랑드르 산 밀이나 영국산 목화를 나르는,
선원들이야 개의치 않았지.
나의 선원들과 함께 그 소동은 끝났고,
강물은 나를 원하는 대로 흘러가게 내버려두었지.

거칠게 밀려오는 파도 소리에,
나는, 지난겨울, 아이들 머리보다도 더 귀먹어서,
나는 달려갔네! 그리고 출범한 반도들은
그보다 더 의기양양한 소동을 겪은 적이 없었지.

폭풍우는 바다에서 잠 깨는 나를 축복했고
병마개보다 더 가볍게 떠돌며, 영원한 희생자들의
흔들리는 배라 부르는 물결 위에서 나는 춤추었지,
열흘 밤을, 초롱불들의 멍청한 눈을 아쉬워하지도 않고!

아이들에게 새콤한 사과 속살보다 더 부드럽게,
초록색 물은 내 전나무 선체 그리고
청포도주 얼룩들과 토사물에 스며들어
키와 갈고리 닻에 흩어지며 나를 씻어주었네.

## Le Bateau ivre

Comme je descendais des fleuves impassibles,
Je ne me sentis plus guidé par les haleurs:
Des Peaux-Rouges criards les avaient pris pour cibles,
Les ayant cloués nus aux poteaux de couleurs.

J'étais insoucieux de tous les équipages,
Porteur de blés flamands ou de cotons anglais.
Quand avec mes haleurs ont fini ces tapages,
Les fleuves m'ont laissé descendre où je voulais.

Dans les clapotements furieux des marées,
Moi, l'autre hiver, plus sourd que les cerveaux d'enfants,
Je courus! Et les péninsules démarées
N'ont pas subi tohu-bohu plus triomphants.

La tempête a béni mes éveils maritimes.
Plus léger qu'un bouchon j'ai dansé sur les flots
Qu'on appelle rouleurs éternels de victimes,
Dix nuits, sans regretter l'oeil niais des falots!

Plus douce qu'aux enfants la chair des pommes sures,
L'eau verte pénétra ma coque de sapin
Et des taches de vins bleus et des vomissures
Me lava, dispersant gouvernail et grappin.

그때부터 나는 바다의 시 속에서 헤엄쳤네
젖빛의 별들이 잠기고, 푸른 하늘을 탐식하는,
거기에 창백하고 들뜬 부유물처럼
생각에 잠긴 익사체가 가끔 내려왔네,

거기에, 갑자기 붉게 빛나는 태양 아래
푸르름, 느릿한 리듬과 열광이 물들어,
알코올보다 더 진하게, 우리의 리라보다도 더 넓게,
사랑의 쓰디쓴 검붉은 얼룩이 익어가네!

나는 알고 있지, 섬광으로 터지는 하늘들, 물기둥들,
되밀려 오는 파도들, 그리고 해류들을. 나는 알고 있지, 저녁을,
붉게 달아오른 여명 그리고 비둘기 떼들,
또 나는 인간이 본다고 믿었던 것을 가끔 보았네!

나는 보았네, 신비로운 공포로 얼룩진 나지막한 태양,
아주 오래된 고대 연극의 배우와도 같은,
긴 보랏빛 응결체들을 비추는 것 같은
저 멀리 출렁이는 수면에 굴러 떨어지는 물결들을!

난 꿈꾸었네, 화려한 눈(雪)에 푸른 밤이,
느릿느릿 바다 위로 올라오며 입 맞추는 것을,
상상을 초월하는 수액들의 순환,
그리고 노래하는 인광들이 노랗고 파랗게 깨어나는 것을!

Et dès lors je me suis baigné dans le Poème
De la mer, infusé d'astres, et lactescent,
Dévorant les azurs verts; où, flottaison blême
Et ravie, un noyé pensif parfois descend;

Où, teignant tout à coup les bleuités, délires
Et rythmes lents sous les rutilements du jour,
Plus fortes que l'alcohol, plus vastes que nos lyres,
Fermentent les rousseurs amères de l'amour!

Je sais les cieux crevant en éclairs, et les trombes
Et les ressacs et les courants: je sais le soir,
L'aube exaltée ainsi qu'un peuple de colombes,
Et j'ai vu quelquefois ce que l'homme a cru voir!

J'ai vu le soleil bas, taché d'horreurs mystiques,
Illuminant de longs figements violets,
Pareils à des acteurs de drames très-antiques
Les flots roulant au loin leurs frissons de volets!

J'ai rêvé la nuit verte aux neiges éblouies,
Baiser montant aux yeux des mers avec lenteurs,
La circulation des sèves inouïes,
Et l'éveil jaune et bleu des phosphores chanteurs!

[……]

아이들에게 보여주고 싶었네, 푸른 물결의
그 만새기들, 그 황금빛 물고기들과 노래하는 물고기들을,
꽃 모양 물거품들이 나의 출범을 다독이고
표현할 수 없는 바람들은 이따금 나에게 날개를 주었네.

때때로, 극지방과 지역의 지친 순교자처럼
바다는 흐느낌으로 내 몸을 부드럽게 흔들며
노란 빨판이 있는 그늘의 꽃들을 내게로 올려보냈지,
나는 무릎 꿇은 여인처럼, 머물러 있었네.

[……]

반달 전구에 박혀, 미쳐 날뛰는 판자처럼,
검은 해마의 호위 받으며 달려갔네,
불타는 구덩이에 짙푸른 하늘을
7월이 몽둥이로 쳐 무너뜨릴 때,

나는 떨고 있었네, 오십 리 밖에서
베헤못의 발정과 큰 소용돌이가 신음하는 것을 느끼며
푸른 정체 상태로 영원히 실을 잣는 자,
나는 고대의 난간에서 유럽을 아쉬워하네!

나는 보았지, 별 같은 군도를! 그리고

.........

J'aurais voulu montrer aux enfants ces dorades
Du flot bleu, ces poissons d'or, ces poissons chantants.
- Des écumes de fleurs ont bercé mes dérades
Et d'ineffables vents m'ont ailé par instants.

Parfois, martyr lassé des pôles et des zones,
La mer dont le sanglot faisait mon roulis doux
Montait vers moi ses fleurs d'ombre aux ventouses jaunes
Et je restais, ainsi qu'une femme à genoux...

.........

Qui courais, taché de lunules électriques
Planche folle, escorté des hippocampes noirs,
Quand les juillets faisaient crouler à coup de triques
Les cieux ultramarins aux ardents entonnoirs

Moi qui tremblais, sentant geindre à cinquante lieues
Le rut des Béhémots et les Maelströms épais,
Fileur éternel des immobilités bleues,
Je regrette l'Europe aux anciens parapets!

J'ai vu des archipels sidéraux! et des îles

열광적인 하늘이 항해자에게 열려 있는 섬들을.
- 끝없는 이 깊은 밤에 너는 잠들고 달아나는가,
백만의 황금 새들, 오 미래의 활력이여?

하지만, 정말이지, 나는 너무나 울었네! 새벽은 비통하고
달은 전부 잔인하고 해는 전부 쓰라리고.
쓰디쓴 사랑은 취해버린 마비 상태로 나를 부풀게 했네.
오, 나의 용골이 터지기를! 오, 내가 바다에 가기를!

내가 유럽의 물을 갈망한다면 그것은 바로
검고 차가운 웅덩이, 향기로운 황혼을 향해
슬픔에 가득 차 웅크리고 있는 아이,
오월의 나비처럼 가냘픈 배 한 척 떠 있는 곳.

나는 그대들의 무기력함에 잠겨서, 오 물결이여,
목화 짐꾼들에게서 그들의 자취를 더는 지울 수 없네.
오만한 깃발과 불길을 가로지를 수도 없네,
배다리의 무서운 눈 아래에서 헤엄칠 수도 없네.

Dont les cieux délirants sont ouverts au vogueur:
- Est-ce en ces nuits sans fonds que tu dors et t'exiles,
Million d'oiseaux d'or, Ô future Vigueur? -

Mais, vrai, j'ai trop pleuré, les Aubes sont navrantes
Toute lune est atroce et tout soleil amer:
L'âcre amour m'a gonflé de torpeurs enivrantes
Ô que ma quille éclate! Ô que j'aille à la mer!

Si je désire une eau d'Europe, c'est la flache
Noire et froide où vers le crépuscule embaumé
Un enfant accroupi plein de tristesse, lâche
Un bateau frêle comme un papillon de mai.

Je ne puis plus, baigné de vos langueurs, ô lames,
Enlever leur sillage aux porteurs de coton,
Ni traverser l'orgueil des drapeaux et des flammes,
Ni nager sous les yeux horribles des pontons

## 나의 방랑

나는 떠났다. 구멍 난 호주머니에 두 주먹을 찔러 넣고,
짧은 외투마저 닳아빠져 어쩜 그렇게도 어울리는지,
하늘 아래 나는 걸었다, 뮤즈여! 나는 그대의 충실한 친구,
오! 라! 라! 얼마나 멋진 사랑을 나는 꿈꾸었던가!

한 벌밖에 없는 반바지는 큰 구멍이 뚫리고,
- 꼬마 몽상가, 나는 길을 따라가며
시를 뿌렸다. 내 잠자리는 큰곰자리.
- 하늘의 내 별들은 다정히 소곤소곤.

나는 길가에 주저앉아 별들의 속삭임을 들었다,
이 즐거운 9월의 저녁, 활력주처럼
이슬방울이 이마에 맺히는 것을 느끼며,

환상적 어둠의 한 가운데서 운을 맞추면서,
한 발을 가슴에 갖다 대고 칠현금을 켜듯
해진 구두끈을 잡아당기며!

## Ma bohème

Je m'en allais, les poings dans mes poches crevées;
Mon paletot aussi devenait idéal;
J'allais sous le ciel, Muse! et j'étais ton féal;
Oh! là! là! que d'amours splendides j'ai rêvées!

Mon unique culotte avait un large trou.
- Petit-Poucet rêveur, j'égrenais dans ma course
Des rimes. Mon auberge était à la Grande-Ourse.
- Mes étoiles au ciel avaient un doux frou-frou

Et je les écoutais, assis au bord des routes,
Ces bons soirs de septembre où je sentais des gouttes
De rosée à mon front, comme un vin de vigueur;

Où, rimant au milieu des ombres fantastiques,
Comme des lyres, je tirais les élastiques
De mes souliers blessés, un pied près de mon coeur!

## 골짜기에 잠든 사람

그것은 푸른 잎이 우거진 구멍, 여기 시냇물은,
미친 듯 은색 누더기를 풀에 걸치면서,
오만스런 산에서 태양이 빛나고 있는,
그곳은 햇볕이 부글부글 끓는 작은 골짜기.

한 젊은 병사가 입을 떡 벌리고, 모자도 쓰지 않고,
목덜미는 싱싱한 푸른 물냉이 속에 잠긴 채,
잠들어 있다, 구름 아래서, 사지를 뻗고 풀밭에 누워있다,
창백하게 빛이 쏟아지는 푸른 침대 속에서.

두발을 글라디올러스에 묻고, 잠들어 있다.
마치 병든 아이가 웃는 것처럼, 그는 낮잠을 자고 있다.
자연이여, 따뜻하게 그를 흔들어 재우렴. 추울 테니.

향기도 그의 콧구멍을 떨게 하지 못한다,
그는 잠들어 있다. 햇살을 받으며, 손을 가슴에 대고,
조용히. 그의 오른쪽 옆구리에 새빨간 두 개의 총구멍.

## Le dormeur du val

C'est un trou de verdure où chante une rivière,
Accrochant follement aux herbes des haillons
D'argent; où le soleil, de la montagne fière,
Luit: c'est un petit val qui mousse de rayons.

Un soldat jeune, bouche ouverte, tête nue,
Et la nuque baignant dans le frais cresson bleu,
Dort; il est étendu dans l'herbe, sous la nue,
Pâle dans son lit vert où la lumière pleut.

Les pieds dans les glaïeuls, il dort. Souriant comme
Sourirait un enfant malade, il fait un somme:
Nature, berce-le chaudement: il a froid.

Les parfums ne font pas frissonner sa narine;
Il dort dans le soleil, la main sur sa poitrine,
Tranquille. Il a deux trous rouges au côté droit.

# 오, 계절이여, 오, 성이여

오, 계절이여, 오, 성이여,
어느 영혼이 잘못 없으랴?

오, 계절이여, 오, 성이여,

아무도 피할 수 없는
행복에 대해 마법의 연구를 했다.

골의 수탉이 울 때마다
오 그 행복은 살아난다.

그러나 나는 이제 부럽지 않네,
행복이 나의 생을 맡아버렸기에

이 매력! 그것은 영혼과 육체를 사로잡고,
모든 노력을 흩뜨려 버렸다.

내 말에서 무엇을 알 수 있는가?
내 말은 도망쳐 날아가 버린다!

오, 계절이여, 오, 성이여!

만약 불행이 나를 이끈다면,
나에게 불명예는 분명하다.

## Ô saisons, ô châteaux

Ô saisons ô châteaux,
Quelle âme est sans défauts?

Ô saisons, ô châteaux,

J'ai fait la magique étude
Du Bonheur, que nul n'élude.

Ô vive lui, chaque fois
Que chante son coq gaulois.

Mais! je n'aurai plus d'envie,
Il s'est chargé de ma vie.

Ce Charme! il prit âme et corps.
Et dispersa tous efforts.

Que comprendre à ma parole?
Il fait qu'elle fuie et vole!

Ô saisons, ô châteaux!

Et, si le malheur m'entraîne,
Sa disgrâce m'est certaine.

경멸이 나를 더욱 빠르게!
죽음으로 인도할 것이다!

오, 계절이여, 오, 성이여!

Il faut que son dédain, las!
Me livre au plus prompt trépas!

- Ô Saisons, ô Châteaux!

## 일곱 살의 시인들

그리고 어머니는 숙제장을 덮고 나서,
만족해서 몹시 자랑스럽게 나가버렸다.
영리한 이마 밑 푸른 눈 속에서,
아들의 영혼이 공부에 질색인 것 보지 못하고.

하루종일 그는 순종의 땀을 흘렸다, 매우
총명했다. 그렇지만 나쁜 습관들, 특징들이
그의 가슴 속의 쓰라린 위선을 나타내는 듯했다.
곰팡이 쓴 벽지가 발려 있는 복도의 어둠 속을
걸어가며 그는 혀를 내밀곤 했다. 두 주먹을
사타구니에 찔러 넣고, 그리고 눈을 감고 점수를 생각했다.
문 하나가 저녁을 향해 열려 있었다. 램프 불빛으로
저 위, 난간에서 숨을 헐떡이고 있는 그를 보았다,
지붕에 드리워진 밝은 불빛 아래서. 여름에는
특히 기진맥진하여, 얼빠진 듯, 그는 고집 세게
서늘한 화장실에 자신을 감금했다.
그는 거기서 조용하게 콧구멍을 벌름거리며 생각하곤 했다.
겨울에 낮의 냄새가 가셔 버리고
집 뒤뜰이 달빛으로 비칠 때면,
담 밑에 꼼짝 않고 누워, 이회토 속에 묻혀서,
환영을 보기 위해, 한쪽 눈을 부비면서,
그는 지저분한 과수원이 들끓는 소리에 귀를 기울였다.
불쌍하기도 해라! 이런 아이들만이 그의 친구였다.

## Les Poètes de Sept Ans

Extrait de: Poésies

Et la Mère, fermant le livre du devoir,
S'en allait satisfaite et très fière, sans voir,
Dans les yeux bleus et sous le front plein d'éminences,
L'âme de son enfant livrée aux répugnances.

Tout le jour il suait d'obéissance; très
Intelligent; pourtant des tics noirs, quelques traits
Semblaient prouver en lui d'âcres hypocrisies.
Dans l'ombre des couloirs aux tentures moisies,
En passant il tirait la langue, les deux poings
A l'aine, et dans ses yeux fermés voyait des points.
Une porte s'ouvrait sur le soir: à la lampe
On le voyait, là-haut, qui râlait sur la rampe,
Sous un golfe de jour pendant du toit. L'été
Surtout, vaincu, stupide, il était entêté
A se renfermer dans la fraîcheur des latrines:
Il pensait là, tranquille et livrant ses narines.
Quand, lavé des odeurs du jour, le jardinet
Derrière la maison, en hiver, s'illunait,
Gisant au pied d'un mur, enterré dans la marne
Et pour des visions écrasant son oeil darne,
Il écoutait grouiller les galeux espaliers.
Pitié! Ces enfants seuls étaient ses familiers

허약하고, 모자도 쓰지 않고, 뺨 위에는 생기 없는 눈,
흙으로 누렇고 새까맣게 된 야윈 손가락을,
장터의 악취를 풍기고 낡아 빠진 옷 속에 감추며
바보처럼 다정하게 이야기하는 아이들만이!
그런데 만약, 더러운 불쌍한 아이들하고 있는 것을 보면,
그의 어머니는 대경실색하리라, 이 아이의
깊은 애정이 이런 놀라움을 능가했다.
좋은 일이다. 어머니는 거짓말을 하는 푸른 시선을 믿었다.

일곱 살에 그는 소설을 썼다,
자유가 황홀하게 빛나는 대사막,
숲, 태양, 강, 대초원의 생활에 대해서 - 그는
화보신문의 도움을 받았고, 얼굴을 붉히며
웃고 있는 스페인 사람들과 이탈리아 사람들을 바라보았다.
갈색 눈에다 야성적이고, 인도 옷을 입은.
- 여덟 살 먹은 - 근처의 직공의 딸이 왔다.
이 작은 말괄량이는 덤벼들었다.
구석에서 그의 등위로 땋은 머리를 흔들며,
그리고 그는 그녀의 밑에 깔렸을 때, 엉덩이를 깨물었다.
왜냐하면 그녀는 속옷을 입는 일이 없었다.
그리고 그녀의 주먹질과 발길질로 멍들었지만,
그 살결의 맛을 그의 침대로 가지고 왔다.

그는 우울한 12월의 일요일을 두려워했다,

Qui, chétifs, fronts nus, oeil déteignant sur la joue,
Cachant de maigres doigts jaunes et noirs de boue
Sous des habits puant la foire et tout vieillots,
Conversaient avec la douceur des idiots!
Et si, l'ayant surpris à des pitiés immondes,
Sa mère s'effrayait; les tendresses, profondes,
De l'enfant se jetaient sur cet étonnement.
C'était bon. Elle avait le bleu regard, - qui ment!

A sept ans, il faisait des romans, sur la vie
Du grand désert, où luit la Liberté ravie,
Forêts, soleils, rives, savanes! - Il s'aidait
De journaux illustrés où, rouge, il regardait
Des Espagnoles rire et des Italiennes.
Quand venait, l'oeil brun, folle, en robes d'indiennes,
- Huit ans - la fille des ouvriers d'à côté,
La petite brutale, et qu'elle avait sauté,
Dans un coin, sur son dos en secouant ses tresses,
Et qu'il était sous elle, il lui mordait les fesses,
Car elle ne portait jamais de pantalons;
- Et, par elle meurtri des poings et des talons,
Remportait les saveurs de sa peau dans sa chambre.

Il craignait les blafards dimanches de décembre,

포마드를 바르고, 마호가니 원탁에 앉아,
가장자리가 푸른 양배추 색의 성경을 읽어야 했다,
매일 밤 그의 작은 침실에서 꿈들이 그를 괴롭혔다.
그는 하나님을 사랑하지 않았다. 그러나 황갈색으로 물든 저녁에,
시커멓게 되어 작업복을 입고 교외로 되돌아오는 사람들을,
세 박자로 북을 치며 포고 주변에서 시끌벅적한 사람들이,
주변의 군중들을 웃기고 투덜대게 하는 교외로.
그는 꿈을 꾸었다. 사랑에 넘치는 초원을,
빛나는 물결, 건강한 향기, 황금색 솜털이,
조용히 흔들리며 날아가게 하는 곳!

그리고 얼마나 그는 특히 어두운 것들을 탐닉했던가,
덧창을 닫은 장식 없는, 천장이 높고 파란,
심하게 습기 찬 방에서
무거운 황토색 하늘과 침수된 숲
별들이 총총한 숲속에서 개화하는 육체의 꽃들로
가득 찬, 끊임없이 명상했던 그의 소설을 읽으며
현기증, 붕괴, 패배, 연민을 느꼈다.
- 아래서, 거리의 소음이 계속되는 동안 -
홀로, 자연 그대로의 이불 위에 누워
강렬하게 항해를 예감하면서.

Où, pommadé, sur un guéridon d'acajou
Il lisait une Bible à la tranche vert-chou;
Des rêves l'oppressaient chaque nuit dans l'alcôve.
Il n'aimait pas Dieu; mais les hommes, qu'au soir fauve,
Noirs, en blouse, il voyait rentrer dans le faubourg
Où les crieurs, en trois roulements de tambour,
Font autour des édits rire et gronder les foules.
- Il rêvait la prairie amoureuse, où des houles
Lumineuses, parfums sains, pubescences d'or,
Font leur remuement calme et prennent leur essor!

Et comme il savourait surtout les sombres choses,
Quand, dans la chambre nue aux persiennes closes,
Haute et bleue, âcrement prise d'humidité,
Il lisait son roman sans cesse médité,
Plein de lourds ciels ocreux et de forêts noyées,
De fleurs de chair aux bois sidérals déployées,
Vertige, écroulements, déroutes et pitié!
- Tandis que se faisait la rumeur du quartier,
En bas, - seul, et couché sur des pièces de toile
Écrue, et pressentant violemment la voile!

## 서시, 지옥의 계절

예전에, 만일 내 기억이 옳다면, 나의 생활은 모든 마음이 다 열려있고 온갖 포도주가 넘쳐흐르는 향연이었다.

어느 날 저녁, 나는 무릎에 미를 앉혔다. 그리고 나는 미가 쓰디씀을 알았다. 그래서 나는 욕설을 퍼부어 주었다.

나는 정의에 대해 무장했다.

나는 도망쳤다. 오 마녀들이여, 오 비참이여, 오 증오여, 너희들에게 나는 나의 보물을 맡겨놓았다!

나는 내 정신 속에서 모든 인간적인 희망을 지우기에 이르렀다. 목을 조르는 완전한 기쁨으로, 나는 맹수처럼 소리 없이 덤벼들었다.

내가 사형집행인들을 불러들인 것도, 죽여가면서, 그들의 총 개머리판을 물어뜯기 위해서였다. 나는 재앙을 불러들여, 모래와 피로서 나를 질식시키려 했다. 불행이 나의 신이었다. 나는 진창 속에 사지를 뻗고 누웠다. 나는 범죄의 공기 속에서 나 자신을 말렸다. 그리고 나는 미친 척 심한 장난을 쳤다.

그리고 봄은 백치의 가공스러운 웃음을 나에게 가져다주었다.

그런데, 아주 최근에 최후의 비명을 '꽉'하고 지를 찰나의 나를 발견하고, 어쩌면 나의 식욕을 회복시켜줄지도 모르는 옛 향연의 열쇠를 다시 찾아볼까 생각했다.

자비가 그 열쇠다. 이런 영감이 떠오르는 것은 내가 꿈을 꾸었음을 입증한다.

'너는 하이에나로 남으리라, 등등……', 무척 사랑스러운 양귀비꽃으로 나에게 왕관을 씌워준 악마가 소리친다. '너의 모든 식욕과, 너의 이기심, 그리고 너의 모든 중죄로 죽어버려라'

아! 나는 그것들을 실컷 맞이했다. 그러나, 사랑하는 사탄이여, 네게

## Prologue de Une saison en enfer

"Jadis, si je me souviens bien, ma vie était un festin où s'ouvraient tous les cœurs, où tous les vins coulaient.

Un soir, j'aiassis la Beauté sur mes genoux. - Et je l'ai trouvée amère. - Et je l'ai injuriée.

Je me suis armé contre la justice.

Je me suis enfui. Ô sorcières, ô misère, ô haine, c'est à vous que mon trésor a été confié!

Je parvins à faire s'évanouir dans mon esprit toute l'espérance humaine. Sur toute joie pour l'étrangler j'ai fait le bond sourd de la bête féroce.

J'ai appelé les bourreaux pour, en périssant, mordre la crosse de leurs fusils. J'ai appelé les fléaux, pour m'étouffer avec le sable, avec le sang. Le malheur a été mon dieu. Je me suis allongé dans la boue. Je me suis séché à l'air du crime. Et j'ai joué de bons tours à la folie.

Et le printemps m'a apporté l'affreux rire de l'idiot.

Or, tout dernièrement, m'étant trouvé sur le point de faire le dernier couac! j'ai songé à rechercher le clef du festin ancien, où je reprendrais peut-être appétit.

La charité est cette clef. - Cette inspiration prouve que j'ai rêvé!

"Tu resteras hyène, etc...," se récrie le démon qui me couronna de si aimables pavots. "Gagne la mort avec tous tes appétits, et ton égoïsme et tous les péchés capitaux."

Ah! j'en ai trop pris: - Mais, cher Satan, je vous en conjure, une prunelle moins irritée! et en attendant les quelques petites lâchetés en

간청하노니, 덜 화난 눈으로 보아다오! 그리고 우리가 지연된 몇몇 사소한 비열한 짓을 기다리는 동안 작가의 묘사나 교훈적인 능력의 결핍을 좋아하는 너, 너를 위해, 내 저주받은 수첩에서 끔찍한 몇 장을 뜯어준다

retard, vous qui aimez dans l'écrivain l'absence des facultés descriptives ou instructives, je vous détache des quelques hideux feuillets de mon carnet de damné.

## 모음들

A는 검정, E는 흰색, I는 빨강, U는 초록, O는 파랑. 모음들이여,
나는 언젠가 너희들의 은밀한 탄생을 말하리.
A. 지독한 악취 주위에 붕붕대는
번쩍거리는 파리들의 털투성이 시커먼 코르셋,

어둠의 만, E, 안개와 천막의 눈부신 백색,
오만한 빙하의 창, 백발의 왕들, 산형화의 전율,
I 는 자주, 토한 피, 분노나
참회하는 주정의 아름다운 입술의 웃음,

U, 천체의 주기, 녹색의 바다의 성스러운 진동,
동물들이 흩어져 있는 목장의 평화,
연금술이 연구에 골몰하는 넓은 이마에 새기는 주름진 평화,

O, 날카로운 이상한 소리로 가득 찬 천사들의 나팔,
'세계'와 '천사'를 꿰뚫는 침묵,
- 오오, 오메가, 신의 눈의 보랏빛 광선!

## Voyelles

A noir, E blanc, I rouge, U vert, O bleu: voyelles,
Je dirai quelque jour vos naissances latentes:
A, noir corset velu des mouches éclatantes
Qui bombinent autour des puanteurs cruelles,

Golfes d'ombre; E, candeurs des vapeurs et des tentes,
Lances des glaciers fiers, rois blancs, frissons d'ombelles;
I, pourpres, sang craché, rire des lèvres belles
Dans la colère ou les ivresses pénitentes;

U, cycles, vibrements divins des mers virides,
Paix des pâtis semés d'animaux, paix des rides
Que l'alchimie imprime aux grands fronts studieux;

O, suprême Clairon plein des strideurs étranges,
Silences traversés des Mondes et des Anges;
- O l'Oméga, rayon violet de Ses Yeux!

## 소설

1

열일곱 살이 되면, 착실하기만 할 수는 없다.
어느 맑은 저녁 맥주와 레모네이드,
휘황찬란한 샹들리에와 떠들썩한 카페에는 구역질 나서!
푸른 보리수나무 아래 산책길을 걷는다.

6월의 멋진 저녁이면 보리수나무는 좋은 향기를 풍긴다!
공기는 때때로 너무나도 부드러워, 눈꺼풀이 절로 감긴다,
소음이 가득한 바람은 – 마을이 멀지 않아서 –
포도의 향기와 맥주의 향기를 싣고 온다…

2

그때 작은 나뭇가지 사이 어두운 하늘에서
작은 조각 하나가 보인다,
흉조의 별이 하나 그것을 꿰뚫고,
작은 새하얀 부드러운 전율로 녹는다…

6월의 밤! 열일곱 살! – 술에 취해본다.
혈기는 샴페인, 머리까지 달아오른다…
이리저리 헤맨다, 입술에 키스를 느낀다.
저기서 떨고 있는, 새끼 짐승처럼…

## Roman

I

On n'est pas sérieux, quand on a dix-sept ans.
- Un beau soir, foin des bocks et de la limonade,
Des cafés tapageurs aux lustres éclatants!
- On va sous les tilleuls verts de la promenade.

Les tilleuls sentent bon dans les bons soirs de juin!
L'air est parfois si doux, qu'on ferme la paupière;
Le vent chargé de bruits - la ville n'est pas loin -
A des parfums de vigne et des parfums de bière...

II

- Voilà qu'on aperçoit un tout petit chiffon
D'azur sombre, encadré d'une petite branche,
Piqué d'une mauvaise étoile, qui se fond
Avec de doux frissons, petite et toute blanche...

Nuit de juin! Dix-sept ans! - On se laisse griser.
La sève est du champagne et vous monte à la tête...
On divague; on se sent aux lèvres un baiser
Qui palpite là, comme une petite bête...

3

미친듯 마음은 모든 소설을 독파하고,
그때, 어렴풋한 가로등의 빛으로,
매력적인 모습의 아가씨가 지나간다,
아버지의 무서운 옷깃의 그늘 아래서…

그녀는 당신이 무척 순진하다는 걸 알아채고,
그녀의 작은 부츠로 종종걸음 치다가,
그녀는 재빠르고, 민첩한 동작으로 돌아본다…
그러면 당신 입술 위에 카바티나[1]가 죽어간다…

4

당신은 사랑에 빠진다. 8월까지 찬양하며,
당신은 사랑에 빠진다. - 당신의 소네트들은 그녀를 웃긴다.
당신의 친구들은 다 가버리고, 당신은 침울해진다.
그러고는 당신 애인은, 어느 날 저녁, 당신에게 편지를 써준다!…

그날 저녁,… 당신은 휘황찬란한 카페에 돌아간다,

1 오페라에서, 서정적인 독창곡.

III

Le coeur fou robinsonne à travers les romans,
- Lorsque, dans la clarté d'un pâle réverbère,
Passe une demoiselle aux petits airs charmants,
Sous l'ombre du faux col effrayant de son père...

Et, comme elle vous trouve immensément naïf,
Tout en faisant trotter ses petites bottines,
Elle se tourne, alerte et d'un mouvement vif...
- Sur vos lèvres alors meurent les cavatines...

IV

Vous êtes amoureux. Loué jusqu'au mois d'août.
Vous êtes amoureux. - Vos sonnets La font rire.
Tous vos amis s'en vont, vous êtes mauvais goût.
- Puis l'adorée, un soir, a daigné vous écrire!...

- Ce soir-là..., - vous rentrez aux cafés éclatants,

맥주나 레모네이드를 주문한다…
당신은 착실하기만 할 수는 없다. 열일곱 살이 되면
산책로에 푸른 보리수나무가 있을 즈음이면,

Vous demandez des bocks ou de la limonade...

- On n'est pas sérieux, quand on a dix-sept ans

Et qu'on a des tilleuls verts sur la promenade.

## 4. 프레데릭 미스트랄

남프랑스 마이얀 출생으로 유복한 지주의 아들. 액상프로방스에서 법학학위를 취득했다. 1854년 펠리브리지를 건립하여 오크어 문학과 전통의 보존과 진흥을 위해 애썼다. 《미레유》(1859), 《칼랑도》(1867), 《론 강의 시》(1897) 등의 장편 서사시와 그 외에 《잔 여왕》▶

### 미레이유

프로방스의 여인을 노래한다,
젊은 날의 사랑을 이야기한다,
라 크로를 넘어서, 넓은 밀밭이 그녀를 바다로 이끌고,
용감한 목표를 가지고
호머의 방법으로 그녀를 노래한다.
신분을 낮추는 나의 부인은,
외로운 라 크로의 초원 너머로는 알려지지 않았다.

그녀의 이마가 결코 왕관을 쓰지 않은들 어떠랴
둘러싸고 번쩍이는 젊음을 간직하고 있는데.
비록 황금 왕관을 쓰지 않고 다마스크 망토를 입지 않은들 어떠랴
아직도 나는 그녀를 영광 속에 들어올린다.
왕으로서, 우리의 빈약한 구변으로,
내 앞에 있는 그녀의 이야기를 하려 한다,
나는 오직 당신만을 위해서 목동과 농부 이야기를 노래하기 때문이다!

## Frédéric Mistral, 1830-1914

(1890),《황금의 섬》(1876)을 남겼다. 1904년에 문학과 언어학에 이바지한 공로로 노벨 문학상을 받았다. 프로방스에 민속박물관을 세우고 노벨상의 상금도 이를 위해 썼다.

### Mireille

Je chante une jeune fille de Provence,
Dans les amours de sa jeunesse.
A travers la Crau, vers la mer, dans les blés,
Humble écolier du grand Homère,
Je veux la suivre. Comme c'était
Seulement une fille de la glèbe,
En dehors de la Crau il s'en est peu parlé.

Bien que son front ne resplendît
Que de jeunesse, bien qu'elle n'eût
Ni diadème d'or ni manteau de Damas,
Je veux qu'en gloire elle soit élevée
Comme une reine, et caressée
Par notre langue méprisée,
Car nous ne chantons que pour vous,
O pâtres et habitants des mas.

### Mirèio

"Cante uno chato de Prouvènço,
Dins lis amour de la jouvènço,
A travès da la Crau, vers la mar, dins li bla,
Umble escoulan d'ou grand Oumero,
Iéu la vole segui. Coume èro
Rèn qu'uno chato de Prouvènço,
En foro de la Crau se n'es gaire parla.

Emai soun front noun lusiguèsse
Que de jouinesso; emai n'agùesse
Ni diadèmo d'or ni mantèu de Damas,
Vole qu'en glòri fugue aussado
Coune uno rèino, e caressado
Pèr nosto lengo mespresado
Car cantan que pèr vautre, o pastre e gènt
di mas!"

## 5. 로트레아몽 백작

본명은 이지도르 뒤카스로 선구적인 상징파 시인. 아버지가 우르과이 부영사로 재직 중에 남미 몬테비디오에서 출생했다. 교육을 위해 프랑스로 귀국했지만 그의 생애는 비밀로 싸여있다. 1868년《말도로르의 노래》를 자비로 출판했으나 우울한 내용을 이유로 출판사에서 절 ▶

### 에르마프로디트

말도로르의 노래- 두 번째 노래 제7연

저기, 꽃에 둘러싸인 수풀 속에 에르마프로디트가 깊이 잠들어 있다. 그의 눈물에 젖은 잔디 위에, 달은 뭉게뭉게 핀 구름으로부터 그의 원반을 내밀어 창백한 빛으로 이 청년의 부드러운 모습을 애무하고, 그의 얼굴은 가장 남성적인 정력과 동시에 천상의 처녀의 매력이 있다. 그에게는 자연스러운 것이 아무것도 없다. 여성적인 모습의 균형 잡힌 윤곽 속에 흔적을 남기는 그의 몸의 근육조차도, 그는 팔을 이마 위에 구부리고 다른 손은 가슴에 받혀져 있었다. 마치 마음 터놓고 고백하기를 싫어하고 영원한 비밀의 무거운 짐을 진 마음의 고통을 억누르려는 듯이 … 삶에 지쳐서, 그리고 그와 닮지 않은 존재들 가운데서 걷는 것이 부끄러워, 실망이 그의 영혼을 차지해 버렸다.

[……]

그가 어떤 플라타너스 가로수 길에서 산책하는 남자와 여자를 볼 때, 그는 그의 몸이 밑에서 위로 둘로 쪼개지고, 새로운 부분이 각각 산책하는 사람 중의 하나를 껴안으려는 충동을 느낀다. 그러나 그것은 다만 하

Conte Lautremamont, 1846-70

판시켜 버렸다. 24세에 요절한 후에 초현실주의파에 의해 가치를 인정받아 랭보와 어깨를 나란히 할 만한 명성을 얻었다.

## l'hermaphrodite

Les Chants de Maldoror - "Chant II Strophe 7"

Là, dans un bosquet entouré de fleurs, dort l'hermaphrodite, profondément assoupi sur le gazon, mouillé de ses pleurs. La lune a dégagé son disque de la masse des nuages, et caresse avec ses pâles rayons cette douce figure d'adolescent. Ses traits expriment l'énergie la plus virile, en même temps que la grâce d'une vierge céleste. Rien ne paraît naturel en lui, pas même les muscles de son corps, qui se fraient un passage à travers les contours harmonieux de formes féminines. Il a le bras recourbé sur le front, l'autre main appuyée contre la poitrine, comme pour comprimer les battements d'un cœur fermé à toutes les confidences, et chargé du pesant fardeau d'un secret éternel. Fatigué de la vie, et honteux de marcher parmi des êtres qui ne lui ressemblent pas, le désespoir a gagné son âme, et il s'en va seul, comme le mendiant de la vallée.

.........

Quand il voit un homme et une femme qui se promènent dans quelque allée de platanes, il sent son corps se fendre en deux de bas en haut, et chaque partie nouvelle aller étreindre un des promeneurs; mais, ce n'est

나의 환각이며 이성은 지체 없이 그의 왕국을 다시 찾는다.

[……]

저기, 꽃에 둘러싸인 숲속에서 에르마프로디트가 깊이 잠들어 있다. 그의 눈물에 젖은 잔디 위에. 잠을 깬 새들은 나뭇가지 사이로 황홀하게 이 우울한 모습을 바라본다. 그러나 나이팅게일도 수정 같은 그의 서정의 노래를 들려줄 생각을 하지 않는다. 숲은 오늘 저녁 불행한 에르마프로디트를 맞이하여 무덤처럼 장엄하다.

[……]

밤은 손가락으로 그의 슬픔을 멀리하고, 이 수치의 화신의 이 천사들의 무구의 완전한 모습의 잠을 축복하기 위해 밤의 온갖 매력으로 자신을 꾸민다. 벌레 우는 소리조차 거의 들리지 않는다. 나뭇가지들은 그를 이슬로부터 보호하려고 무성한 잎사귀를 그의 위에 높이 기울이고 미풍은 선율적인 하프의 현을 켜며, 우주의 정적을 뚫고, 기쁨의 화음을 보낸다. 우주에 떠도는 별세계의, 운율적인 음악회에 눈 깜빡하지 않고 도와주는 듯한 내리깐 눈꺼풀 쪽으로, 그는 꿈꾼다, 자기가 행복하다고…

[……]

잠 깨지 말라, 에르마프로디트여, 아직 잠에서 깨지 말라, 나는 네게 간청한다. 어째서 너는 나를 믿지 않으려 하는가? 잠자거라, 잠자거라 언제까지나. 행복의 공상적 희망을 쫓아 내 가슴이 부풀도록 나는 그것을 너에게 허락한다. 그러나 눈은 뜨지 말라. 아! 눈은 뜨지 말라. 이대로 나는 너와 헤어지고 싶다. 네가 잠 깨는 것을 보지 않으려고, 어쩌면 언젠가 두툼한 책의 도움으로 감동적인 페이지 속에 나는 너의 이야기를 말하련다. 그 이야기의 내용과 그 속에 든 교훈에 공포를 느끼면서.

qu'une hallucination, et la raison ne tarde pas à reprendre son empire.

.........

Là, dans un bosquet entouré de fleurs, dort l'hermaphrodite, profondément assoupi sur le gazon, mouillé de ses pleurs. Les oiseaux, éveillés, contemplent avec ravissement cette figure mélancolique, à travers les branches des arbres, et le rossignol ne veut pas faire entendre ses cavatines de cristal. Le bois est devenu auguste comme une tombe, par la présence nocturne de l'hermaphrodite infortuné.

.........

La nuit, écartant du doigt sa tristesse, se revêt de tous ses charmes pour fêter le sommeil de cette incarnation de la pudeur, de cette image parfaite de l'innocence des anges: le bruissement des insectes est moins perceptible. Les branches penchent sur lui leur élévation touffue, afin de le préserver de la rosée, et la brise, faisant résonner les cordes de sa harpe mélodieuse, envoie ses accords joyeux, à travers le silence universel, vers ces paupières baissées, qui croient assister, immobiles, au concert cadencé des mondes suspendus. Il rêve qu'il est heureux

.........

Ne te réveille pas, hermaphrodite; ne te réveille pas encore, je t'en supplie. Pourquoi ne veux-tu pas me croire? Dors... dors toujours. Que ta poitrine se soulève, en poursuivant l'espoir chimérique du bonheur, je te le permets; mais, n'ouvre pas tes yeux. Ah! n'ouvre pas tes yeux! Je veux te quitter ainsi, pour ne pas être témoin de ton réveil. Peut-être un jour, à l'aide d'un livre volumineux, dans des pages émues, raconterai-je ton histoire, épouvanté de ce qu'elle contient, et des enseignements qui s'en dégagent.

# 6. 스테판 말라르메

파리 출생으로 18세 때 바칼로레아(대학입학 자격시험)에 합격했다. 런던에서 영어교사 자격을 취득하고 투르농의 중학교에 부임했다. 29세 때 파리로 돌아와 퐁탄중학교에 근무하며 모드 잡지의 편집, 포 작품을 번역하고 보들레르의 영향으로 시작에 몰두한다. 매주 화요일 밤 젊은 예술가들이 그의 집에서 교유했다. 이 '화요회'에서 루이스, ▶

## 순결하며 발랄하며 아름다운 오늘이

순결하며 발랄하며 아름다운 오늘이
취한 날개로 우리를 찢어줄 것인가
날지 못한 비상의 투명한 빙하가
서리 밑에 갇혀있는 잊혀진 이 얼음 언 호수!

지난날의 백조는 그것은 자기라고 회상한다
장렬했으나 희망 없이 해방되려 했던 자신을
불모의 겨울에서 권태가 빛났을 때
그가 살 수 있는 땅을 노래하지 않았기에.

그의 목은 이 하얀 고통을 모두 뿌리쳐 버리리라
절대로 그의 깃털이 붙잡힌 땅에 대한 공포가 아니라,
그것을 부인하는 새에게 부과한 공간에 의해.

## Stéphane Mallarmé, 1842-93

클로델, 발레리 등의 상징주의 작가들이 배출되었다. 생전의 시작은《목신의 오후》가 단행본으로 발간되었을 뿐이다. 그의 시는 난해하고 언어의 순수성을 존중하는 근대시의 최고봉으로 인정받고 있다.

## Le vierge, le vivace et le bel aujourd'hui

Le vierge, le vivace et le bel aujourd'hui
Va-t-il nous déchirer avec un coup d'aile ivre
Ce lac dur oublié que hante sous le givre
Le transparent glacier des vols qui n'ont pas fui!

Un cygne d'autrefois se souvient que c'est lui
Magnifique mais qui sans espoir se délivre
Pour n'avoir pas chanté la région où vivre
Quand du stérile hiver a resplendi l'ennui.

Tout son col secouera cette blanche agonie
Par l'espace infligée à l'oiseau qui le nie,
Mais non l'horreur du sol où le plumage est pris.

이곳에 그의 순수한 광휘가 운명 지어 준 환영이여,
백조는 꼼짝도 않는다, 무익한 유형에서
그가 입은 경멸의 냉담함을 꿈꾸며.

Fantôme qu'à ce lieu son pur éclat assigne,
Il s'immobilise au songe froid de mépris
Que vêt parmi l'exil inutile le Cygne.

## 에드가 포우의 무덤

본래의 그 자신으로 마침내 영원이 그를 바꾸어 놓듯이,
시인은 뽑은 칼을 흔들어댄다
사신이 이 이상한 목소리로 개가를 울리는 것을
알지 못하여 공포에 질린 그의 세기를!

그들은, 옛날 천사가 종족의 언어에 더 순수한 의미를
부여한 것을 들은 히드라가 비천하게 대경실색한 것처럼,
들이마신 마법이라고 소리 높여 선언했다
무언가 검은 것을 섞은 불명예스러운 큰 물결 속에.

적대적인 땅과 하늘에서, 오 슬프다!
만일 우리들의 상념으로 저부조를 새기지 않는다면
포우의 묘비는 눈부시게 아름다울 것이다.

어두운 재난에서 이곳으로 떨어진 조용한 돌멩이를
적어도 이 화강암이 반드시 그의 경계석에 표시해주기를
미래에 산재해 있는 모독의 검은 비상에.

## Le tombeau d'Edgar Poe

Tel qu'en Lui-même enfin l'éternité le change,
Le Poète suscite avec un glaive nu
Son siècle épouvanté de n'avoir pas connu
Que la mort triomphait dans cette voix étrange!

Eux, comme un vil sursaut d'hydre oyant jadis l'ange
Donner un sens plus pur aux mots de la tribu,
Proclamèrent très haut le sortilège bu
Dans le flot sans honneur de quelque noir mélange.

Du sol et de la nue hostiles, ô grief!
Si notre idée avec ne sculpte un bas-relief
Dont la tombe de Poe éblouissante s'orne.

Calme bloc ici-bas chu d'un désastre obscur
Que ce granit du moins montre à jamais sa borne
Aux noirs vols du Blasphème épars dans le futur.

## 말라르메 양의 부채

오 꿈꾸는 여인이여, 저 길도 없는 순수한
환희 속에 내가 잠길 수 있도록,
알아라, 미묘한 거짓말로,
그대 손안에 나의 날개를 간직하는 것을.

황혼의 서늘함이
부채질할 때마다 그대에게 오고
그 갇힌 자의 부채질은 밀어낸다
지평선을 부드럽게.

아찔하다! 지금 전율한다
멋진 입맞춤 같은 공간이
누구를 위한 것도 아닌데 태어나려고 미쳐서,
솟아오르지도, 진정할 수도 없는.

그대 느끼는가 잔인한 낙원이
묻혀진 웃음과도 같이
그대 입가로부터 흘러들어간다.
일체를 이루는 주름의 깊숙한 곳으로!

장밋빛 기슭들의 왕홀은
황금색 노을에 고여 있는, 그렇다,
팔찌의 불에다 그대가 놓은
닫혀진 이 하얀 비상은.

## Éventail de Mademoiselle Mallarmé

Ô rêveuse, pour que je plonge
Au pur délice sans chemin,
Sache, par un subtil mensonge,
Garder mon aile dans ta main.

Une fraîcheur de crépuscule
Te vient à chaque battement
Dont le coup prisonnier recule
L'horizon délicatement.

Vertige! voici que frissonne
L'espace comme un grand baiser
Qui, fou de naître pour personne,
Ne peut jaillir ni s'apaiser.

Sens-tu le paradis farouche
Ainsi qu'un rire enseveli
Se couler du coin de ta bouche
Au fond de l'unanime pli!

Le sceptre des rivages roses
Stagnants sur les soirs d'or, ce l'est,
Ce blanc vol fermé que tu poses
Contre le feu d'un bracelet.

## 바다의 미풍

육체는 슬프다! 아! 나는 모든 책을 다 읽어 버렸다.
도망가자! 저 머얼리로 도망가자! 나는 느낀다, 새들이
미지의 물거품과 하늘 사이에 취해 있다는 것을!
아무것도, 눈에 비친 옛 정원도,
오, 밤이여! 흰색이 방어하는 텅 빈 종이 위에
내 램프의 쓸쓸한 불빛도,
아기에게 젖먹이는 젊은 여인도,
이 바다에 젖어있는 이 마음을 붙잡지는 못하리라.
나는 떠나련다! 돛대를 흔드는 기선이여,
이국적 자연을 향해 닻을 올려라!

잔인한 희망에 실망한 권태는
손수건의 숭고한 작별을 여전히 믿고 있다!
그리고, 어쩌면, 돛대는, 폭풍우를 일으키며,
바람이 난파선에 불어대는 돛대 같으리라
길을 잃고, 돛대도 없이, 돛대도 없이, 풍요로운 섬도 없이…….
그러나, 오 내 마음이여, 뱃사람들의 노래에 귀를 기울여라!

## Brise marine

La chair est triste, hélas! et j'ai lu tous les livres.
Fuir! là-bas fuir! Je sens que des oiseaux sont ivres
D'être parmi l'écume inconnue et les cieux!
Rien, ni les vieux jardins reflétés par les yeux
Ne retiendra ce cœur qui dans la mer se trempe
Ô nuits! ni la clarté déserte de ma lampe
Sur le vide papier que la blancheur défend,
Et ni la jeune femme allaitant son enfant.
Je partirai! Steamer balançant ta mâture
Lève l'ancre pour une exotique nature!

Un Ennui, désolé par les cruels espoirs,
Croit encore à l'adieu suprême des mouchoirs!
Et, peut-être, les mâts, invitant les orages
Sont-ils de ceux qu'un vent penche sur les naufrages
Perdus, sans mâts, sans mâts, ni fertiles îlots...
Mais, ô mon cœur, entends le chant des matelots!

## 파이프

어제, 겨울의 멋진 창작, 긴 저녁의 창작을 꿈꾸다가, 나는 내 파이프를 발견했다. 태양으로 푸른 잎사귀, 모슬린이 밝혀주는 과거 속으로 여름의 온갖 어린이 같은 기쁨으로 담배를 던져 버리고, 보다 더 일을 잘 할 수 있도록, 방해받지 않고 오랫동안 담배를 피우기를 원하는 진지한 사람이 다시 잡은 나의 중요한 파이프, 그러나 나는 이 내버려둔 물건이 준비하고 있었던 놀라움은 예상하지 못했었다. 처음 한 모금을 빨아들이자마자. 내가 써야 할 대작을 잊어버리고, 야릇하고, 마음이 느긋해져서 되돌아온 지난겨울을 호흡했다. 프랑스에서 돌아온 이후 나는 이 충실한 친구에 손대지 않았고, 이제 모든 런던이, 일 년 동안 나 혼자서 온전히 살면서 겪은 런던이 홀연히 나타났다. 우선 우리의 뇌를 감싸고 있는 정다운 안개는 창 밑으로 스며들 때, 그 독특한 냄새를 풍겼다. 나의 담배는 야윈 검은 고양이가 그 위를 구르는 석탄가루로 뒤덮인 가죽제 가구에 어두운 방 냄새를 풍겼다. 큰 화톳불! 그리고 팔이 빨건 하녀가 석탄을 붓고 있고, 또 양철통 안에 쇠바구니로 떨어지는 석탄 소리. 아침 – 그때면 집배원이 그 엄숙한 노크를 두 번 하곤 했는데, 그것이 나를 살게 했다! 나는 창문 너머로 인적 드문 광장의 병든 나무들을 다시 보았다. - 나는 물보라에 젖고 연기에 그을린 증기선의 갑판 위에서 벌벌 떨면서, 자주 그 겨울에 건너다녔던, 여행자의 옷차림을 하고, 길거리의 먼지 색으로 바랜 긴 옷, 그녀의 차가운 두 어깨 위에 축축하게 들러붙은 외투, 부유한 부인들은 도착하자 내던져버리는, 바다 바람에 갈가리 찢어진 깃도 없고 거의 리본도 밀짚모자, 그 중 하나를 가난한 애인들이 앞으로 올 계절을 위해 다시 손질하는, 방랑하는 가엾은 나의 애인과 먼 바다를 바라보았다. 그 여자의 목에는 우리가 영원히 작별을 고할 때 흔드는 그 끔찍한 손수건이 감겨 있었다.

# La pipe

Hier, j'ai trouvé ma pipe en rêvant une longue soirée de travail, de beau travail d'hiver. Jetées les cigarettes avec toutes les joies enfantines de l'été dans le passé qu'illuminent les feuilles bleues de soleil, les mousselines et reprise ma grave pipe par un homme sérieux qui veut fumer longtemps sans se déranger, afin de mieux travailler: mais je ne m'attendais pas à la surprise que me préparait cette délaissée, à peine eus-je tiré une première bouffée j'oubliai mes grands livres à faire, émerveillé, attendri, je respirai l'hiver dernier qui revenait. Je n'avais pas touché à la fidèle amie depuis ma rentrée en France, et tout Londres, Londres tel que je l'ai vécu en entier à moi seul il y a un an, est apparu; d'abord ces chers brouillards qui emmitouflent nos cervelles et ont, là-bas, une odeur à eux, quand ils pénètrent sous les croisées. Mon tabac sentait une chambre sombre aux meubles de cuir saupoudrés par la poussière du charbon sur lesquels se roulait le maigre chat noir; les grands feux! et la bonne aux bras rouges versant les charbons, et le bruit de ces charbons tombant du seau de tôle dans la corbeille de fer, le matin — alors que le facteur frappait les deux coups solennels qui me faisaient vivre! J'ai revu par la fenêtre ces arbres malades du square désert — j'ai vu le large si souvent traversé, cet hiver-là, grelottant sur le pont du steamer mouillé de bruine et noirci de fumée — avec ma pauvre bien-aimée errante, en habits de voyageuse, une longue robe grise couleur de la poussière des routes, un manteau qui collait humide à ses épaules froides, un de ces chapeaux de paille sans plume et presque sans rubans, que les riches dames jettent en arrivant, tant ils sont déchiquetés par l'air de la mer et que les pauvres bien-aimées regarnissent pour bien des saisons encore. Autour de son cou s'enroulait le terrible mouchoir qu'on agite en se disant adieu pour toujours.

## 창

음산한 병원, 그리고 빈 벽에 따분하게 걸린
큰 십자가 쪽으로 진부한 흰 커튼을 따라
피어오르는 역한 향내에 지친,
이 음울한 죽어가는 병자는 늙은 허리를 펴고,

몸을 끌고 간다. 죽어가는 몸을 따뜻하게 하기보다는
돌 위로 비치는 햇빛을 보기 위해
흰 수염과 깡마른 얼굴의 뼈를 갖다 댄다
아름답고 맑은 빛이 비치는 유리창에,

그리고 열기 있고 푸른 하늘을 갈망하던 입술,
그렇게, 젊은, 그녀는 그의 보물을 들이마셨다,
순수했던 살갗 그리고 옛날에! 더럽히고 있다
포근한 금빛 유리창을 쓰고 긴 입맞춤으로.

취해서, 그는 살았다, 성유의 공포도,
탕약도, 시계도와 강요된 침대의 두려움을 잊고,
기침도, 그리고 저녁이 기와들 사이로 피를 흘릴 때,
그의 눈은, 빛으로 가득 찬 지평선에서,

백조처럼 아름다운 황금빛 범선들을 본다,
자주색과 향기로운 강 위에 떠서
황갈색의 반짝이는 선들을 흔들며 잠들어 있는
추억을 가득 실은 큰 한가로움 속에서!

## Les fenêtres

Las du triste hôpital, et de l'encens fétide
Qui monte en la blancheur banale des rideaux
Vers le grand crucifix ennuyé du mur vide,
Le moribond sournois y redresse un vieux dos,

Se traîne et va, moins pour chauffer sa pourriture
Que pour voir du soleil sur les pierres, coller
Les poils blancs et les os de la maigre figure
Aux fenêtres qu'un beau rayon clair veut hâler,

Et la bouche, fiévreuse et d'azur bleu vorace,
Telle, jeune, elle alla respirer son trésor,
Une peau virginale et de jadis! encrasse
D'un long baiser amer les tièdes carreaux d'or.

Ivre, il vit, oubliant l'horreur des saintes huiles,
Les tisanes, l'horloge et le lit infligé,
La toux; et quand le soir saigne parmi les tuiles,
Son oeil, à l'horizon de lumière gorgé,

Voit des galères d'or, belles comme des cygnes,
Sur un fleuve de pourpre et de parfums dormir
En berçant l'éclair fauve et riche de leurs lignes
Dans un grand nonchaloir chargé de souvenir!

이렇게, 냉혹한 영혼을 가진 인간을 혐오하고
오직 먹는다는 욕망만으로 행복 속에 뒹굴고
그리고 아이에게 젖먹이는 아내에게 주기 위해
이 오물을 찾는 데만 아등바등 하는구나,

나는 달아나고 나는 모든 유리창에 매달린다.
사람들이 삶에 등을 돌리는, 그리고, 축복받은,
그리하여 영원한 이슬에 씻긴 그들의 유리 속에서
무한히 순결한 아침을 금빛으로 물들이는

나는 거울을 비춰보고 천사를 본다! 나는 죽고, 사랑한다
— 유리창은 예술일지라, 신비일지라 —
다시 태어나면, 나의 꿈을 왕관으로 쓰고,
아름다움이 꽃피고 있는 전생의 하늘에서이기를!

그러나 슬프도다! 속세가 주인인 것을. 그 강박은
때때로 이 확실한 은신처까지 와 나를 불쾌하게 하고
어리석음에서 나온 더러운 토사물이
푸른 하늘 앞에서 나의 코를 틀어막는다.

방법이 있을까, 오, 고통을 아는 나는,
괴물에게 멸시받는 수정을 깨뜨리고
깃털 없는 나의 두 날개로 달아날 수 있는
- 영원히 떨어질 위험을 무릅쓰고라도?

Ainsi, pris du dégoût de l'homme à l'âme dure
Vautré dans le bonheur, où ses seuls appétits
Mangent, et qui s'entête à chercher cette ordure
Pour l'offrir à la femme allaitant ses petits,

Je fuis et je m'accroche à toutes les croisées
D'où l'on tourne l'épaule à la vie, et, béni,
Dans leur verre, lavé d'éternelles rosées
Que dore le matin chaste de l'Infini

Je me mire et me vois ange! et je meurs, et j'aime
- Que la vitre soit l'art, soit la mysticité
A renaître, portant mon rêve en diadème,
Au ciel antérieur où fleurit la Beauté!

Mais, hélas! Ici-bas est maître: sa hantise
Vient m'écoeurer parfois jusqu'en cet abri sûr,
Et le vomissement impur de la Bêtise
Me force à me boucher le nez devant l'azur.

Est-il moyen, ô Moi qui connais l'amertume,
D'enfoncer le cristal par le monstre insulté
Et de m'enfuir, avec mes deux ailes sans plume
- Au risque de tomber pendant l'éternité?

## 목신의 오후

목가

목신

이 요정들, 나는 그들을 영원불멸케 하고 싶구나.
이렇게 선명하여,
그들의 엷은 장밋빛 살결이, 숲속 같은 잠에 싸여 있는
몽롱한 공기 속을 떠돈다.
내가 꿈을 사랑했던가?

지나간 밤의 축적인 나의 의심은,
절묘한 수많은 나뭇가지에서 끝나고 그 가지들은, 실제의 숲은 그대로,
남아 있으므로, 오호라, 증명한다, 혼자서 내가
장미의 관념적 오류를 승리로서 나 자신에게 바쳤음을.
곰곰이 생각해 보자 …

혹시, 네가 설명하고 있는 저 여자들이
그대의 공상적 감각의 욕망을 나타내는 것인지!
목신이여, 환각은 한결 순결한 쪽 처녀의,
눈물의 원천처럼, 푸르고 차가운 눈에서 달아난다.
그러나, 온통 한숨짓는 다른 쪽은, 너는 말할 건가
너의 모피 속의 따뜻한 날의 미풍처럼 대조된다고?

아니 그렇지 않아! 열로서 질식시키는 꼼짝않는
지쳐버린 도취로부터 빠져나오려 몸부림친다면 시원한 아침이,

# L'Après-Midi D'un Faune

Eglogue

Le Faune

Ces nymphes, je les veux perpétuer.
Si clair,
Leur incarnat léger, qu'il voltige dans l'air
Assoupi de sommeils touffus.
Aimai-je un rêve?

Mon doute, amas de nuit ancienne, s'achève
En maint rameau subtil, qui, demeuré les vrais
Bois mêmes, prouve, hélas! que bien seul je m'offrais
Pour triomphe la faute idéale de roses.
Réfléchissons...

ou si les femmes dont tu gloses
Figurent un souhait de tes sens fabuleux!
Faune, l'illusion s'échappe des yeux bleus
Et froids, comme une source en pleurs, de la plus chaste:
Mais, l'autre tout soupirs, dis-tu qu'elle contraste
Comme brise du jour chaude dans ta toison?

Que non! par l'immobile et lasse pâmoison
Suffoquant de chaleurs le matin frais s'il lutte,

내 피리가 선율로 물 뿌려진 물소리만이 흐르고
화음으로 물들여진 작은 숲에, 오직 바람소리만이
메마른 빗속으로 그 소리가 흩어지기 전에,
재빨리 두 개의 대롱 밖으로 터져나온다,
주름살 하나 없는 지평선에서,
하늘로 되돌아가는 영감의
눈에 보이는 고요한 인공적인 숨결.

오, 고요한 늪의 시칠리아 기슭이여
태양의 질투에 나의 허영이,
반짝이는 꽃들 아래 묵묵히, 이야기해 다오
"여기서 나는 재능으로 길들어진 갈대를 꺾고 있었지
포도 덩굴이 샘에까지 휘어있는
멀리 황금빛 청록의 초원 위에,
쉬고 있는 동물들의 흰 빛이 물결친다,
그리고 피리 소리가 내는 느린 서곡에
백조들의 비상, 아니다! 물의 요정들 달아난다,
아니면 물속으로 뛰어들든가 ……"

꼼짝 않고, 모든 것이 황갈색 시간 속에서 타버린다.
'라' 음을 찾는 자가 갈망하던 그리 많던 결혼은
그 무슨 재주로 흔적도 없이 한꺼번에 사라져 버렸는가.
그래서 나는 최초의 열정으로 눈뜨리라,
똑바로 홀로 서서, 고대의 빛의 홍수 아래서,

Ne murmure point d'eau que ne verse ma flûte
Au bosquet arrosé d'accords; et le seul vent
Hors des deux tuyaux prompt à s'exhaler avant
Qu'il disperse le son dans une pluie aride,
C'est, à l'horizon pas remué d'une ride,
Le visible et serein souffle artificiel
De l'inspiration, qui regagne le ciel.

O bords siciliens d'un calme marécage
Qu'à l'envi de soleils ma vanité saccage,
Tacite sous les fleurs d'étincelles, contez
« Que je coupais ici les creux roseaux domptés
« Par le talent; quand, sur l'or glauque de lointaines
« Verdures dédiant leur vigne à des fontaines,
« Ondoie une blancheur animale au repos:
« Et qu'au prélude lent où naissent les pipeaux
« Ce vol de cygnes, non! de naïades se sauve
« Ou plonge.... »

Inerte, tout brûle dans l'heure fauve
Sans marquer par quel art ensemble détala
Trop d'hymen souhaité de qui cherche le la:
Alors m'éveillerai-je à la ferveur première,
Droit et seul, sous un flot antique de lumière,

백합이여! 나도 천진난만한 너희들 중 하나.

어떤 것도 그들의 입술이 퍼뜨린 것보다 달콤한 것은 없으리,
입맞춤, 아주 낮은 소리로 배신자들을 확인해준다,
처녀처럼 순결한 내 가슴은, 신비로운 상처를 보여준다
어느 고귀한 이빨에서 생긴,
그러나, 그만두자! 속내친구를 위해 택한 그런 비법으로
푸른 하늘 아래서 굵직한 등나무 쌍피리를 분다.
피리 소리는 두 뺨의 흥분을 자신에게 되돌리며,
꿈꾼다, 긴 독주로,
미 자체와 순진한 우리의 노래를
주변의 아름다움과 잘못 혼동하여 즐겼었다.
그리고 사랑이 가락을 바꿀 수 있을 만큼의 높이로
낭랑하고 공허하고 단조로운 선율이
내 감은 두 눈으로 따라가는 순결한 등이나,
허리의 평범한 꿈이 사라지게 한다,

애를 써라, 도피의 악기여, 오 심술궂은
피리 시링크스여, 나를 기다리는 호숫가에서 다시 꽃피도록!
나는, 내 소문을 자랑하고, 오래오래 여신들 이야기를
하겠다. 열렬히 사랑하는 그림으로
여신들의 그림자에서 허리띠를 다시 벗기리라.
이렇게, 맑은 포도알을 빨아먹을 때,
내가 거짓으로 버린척한데 대한 미련을 없애기 위해,

Lys! et l'un de vous tous pour l'ingénuité.

Autre que ce doux rien par leur lèvre ébruité,
Le baiser, qui tout bas des perfides assure,
Mon sein, vierge de preuve, atteste une morsure
Mystérieuse, due à quelque auguste dent;
Mais, bast! arcane tel élut pour confident
Le jonc vaste et jumeau dont sous l'azur on joue:
Qui, détournant à soi le trouble de la joue,
Rêve, dans un solo long, que nous amusions
La beauté d'alentour par des confusions
Fausses entre elle-même et notre chant crédule;
Et de faire aussi haut que l'amour se module
Évanouir du songe ordinaire de dos
Ou de flanc pur suivis avec mes regards clos,
Une sonore, vaine et monotone ligne.

Tâche donc, instrument des fuites, ô maligne
Syrinx, de refleurir aux lacs où tu m'attends!
Moi, de ma rumeur fier, je vais parler longtemps
Des déesses; et par d'idolâtres peintures,
A leur ombre enlever encore des ceintures:
Ainsi, quand des raisins j'ai sucé la clarté
Pour bannir un regret par ma feinte écarté,

웃으며, 빈 포도 껍질을 여름 하늘에 들어 올리고,
그리고 저 빛나는 껍질에 숨결을 불어넣으며,
취하기를 갈망하며, 저녁까지 비춰보리라.

오, 요정들이여, 여러 가지 추억들을 다시 부풀려보자.
"내 시선은, 골풀 숲을 뚫고, 요정의 영원불사의 목을
하나하나 찔러대니, 숲속 하늘에 분노의 고함을 지르며,
불타는 상처를 물결 속으로 잠기게 한다.
화려한 물에 젖은 머리카락은 사라진다
광채와 전율 속으로, 보석들이여!
나는 달려간다. 그때, 내 발밑에, (둘로
나눠진 이 고통을 맛본 뒤 상처 입고서)
팔만으로 되는대로 껴안고 잠자는 미녀들이 얽혀 있었다,
나는 그녀들을 덮친다, 엉켜있는 팔 풀지도 않은 채, 그리고
경박한 그늘이 증오하는, 이 숲으로,
태양 아래 온갖 향기를 발산하는 장미 숲으로 날아간다.
거기 우리들의 환락은 불타 없어지는 대낮과 같다."
나 너를 숭배한다, 처녀들의 분노여,
오 성스러운 벗은 무게의 야성적인 환희여
불타는 내 입술을 피하려 미끄러지고, 번개처럼
전율한다, 육체의 저 은밀한 두려움,
무정한 여자의 발끝부터 수줍은 여자의 가슴까지
한꺼번에 순결을 잃고, 미친듯이 눈물에 젖고

Rieur, j'élève au ciel d'été la grappe vide
Et, soufflant dans ses peaux lumineuses, avide
D'ivresse, jusqu'au soir je regarde au travers.

O nymphes, regonflons des souvenirs divers.
» Mon ail, trouant les joncs, dardait chaque encolure
» Immortelle, qui noie en l'onde sa brûlure
» Avec un cri de rage au ciel de la forêt;
» Et le splendide bain de cheveux disparait
» Dans les, clartés et les frissons, pierreries!
» J'accours; quand, à mes pieds, s'entrejoignent (meurtries
» De la langueur goûtée à ce mal d'être deux)
» Des dormeuses parmi leurs seuls bras hasardeux;
» Je les ravis, sans les désenlacer, et vole
» A ce massif, haï par l'ombrage frivole,
» De roses tarissant tout parfum au soleil,
» Où notre ébat au jour consumé soit pareil. »
Je t'adore, courroux des vierges, ô délice
Farouche du sacré fardeau nu qui se glisse
Pour fuir ma lèvre en feu buvant, comme un éclair
Tressaille! la frayeur secrète de la chair:
Des pieds de l'inhumaine au cœur de la timide
Que délaisse à la fois une innocence, humide

혹은 보다 덜 슬픈 안개에 젖어든다.
"내 죄는 그녀들의 두려움을 정복한 것을 기뻐한 것이다,
신들이 너무나 잘 맺어 준 입맞춤을,
엉클어진 머리카락을 갈라놓은 것이다,
한 요정의 행복한 몸주름 속에
나의 정열적인 기쁨의 웃음을 감추려 하자마자,
(한 손가락만으로, 그녀의 깃처럼 하얀 색이
불타오르는 언니의 정열에 의해 물들도록 안으면서,
순진한 동생은 얼굴도 붉히지 않았다.)
몽롱한 죽음으로 풀어진 내 팔에서,
이 배은망덕한 포로는 달아나 버린다
내가 아직 취해 있는 그 흐느낌을 불쌍히 여기지도 않고."

할 수 없지! 다른 여자들이 나를 행복으로 이끌어 주리라
내 이마의 두 뿔에다 그들의 땋은 머리채로.
나의 정열이여, 너는 알고 있다, 이미 진홍빛으로 무르익어,
석류는 알알이 터지고 꿀벌들이 붕붕댄다,
그리고 우리의 피는, 잡으러 오는 자에게 매혹되어,
욕망의 영원한 벌떼들을 향해 흐른다.
이 숲이 황금과 재로 물드는 시간에
죽은 나뭇잎들 속에서 축제가 벌어지고 있다!
에트나 화산이여! 비너스가 너에게 다가와
너의 용암 위에 순진한 발꿈치를 디딜 때,
슬픈 졸음은 천둥치고 불길은 사라진다.

De larmes folles ou de moins tristes vapeurs.

» Mon crime, c'est d'avoir, gai de vaincre ces peurs

» Traîtresses, divisé la touffe échevelée

» De baisers que les dieux gardaient si bien mêlée:

» Car, à peine j'allais cacher un rire ardent

» Sous les replis heureux d'une seule (gardant

» Par un doigt simple, afin que sa candeur de plume

» Se teignît à l'émoi de sa saur qui s'allume,

» La petite, naïve et ne rougissant pas:)

» Que de mes bras, défaits par de vagues trépas,

» Cette proie, à jamais ingrate se délivre

» Sans pitié du sanglot dont j'étais encore ivre. »

Tant pis! vers le bonheur d'autres m'entraîneront

Par leur tresse nouée aux cornes de mon front:

Tu sais, ma passion, que, pourpre et déjà mûre,

Chaque grenade éclate et d'abeilles murmure;

Et notre sang, épris de qui le va saisir,

Coule pour tout l'essaim éternel du désir.

A l'heure où ce bois d'or et de cendres se teinte

Une fête s'exalte en la feuillée éteinte!

Etna! c'est parmi toi visité de Vénus

Sur ta lave posant ses talons ingénus,

Quand tonne un somme triste ou s'épuise la flamme.

나는 여왕을 포옹한다!

오, 피할 수 없는 천벌…….
아니다, 그러나

말이 텅 빈 나의 영혼과 무거워진 육체는
서서히 정오의 오만한 침묵에 굴복한다.
불경한 생각을 잊고 잠자야만 한다.
목마른 모래 위에 그리고 나는 얼마나 좋아하는지
포도주의 효험을 지닌 태양을 향해 내 입을 여는 것을!

한 쌍의 요정이여, 잘 가거라! 나는 너희의 변한 그림자를 보러 가리라.

Je tiens la reine!

O sûr châtiment...

Non, mais l'âme

De paroles vacante et ce corps alourdi
Tard succombent au fier silence de midi:
Sans plus il faut dormir en l'oubli du blasphème,
Sur le sable altéré gisant et comme j'aime
Ouvrir ma bouche à l'astre efficace des vins!

Couple, adieu; je vais voir l'ombre que tu devins.

## 7 생 폴 루

마르세이유 출생. 플레이아드 지를 창립한다. 거장 말라르메로부터 "내 아들"이라고 불리며 사랑을 받았다. 브르타뉴의 어촌에 은둔해서, 바로크 취미에 심취하여 비현실적인 것의 현실성을 묘사하는 '이 ▶

## 양들의 저녁

이쪽 지평선에 저물어 가는 혈흔.

저쪽 지평선에 밝아오는 우유 한 방울.

피리 안에서 기가 안정되고 검은 개 모양의 경계심 지닌 단순한 남자, 양치기가 작은 언덕의 청춘을 내려온다.

양들이 그를 따라온다, 귀를 위한 두 개의 포도나무 가지와 유방을 위한 두 송이, 양들이 그를 따라온다. 포도나무도 움직인다.

깨끗한 양떼, 마치 이 여름 저녁, 어린이 같은 초원에 맑은 눈이 내리듯.

이 생명의 자그마한 보물단지, 저 위, 향로그릇을 덜거덕거리고, 만족하여 내려온다.

나의 욕망도 희망의 피리와 신앙의 개에 고무되어, 오늘 아침 신비의 작은 언덕을 올라간다. 마을의 양들이 나의 영혼의 양들보다 더 높이 올라갔다.

그러나 히아신스 들판에서 향기로운 별이 그 풍부한 가슴의 혹을 벗기려는 탐욕스런 이빨을 붉게 물들였다.

그래서 나의 예민한 양떼들은 만종과 더불어 절망의 배를 안고 나에

## Saint-Pol Roux, 1881-1940

데오리얼리즘idéoréalisme'의 입장에서 시를 쓰는 일에 전념했다. 초현실파로부터도 선구자로서 존경을 받았다.

# Soir de brebis

La tache de sang dépoint à l'horizon de ci.

La goutte de lait point à l'horizon de là.

Homme simple qui s'éparpille dans la flûte et dont la prudence a la forme d'un chien noir, le pâtre descend l'adolescence du coteau.

Le suivent ses brebis, avec deux pampres pour oreilles et deux grappes pour mamelles, le suivent ses brebis: ambulantes vignes.

Si pur le troupeau! que, ce soir estival, il semble neiger vers la plaine enfantinement.

Ces menus écrins de vie ont, là-haut, brouté les cassolettes, et redescendent pleines.

Mes Désirs aussi, stimulés par la flûte de l'Espoir et le chien de la Foi, montèrent ce matin le coteau du Mystère; et s'en furent plus haut que les brebis de mon hameau, les brebis de mon âme.

Mais, parmi la prairie de jacinthes, l'odorante étoile incendia les dents avides qui voulaient dégrafer son corsage fertile.

C'est pourquoi mon troupeau subtil, à l'heure d'angelus, rentre en

게 돌아온다.

양들은 오두막에 있고, 단순한 남자는 그의 피리와 검은 개 사이에서 잠들 것이다.

moi-même, les flancs désespérés.

Les brebis sont au bercail, et l'homme simple va dormir entre sa flûte et son chien noir.

## 8. 모리스 메테르링크

벨기에 플랑드르 지방의 겐트 출신. 극작가, 사상가, 시인, 평론가. 부유한 부르주아 가문 출신으로 겐트의 자연 속에서 행복한 어린 시절을 보냈다. 1886년 파리에서 만난 젊은 시인들과《라 플레이아드》를 창간했다. 시인들과의 교유에서 신비주의에 눈뜨게 된다. 파리 체류 ▶

## 어느 날 그이가 다시 돌아온다면

어느 날 그이가 돌아온다면
뭐라고 그이에게 말해야 할까요?
- 그이에게 말해 주세요.
죽도록 그를 기다렸노라고…

그이가 날 몰라보고
또 다시 내게 묻는다면?
- 그이에게 말해 줘요. 누이동생처럼
어쩌면 그이가 괴로워하리니…

그이가 당신이 어디에 있는지를 묻는다면
뭐라고 대답해야 할까요?
그이에게 내 금반지를 주세요.
아무 대답도 하지 말고…

Maurice Maeterlinck, 1862-1949

때의 시모음집《온실》(1889), 희곡《펠레아스와 메리장드》(1892), 아동극〈파랑새〉(1906)로 유명하다. 1911년 노벨상을 수상했다.

## Et s'il revenait un jour

Et s'il revenait un jour
Que faut-il lui dire?
– Dites-lui qu'on l'attendit
Jusqu'a s'en mourir...

Et s'il m'interroge encore
Sans me reconnaitre?
– Parlez-lui comme une soeur
Il souffre peut-etre...

Et s'il demande ou vous etes
Que faut-il repondre?
– Donnez-lui mon anneau d'or
Sans rien lui repondre...

그이가 방이 왜 이리 쓸쓸한지를
알고 싶어한다면?
- 그이에게 꺼진 램프와
열려 있는 문을 보여 주세요..

그때 그이가 내게
임종의 순간에 대해 묻는다면?
- 그이에게 말해 주세요. 그이가 울까 봐
겁이 나서 내가 미소 짓더라고…

Et s'il veut savoir pourquoi
La salle est deserte?
– Montrez-lui la lampe eteinte
Et la porte ouverte…

Et s'il m'interroge alors
Sur la derniere heure?
– Dites-lui que j'ai souri
De peur qu'il ne pleure...

## 9. 쥘 라포르그

우루과이 몬테비데오 출생. 6세 때 프랑스로 옮겨와 피레네산맥 부근의 타르브와 파리에서 공부했다. 화상의 비서로 일하면서 젊은 시인들과 사귀었다. 영국 여성과 결혼했으나 1년 후 폐결핵으로 27세로 파리에서 요절했다. 그의 시는 자조, 염세주의, 풍자, 유머를 애절한 정을 섞어 회화 용어를 교묘히 구상하여 고도의 시적 분위기를 표 ▶

### 피에로들의 말

[……]

16

나는 단지 연못에
동그라미를 그리는 심약한 자,
그것도 전설이 되려는 것
이외의 다른 의도는 없다.

반항하는 몸짓으로 나의 창백한
중국관리식 소매를 걷어붙이고,
입을 동그랗게 하고 — 나는 내뿜는다.
십자가의 부드러운 충고를.

## Jules Laforgue, 1860-87

출하는 파격적이고 환상적인 독특한 자유시를 창조하여 근대시운동의 선구가 되었다. 주요시집으로 《대지의 슬픔》(1878-1882), 《애가》(1885), 《최후의 시》(1890) 등이 있다.

## Locutions des Pierrots

.........

XVI

Je ne suis qu'un viveur lunaire
Qui fait des ronds dans les bassins,
Et cela, sans autre dessein
Que devenir un légendaire.

Retroussant d'un air de défi
Mes manches de mandarin pâle,
J'arrondis ma bouche et –j'exhale
Des conseils doux de Crucifix.

아! 그렇다, 전설이 되는 거다,
사기꾼의 세기의 문턱에서!
그런데 지난해의 달들은 어디에 있는가?
신은 왜 다시 만들어지지 않는가?

Ah! oui, devenir légendaire,

Au seuil des siècles charlatans!

Mais où sont les Lunes d'antan?

Et que Dieu n'est-il à refaire?

## 미학

성숙한 여자 혹은 젊은 여자,
나는 모든 종류의 여자들을 스쳐보았다.
쉬운 여자들, 어려운 여자들,
여기 내가 가져온 의견이 있다.

그녀들은 꽃이다. 다양한 옷을 입은,
어떤 때는 거만하기도, 외롭기도 한,
어떤 소리도 그녀들에겐 소용이 없다,
우리는 즐기고, 여자는 남는다.

그 무엇도 그녀들을 잡지 못하고, 화나게 하지 못한다.
그녀들은 원한다. 아름다움을 발견하기를,
그 말을 헐떡이며 또 되풀이해 말하기를,
또 그녀들을 그렇게 사용해 주기를,

맹세와 반지에 대해선 걱정 말고,
우리에게 주는 적은 것을 빨아 먹자,
우리의 존경은 애매할 수 있다,
그녀들의 눈은 건방지고 단조롭다.

꺾어라, 희망도 드라마도 생각 말고,
육체는 늙는다, 장미꽃이 핀 후엔,
오! 온갖 종류의 여자들을 편력해 보자!
왜냐하면 별다른 게 없으니까.

## Esthétique

La Femme mûre ou jeune fille,
J'en ai frôlé toutes les sortes,
Des faciles, des difficiles;
Voici l'avis que j'en rapporte:

C'est des fleurs diversement mises,
Aux airs fiers ou seuls selon l'heure;
Nul cri sur elles n'a de prise;
Nous jouissons, Elle demeure.

Rien ne les tient, rien ne les fâche,
Elles veulent qu'on les trouve belles,
Qu'on le leur râle et leur rabâche,
Et qu'on les use comme telles;

Sans souci de serments, de bagues,
Suçons le peu qu'elles nous donnent,
Notre respect peut être vague,
Leurs yeux sont haut et monotones.

Cueillons sans espoirs et sans drames,
La chair vieillit après les roses;
oh! parcourons le plus de gammes!
Car il n'y a pas autre chose.

## 제발, 한 마디만

오! 달 그리고 또 달,
행복한 소곡에 맞추어서…
아 이런 일 저런 일로
거장들의 높은 현에 맞추어서!…

아! 나는 백합꽃으로 여왕 이시스의
제비꽃을 화나게 하고 싶다!…
아! 쉬지 않고, 지쳐버리고 싶다,
권태의 꽃장식이 되어 육체의 꽃을 피우며
이상한 꽃 나의 뇌를!…
오 죽음이여, 그리고?

그러나! 나는 인생을 두려워한다
결혼을 두려워하는 것처럼!
오! 정말, 나는 나이가 어리다
이 아름다운 결혼을 말하기엔!…

오! 나는 나만의 이 생활에 타격받도다.
요전 일요일, 들을 지나가면서!
오! 다만 나에게 숨을 쉬게 해다오,
그리고 너희들은 결국 성실한 한 권의 책을 가질 것이다.

그동안 나의 처참함에 대해 동정해 다오!
내가 너희들 모두에게 환영받는 존재가 되기 위해서!

## Avis, Je Vous Prie

Hélas! des Lunes, des Lunes,

Sur un petit air en bonne fortune...

Hélas! de choses en choses

Sur la criarde corde des virtuoses!...

Hélas! agacer d'un lys

La violette d'Isis!...

Hélas! m'esquinter, sans trêve, encore,

Mon encéphale anomaliflore

En floraison de chair par guirlandes d'ennuis!...

Ô Mort, et puis?

Mais! j'ai peur de la vie

Comme d'un mariage!

Oh! vrai, je n'ai pas l'âge

Pour ce beau mariage!...

Oh! j'ai été frappé de cette vie à moi.

L'autre dimanche, m'en allant par une plaine!

Oh! laissez-moi seulement reprendre haleine,

Et vous aurez un livre enfin de bonne foi.

En attendant, ayez pitié de ma misère!

Que je vous sois à tous un être bienvenu!

나의 진지한 영혼으로 내가 용서받을 수 있도록.
그 진지한 나체로 프리네가 용서받은 것처럼.

Et que je sois absous pour mon âme sincère.

Comme le fut Phryné pour son sincère nu.

## 밤중에

오 달이여 나의 혈관 속을 흘러라
내가 겨우 몸을 지탱하기 위해,

그리고 내 가슴에 너를 품고 싶도록!
그런데, 그녀는 무서울 정도로 창백하구나!

그리고 그녀의 안색과 몸가짐으로,
얼마나 그녀가 우울했는가를 보여준다!

그녀는 다시 걸친다. 기분이 나빠져서,
별로 짠 그녀의 캐시미어를.

방황하는 델로스 섬이여, 공동묘지여,
너는 유파를 만드는 것이 좋겠다,

나는 너에게 봉납할 것을 약속한다
나의 망토의 보디발[2] 들을!

자, 잘 있어라, 나는 마을로 돌아간다
두세 개의 순수한 사랑을 하기 위해서,

---

2 보디발의 아내가 요셉을 유혹하였으나 거절당하자 오히려 그를 모함한다.(창세기 39:5)

## Nuitamment

O Lune, coule dans mes veines
Et que je me soutienne à peine,

Et croie t'aplatir sur mon cœur!
Mais, elle est pâle à faire peur!

Et montre par son teint, sa mise,
Combien elle en a vu de grises!

Et ramène, se sentant mal,
Son cachemire sidéral,

Errante Delos, nécropole,
Je veux que tu fasses école;

Je te promets en ex-voto
Les Putiphars de mes manteaux!

Et tiens, adieu; je rentre en ville
Mettre en train deux ou trois idylles,

너의 허무에 바치는 축혼가로
내가 온 것을 알리면서.

En m'annonçant par un Péan
D'épithalame à ton Néant.

## 월광

이 별에는 결코 사람이 살지 않으리라고 생각하는 일이,
이따금 나의 상복부에 심한 일격을 가한다.

아! 달이여, 팔월의 저녁에 침묵의 마법에 의해
네가 떠오를 때 너에게 모든 것을 바친다.

그리고 구름들의 검은 암초를 뚫고 지나가
마스트를 잃고 바다를 방황할 때에!

오! 너의 지복을 가져오는 세례의 수반에
올라가고, 사라져, 그대로 흐르지 않게 하고 싶다.

맹목이 되어버린 별, 탄식하는 이카로스들의
정처 없는 비상의 불길한 등대여!

자살과도 같은 불모의 눈이여
우리는 권태로운 자들의 의회로다, 의장이 되어다오.

차디찬 두개골이여, 대머리 녀석들을 비웃어라,
우리의 치유 불가한 관료정치의.

오! 최후의 마비상태의 환약이여,
우리의 단단한 뇌 속으로 들어오라!

## Clair de lune

Penser qu'on vivra jamais dans cet astre,
Parfois me flanque un coup dans l'épigastre.

Ah! tout pour toi, Lune, quand tu t'avances
Aux soirs d'août par les féeries du silence!

Et quand tu roules, démâtée, au large
A travers les brisants noirs des nuages!

Oh! monter, perdu, m'étancher à même
Ta vasque de béatifiants baptêmes!

Astre atteint de cécité, fatal phare
Des vols migrateurs des plaintifs Icares!

Oeil stérile comme le suicide,
Nous sommes le congrès des las, préside;

Crâne glacé, raille les calvities
De nos incurables bureaucraties;

O pilule des léthargies finales,
Infuse-toi dans nos durs encéphales!

오! 순수한 도리아 식 외투를 입은 디아나여
사랑의 신은 취해 있다, 너의 화살통을 집어 찔러다오.

아! 날개 없는 존재를 감염시키는,
하나의 화살로, 지상의 선의의 마음을!

전대미문의 홍수에 찢긴 별이여,
너의 순수한 해열의 광선 한 줄기로,

오늘 저녁, 나의 시트를 적시기 위해, 빗나가 다오,
내기 인생에서 손을 씻을 수 있도록!

O Diane à la chlamyde très-dorique,
L'Amour cuve, prend ton carquois et pique

Ah! d'un trait inoculant l'être aptère,
Les coeurs de bonne volonté sur terre!

Astre lavé par d'inouïs déluges,
Qu'un de tes chastes rayons fébrifuges,

Ce soir, pour inonder mes draps, dévie,
Que je m'y lave les mains de la vie!

## 희롱

아! 달, 달이 나에게 달라붙으니…
무슨 좋은 약이 없을까?

죽었다고? 그녀가 우주의 클로로포름에 취해서
잠자고 있는 것은 아닐까?

침묵의 대사원의
묘석처럼 풍화한 장미 모양의 창,

너는 그 태도를 바꾸지 않는구나,
내가 고독으로 숨이 막힐 때도!

그렇지, 너는 아주 멋진 가슴을 가지고 있었지,
하지만 내가 그것을 빨지 않을 바에는?…

하루 저녁이면 나의 유치하고 무의미한 작품은
제멋대로 웃어대겠지.

나의 당당한 플라토니즘을
낚시꾼의 황홀처럼 취급하다니!

안녕하세요, 백합꽃의 여왕이여! 여왕은,
나는 나의 자벌레 나방으로 너를 뚫어버리고 싶다!

## Jeux

Ah! la Lune, la Lune m'obsède…
Croyez-vous qu'il y ait un remède?

Morte? Se peut-il pas qu'elle dorme
Grise de cosmiques chloroformes?

Rosace en tombale efflorescence
De la Basilique du Silence,

Tu persistes dans ton attitude,
Quand je suffoque de solitude!

Oui, oui, tu as la gorge bien faite;
Mais, si jamais je m'y allaite?…

Encore un soir, et mes berquinades
S'en iront rire à la débandade.

Traitant mon platonisme si digne
D'extase de pêcheur à la ligne!

Salve, Regina des Lys! reine,
Je te veux percer de mes phalènes!

너의 슬픈 듯한 세례의 접시에 입 맞추고 싶다,
성 요한의 머리를 잃은 접시여!

나는 노래를 되찾고 싶다! 너를 나의 입가로
오게 할 정도로 감동적인 노래를!

그러나, 달에 어울리는 시구가 더 이상 없다.
아! 그 얼마나 유감스러운 결합인가!

Je veux baiser ta patène triste,
Plat veuf du chef de saint Jean-Baptiste!

Je veux trouver un lied! qui te touche
À te faire émigrer vers ma bouche!

Mais, même plus de rimes à Lune.
Ah! quelle regrettable lacune!

## 10. 샤를 반 레르베르게

벨기에의 강 태생. 1870년 생트 바르브 학교에 들어갔으나 건강상의 이유로 학업을 중단했다. 어머니가 죽자 메테르링크의 친척인 그의 후견인이 그를 두 친구 메테르링크와 그레구아르 르 루아와 함께 생트 바르브 학교로 다시 보낸다. 대부분의 생을 벨기에에서 보내고 이 ▶

### 아! 얼마나 많은 금빛 시간을

아! 얼마나 많은 금빛 시간을
내 빛이 잠들어 있는
이 세상의 아침에서
황금의 포도송이는 간직하고 있을까!

금빛 시간은 영원하다.
내 즐거운 여름에,
그 중 가장 짧은 시간에도
영원의 보람이 있다.

나를 보라, 나는 기울이고 있다
내 꿈을 너의 눈 위로,
포도와 잎사귀, 가지가
당신의 머리카락에 합쳐진다.

## Charles Van Lerberghe, 1861-1907

탈리아, 독일, 영국 등지를 여행하기도 했다. 가장 알려진 작품은《이브의 노래》(1904)이다. 그의 시는 공기처럼 부드러운 순수함을 표출하고 있다.

# Ah! combien d'heures blondes

Ah! combien d'heures blondes
Contient la grappe d'or
De ce matin du monde
Où ma lumière dort.

Elles sont éternelles.
Dans mon joyeux été,
La plus brève d'entre elles
Vaut une éternité.

Regarde-moi, je penche
Mon rêve sur tes yeux:
Grappe et pampre, la branche
Se mêle à tes cheveux.

노래하라! 그리고 기억하라
당신의 첫 광선을,
당신은 거의 나를 보지 못한다,
그러나 나는 빛난다 당신의 이마에서.

Chante! et qu'il te souvienne

De ton premier rayon;

Tu ne me vois qu'à peine,

Mais je brille à ton front.

## 11. 알베르 사맹

릴 출생. 일생 동안 폐결핵을 앓았다. 애수와 고독에 찬 섬세한 작품을 많이 썼다. 제1시집《공주의 정원에서》(1893)가 나왔을 때 코패는 '가을과 황혼의 시인, 고요하면서도 병적인 권태와 고매한 시인'으로 평하여 사맹의 시풍을 정확히 표현했다.《꽃병의 겉면》(1898)이 있고, ▶

### 저녁

여인의 얼굴처럼 부드러운 저녁.
모질고 거친 겨울 위에 피어난 이상한 저녁,
명암에 떠도는 그 그윽함은,
상처 입은 마음에 갈기갈기 우아하게 떨어진다.

천사 같은 초록… 허약한 장미…
멀리 부드러운 모양이 희미해진 개선문,
푸른 서방에 내려오는 밤은
괴로운 신경을 더없이 부드럽게 진정시킨다.

검은 바람과 납빛 안개의 달에
늦가을의 꽃잎들이 떨어진다.
반음계의 맑은 하늘은 그 색상이 죽어간다.

옛날의 향기로운 오래된 건축물을 따라

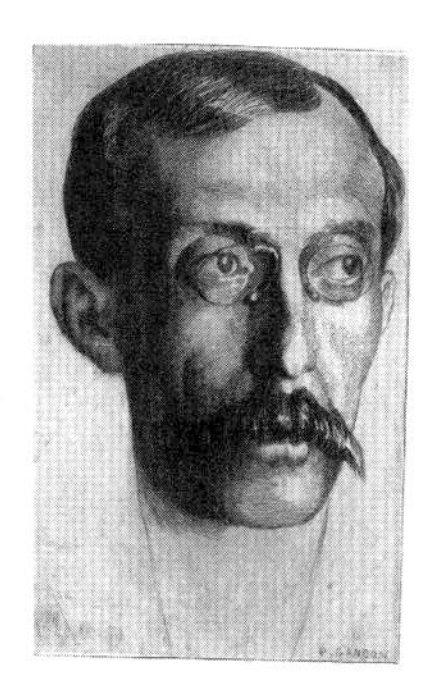

## Albert Samain, 1858-1900

유고 시집으로《황금의 4륜차》가 있으며, 희곡《폴리펨》(1901), 단편집《콩트》(1902) 등이 있다. 보들레르, 드 에레디아, 베를렌의 영향을 많이 받았다.

### Soir

C'est un soir tendre comme un visage de femme.
Un soir étrange, éclos sur l'hiver âpre et dur,
Dont la suavité, flottante au clair-obscur,
Tombe en charpie exquise aux blessures de l'âme.

Des verts angelisés... des roses d'anémie...
L'Arc-de-Triomphe au loin s'estompe velouté,
Et la nuit qui descend à l'Occident bleuté
Verse aux nerfs douloureux la très douce accalmie.

Dans le mois du vent noir et des brouillards plombés
Les pétales du vieil automne sont tombés.
Le beau ciel chromatique agonise sa gamme.

Au long des vieux hôtels parfumés d'autrefois

나는 내 손가락에서 매혹적인 꽃향기를 들이마신다.
여인의 얼굴처럼 부드러운 저녁.

Je respire la fleur enchantée à mes doigts.

C'est un soir tendre comme un visage de femme.

## 저녁 3, 하늘은 황금빛 호수처럼

하늘은 창백한 황금빛 호수처럼 희미해지고.
멀리 인적 없는 들판은 생각에 잠긴 듯,
공백과 정적으로 부푼 하늘엔
밤의 거대한 슬픈 영혼이 넘쳐흐른다.

여기저기 시골 등불이 빛나는 동안,
짝지은 황소들이 길을 따라 돌아온다,
보네를 쓴 두 노부부, 손에 턱을 받치고서,
초가집 문간에서 고요한 저녁을 들이마신다.

종소리 울리는 풍경은 쓸쓸하고
소박하다, 르네상스 전파의 부드러운 그림처럼,
선한 목자가 뛰어노는 흰 양을 데려간다.

별들이 검은 하늘에 눈처럼 내리기 시작하고,
저기, 언덕 꼭대기 위에서 꼼짝도 하지 않고,
꿈을 꾸고 있네, 목자의 고풍스런 실루엣이.

## Soirs III, Le ciel comme un lac d'or...

Le ciel comme un lac d'or pâle s'évanouit,
On dirait que la plaine, au loin déserte, pense;
Et dans l'air élargi de vide et de silence
S'épanche la grande âme triste de la nuit.

Pendant que çà et là brillent d'humbles lumières,
Les grands boeufs accouplés rentrent par les chemins;
Et les vieux en bonnet, le menton sur les mains,
Respirent le soir calme aux portes des chaumières.

Le paysage, où tinte une cloche, est plaintif
Et simple comme un doux tableau de primitif,
Où le Bon Pasteur mène un agneau blanc qui saute.

Les astres au ciel noir commencent à neiger,
Et là-bas, immobile au sommet de la côte,
Rêve la silhouette antique d'un berger.

## 수상 음악水上音樂

오! 교향악을 들어라,
고통처럼 달콤한 것은 없다
미묘한 음악 속에서
멀리 어렴풋이 내보내는,

밤은 우수에 취하고,
밤에서 해방된 우리 마음은
고생스런 단조로운 삶에서
쇠약해진 운명으로 죽어간다.

미끄러 들어가자 하늘과 물결 사이로,
미끄러 들어가자 깊은 달빛 아래로,
내 영혼은 모두, 세상에서 멀리,
그대 두 눈 속으로 숨어버렸네,

그리고 나는 높은 음에서 멍해지는
너의 눈동자를 바라본다,
불가사의한 두 송이 꽃처럼
아름다운 선율 같은 빛 아래서.

오! 교향악을 들어라,
고통처럼 달콤한 것은 없다
하나로 포개진 입술에서
미묘한 음악 속에서…

## Musique sur l'eau

Oh! Écoute la symphonie;
Rien n'est doux comme une agonie
Dans la musique indéfinie
Qu'exhale un lointain vaporeux;

D'une langueur la nuit s'enivre,
Et notre coeur qu'elle délivre
Du monotone effort de vivre
Se meurt d'un trépas langoureux.

Glissons entre le ciel et l'onde,
Glissons sous la lune profonde;
Toute mon âme, loin du monde,
S'est réfugiée en tes yeux,

Et je regarde tes prunelles
Se pâmer sous les chanterelles,
Comme deux fleurs surnaturelles
Sous un rayon mélodieux.

Oh! écoute la symphonie;
Rien n'est doux comme l'agonie
De la lèvre à la lèvre unie
Dans la musique indéfinie...

## 12. 앙리 드 레니에

외교관이 되려고 하였으나 시를 쓰기 시작하였다. 고답파 시인으로 출발하여 말라르메의 화요회에 가담했다. 유연한 시법으로 경쾌하고 빠른 율조의 시를 썼다. 주요작품으로《고풍이며 로마네스크한 시집》▶

### 오들레트

작은 갈대 하나만 있으면 내게는 충분하다
키큰 풀을 떨게 하기 위해서는
모든 목장과
가느다란 버드나무와
같이 노래하는 작은 개울을,
하나의 작은 갈대만 있으면 내게는 충분하다
숲이 노래하게 하기 위해서는.
길가는 사람이 그것을 듣고
한밤중에, 각자의 생각 속에서
침묵 속에서 그리고 바람 속에서
뚜렷하게 또는 희미하게
가까이에서 또는 멀리서……
길가는 사람들은 각자의 생각 속에서
들으면서, 그들 마음속에서,
계속 귀 기울이고 듣는다

# Henri de Régnier, 1864-1936

(1887~1890),《꿈과 같이 》(1892),《물의 도시》(1902), 등이 있다.

## Odelette I

Un petit roseau m'a suffi
Pour faire frémir l'herbe haute
Et tout le pré
Et les doux saules
Et le ruisseau qui chante aussi;
Un petit roseau m'a suffi
À faire chanter la forêt.
Ceux qui passent l'ont entendu
Au fond du soir, en leurs pensées,
Dans le silence et dans le vent,
Clair ou perdu,
Proche ou lointain...
Ceux qui passent en leurs pensées
En écoutant, au fond d'eux-mêmes,
L'entendront encore et l'entendent

언제나 노래한다.

나에게는 충분하다

꺾어 온 이 작은 갈대에서

사랑의 신이 찾아온 우물에서

어느 날,

눈물에 젖은

무거운 얼굴을 비춰준다,

길가는 사람들을 울게 하고

풀을 흔들고 물을 떨게 하기 위해서는,

그리고 나는, 갈대의 숨결에서,

모든 숲을 노래하게 한다.

Toujours qui chante.

Il m'a suffi

De ce petit roseau cueilli

À la fontaine où vint l'Amour

Mirer, un jour,

Sa face grave

Et qui pleurait,

Pour faire pleurer ceux qui passent

Et trembler l'herbe et frémir l'eau;

Et j'ai, du souffle d'un roseau,

Fait chanter toute la forêt.

## 13. 폴 발레리

지중해 연안의 소항 세트에서 세관 검사관의 차남으로 태어났다. 13세 경부터 시를 짓고 문학서적을 탐독. 18세부터 시작에 몰두했고 루이스를 알게 되어 작품을 발표하게 되었다. 지드와 말라르메와 교유하며 짧은 기간 동안 많은 작품을 발표했다. 육군부의 관리가 되었고, ▶

### 해변의 묘지

1

비둘기들이 거닐고 있는, 이 조용한 지붕은,
소나무 사이, 무덤 사이에서 고동친다,
정오인 정의가 여기 불길로 구성되어 있다.
바다, 언제나 다시 시작하는 바다!
신들의 고요 위에 오래 관조하는
오 사색 후에 받는 보답이여!

2

섬세한 섬광의 그 얼마나 순수한 노력이
미세한 거품의 무수한 다이아몬드를 불태우는가,
그리고 얼마나 고요한 평화가 떠오르는 것 같은가!

## Paul Valéry, 1871-1945

결혼 후에는 아바스통신의 사장 에두아르 르베의 개인비서로 일하면서, 사색과 연구에 전념했다. 《젊은 파르크》(1917), 《해변의 묘지》, 《나르시스 단장》 등을 발표했는데 이는 상징시의 한 정점이 되었다. 1925년 아카데미 프랑세즈 회원이 되었다.

## Le Cimetière Marin

I

Ce toit tranquille, où marchent des colombes,
Entre les pins palpite, entre les tombes;
Midi le juste y compose de feux
La mer, la mer, toujours recommencée!
O récompense après une pensée
Qu'un long regard sur le calme des dieux!

II

Quel pur travail de fins éclairs consume
Maint diamant d'imperceptible écume,
Et quelle paix semble se concevoir!

심연 위에 태양이 쉬고 있을 때,
만고불변의 원리의 순수한 작품들,
시간은 반짝이고 꿈은 앎이다.

3

견고한 보배, 미네르바의 소박한 신전,
고요의 덩어리, 눈에 보이는 저장고,
빈틈없는 물, 불꽃의 베일 아래
그렇게 많은 잠을 너에게 간직한 눈,
오 나의 침묵! 영혼 속의 건축물,
허나 수많은 기와로 된 황금의 꼭대기, 지붕!

4

단 한번의 숨결로 요약되는, 시간의 신전,
이렇게 순수한 경지에 나는 올라가고 익숙해진다,
바닷가를 보는 내 시선에 온통 둘러싸여,
그리고 신들에게 바치는 나의 최고의 공물로서,
차분한 반짝임을 뿌린다
고도 위에 최고의 경멸을.

Quand sur l'abîme un soleil se repose,
Ouvrages purs d'une éternelle cause,
Le Temps scintille et le Songe est savoir.

III

Stable trésor, temple simple à Minerve,
Masse de calme, et visible réserve,
Eau sourcilleuse, Œil qui gardes en toi
Tant de sommeil sous un voile de flamme,
O mon silence!... Edifice dans l'âme,
Mais comble d'or aux mille tuiles, Toit!

IV

Temple du Temps, qu'un seul soupir résume,
A ce point pur je monte et m'accoutume,
Tout entouré de mon regard marin;
Et comme aux dieux mon offrande suprême,
La scintillation sereine sème
Sur l'altitude un dédain souverain.

5

기쁨으로 녹아가는 과일처럼,
그 형태가 사라지는 어느 입속에서
과일이 없어져 바뀌는 희열에서처럼,
나는 여기 나의 미래의 연기를 들이마시고,
그리고 하늘은 타 없어진 영혼에 노래한다
떠들썩한 바닷가의 변화를.

6

아름다운 하늘, 참다운 하늘이여, 변화하는 나를 지켜보라!
그 많은 자만 후에, 그렇게도 이상한
그러나 힘이 넘치는 무위 후에,
나는 이 빛나는 공간에 나 자신을 맡긴다,
사자들의 집들 위로 내 그림자는 지나가고
그 연약한 움직임에 나를 길들인다.

7

햇불 끝에 노출된 영혼이여,
나는 너를 응시한다, 무자비한 화살을 가진

V

Comme le fruit se fond en jouissance,
Comme en délice il change son absence
Dans une bouche où sa forme se meurt,
Je hume ici ma future fumée,
Et le ciel chante à l'âme consumée
Le changement des rives en rumeur.

VI

Beau ciel, vrai ciel, regarde-moi qui change!
Après tant d'orgueil, après tant d'étrange
Oisiveté, mais pleine de pouvoir,
Je m'abandonne à ce brillant espace,
Sur les maisons des morts mon ombre passe
Qui m'apprivoise à son frêle mouvoir.

VII

L'âme exposée aux torches du solstice,
Je te soutiens, admirable justice

빛의 경이로운 정의를!
너의 처음의 장소에 너를 순순히 보내준다.
너를 바라보라… 그러나 빛을 돌려주는 것은
그림자의 절반을 전제하는 것.

8

오 나만을 위하여, 나에게만, 나 자신 속에,
마음의 옆에, 시의 원천에서,
허공과 순수한 사건 사이에서,
나는 나의 내부의 위대함의 메아리를 기다린다,
쓰디쓰고, 캄캄하고, 울리는 저수지,
영혼 속에서 언제나 미래의 공허함을 울리면서.

9

너는 아는가, 나뭇잎들의 가짜 포로여,
이 앙상한 철책을 갉아먹는 만이여,
나의 감은 눈 위에, 눈부신 비밀들이여,
어떤 육체가 그의 게으른 종말로 나를 끌어당기는가를,
어떤 이마가 이 뼈가 드러난 땅으로 그것을 이끄는가를?
한 가닥 불꽃이 그곳에서 나의 사자들을 생각한다.

De la lumière aux armes sans pitié!
Je te rends pure à ta place première:
Regarde-toi!... Mais rendre la lumière
Suppose d'ombre une moitié.

VIII

O pour moi seul, à moi seul, en moi-même,
Auprès d'un cœur, aux sources du poème,
Entre le vide et l'événement pur,
J'attends l'écho de ma grandeur interne,
Amère, sombre et sonore citerne,
Sonnant dans l'âme un creux toujours futur.

IX

Sais-tu, fausse captive des feuillages,
Golfe mangeur de ces maigres grillages,
Sur mes yeux clos, secrets éblouissants,
Quel corps me traîne à sa fin paresseuse,
Quel front l'attire à cette terre osseuse?
Une étincelle y pense à mes absents.

10

닫혀있고, 성스럽고, 물질 없는 불로 가득 찬,
빛에 바쳐진 대지의 한 조각,
이 장소가 마음에 든다, 횃불에 지배되고,
황금과 돌과 침침한 나무들로 이루어진 곳,
그렇게 많은 대리석이 그렇게 많은 그림자 위에 떨리는 곳,
충실한 바다는 거기 내 무덤들 위에서 자고 있다!

11

찬란한 암캐여, 우상 숭배자를 멀리하라!
목동의 미소를 띠우는 은둔자일 때,
나는 오랫동안, 신비한 양들을,
내 고요한 무덤의 흰 양떼를 치고 있다,
그들로부터 멀리하라 조심스런 비둘기들을,
헛된 꿈들을, 호기심 많은 천사들을!

12

이곳에 오면, 미래는 무기력해진다.
청결한 곤충들은 건조함을 긁어낸다,

X

Fermé, sacré, plein d'un feu sans matière,
Fragment terrestre offert à la lumière,
Ce lieu me plaît, dominé de flambeaux,
Composé d'or, de pierre et d'arbres sombres,
Où tant de marbre est tremblant sur tant d'ombres;
La mer fidèle y dort sur mes tombeaux!

XI

Chienne splendide, écarte l'idolâtre!
Quand solitaire au sourire de pâtre,
Je pais longtemps, moutons mystérieux,
Le blanc troupeau de mes tranquilles tombes,
Éloignes-en les prudentes colombes,
Les songes vains, les anges curieux!

XII

Ici venu, l'avenir est paresse.
L'insecte net gratte la sécheresse;

모든 것이 불타고, 해체되어, 공기 속에서 흡수된다
내가 알지 못하는 가혹한 본질에서…
인생은 광대하다, 부재에 취하면서,
그리고 쓰라림은 감미롭고, 정신은 맑다.

13

숨겨진 사자들은 이 대지에서 평안하다
그들을 덥혀주고 그들의 신비를 말려주는 그곳에서.
저 높이 떠있는 정오, 부동의 정오
자신 속에서 스스로 사고하고 자기 자신에게 어울리는…
완전한 머리와 완벽한 왕관이여,
나는 너의 내부의 은밀한 변화.

14

너의 근심들을 격퇴하는 자는 오로지 나뿐!
나의 참회, 나의 회의, 나의 속박은
너의 위대한 다이아몬드의 결함이다…
그러나 대리석의 무겁게 짓눌린 그들의 밤 안에서,
나무뿌리에 있는 어렴풋한 사람들이
벌써 천천히 너를 받아들였다.

Tout est brûlé, défait, reçu dans l'air
A je ne sais quelle sévère essence...
La vie est vaste, étant ivre d'absence,
Et l'amertume est douce, et l'esprit clair.

XIII

Les morts cachés sont bien dans cette terre
Qui les réchauffe et sèche leur mystère.
Midi là-haut, Midi sans mouvement
En soi se pense et convient à soi-même...
Tête complète et parfait diadème,
Je suis en toi le secret changement.

XIV

Tu n'as que moi pour contenir tes craintes!
Mes repentirs, mes doutes, mes contraintes
Sont le défaut de ton grand diamant...
Mais dans leur nuit toute lourde de marbres,
Un peuple vague aux racines des arbres
A pris déjà ton parti lentement.

15

사자들은 두터운 부재 속에 녹아들었고,
붉은 진흙은 백색 종족을 삼켜버렸고,
생명의 선물은 꽃들 속으로 가버렸다!
어디에 있는가 사자들의 그 친밀한 문장들은,
독자적인 예술, 독특한 영혼들은?
눈물이 생겨난 그곳에는 애벌레가 우글거린다.

16

간지럼 타는 소녀들의 찢어지는 비명소리,
눈, 이빨, 젖은 눈꺼풀,
불장난을 하고 있는 매혹적인 젖가슴,
돌려주는 입술에 반짝이는 피,
마지막 선물들, 그것들을 방어하는 손가락들,
모두 대지 속으로 들어가고 유희 속으로 되돌아간다!

17

그리고 당신, 위대한 영혼이여, 당신은 바라는가
더 이상 이 거짓의 색채를 가지지 못하는 꿈을

XV

Ils ont fondu dans une absence épaisse,
L'argile rouge a bu la blanche espèce,
Le don de vivre a passé dans les fleurs!
Où sont des morts les phrases familières,
L'art personnel, les âmes singulières?
La larve file où se formaient des pleurs.

XVI

Les cris aigus des filles chatouillées,
Les yeux, les dents, les paupières mouillées,
Le sein charmant qui joue avec le feu,
Le sang qui brille aux lèvres qui se rendent,
Les derniers dons, les doigts qui les défendent.
Tout va sous terre et rentre dans le jeu!

XVII

Et vous, grande âme, espérez-vous un songe
Qui n'aura plus ces couleurs de mensonge

육체의 눈에, 여기서 파도와 황금이 만들어 주는?
당신은 노래할 건가 증발해 없어질 때도?
가버려라! 모든 것은 사라진다! 나의 존재는 구멍이 나고,
성스러운 초조함 또한 죽어간다!

18

검고 황금빛의 여윈 불멸이여,
죽음에서 어머니의 젖가슴을 만드는,
월계수로 끔찍하게 장식한 위안자여,
아름다운 거짓말과 경건한 속임수여!
그 누가 모르고, 그 누가 거절하지 않으랴,
이 텅 빈 두개골과 이 영원한 웃음을!

19

깊은 곳에 묻힌 조상들이여, 주인 없는 머리들이여,
그 많은 삽질의 무게 아래서,
대지가 되고 우리들의 발걸음을 혼동케 하는,
정말 파먹는 자, 부인할 수 없는 구더기는
석판 아래서 잠들어 있는 당신을 위한 것이 아니다,
구더기는 생명을 먹고 산다, 나를 떠나지 않는다!

Qu'aux yeux de chair l'onde et l'or font ici?
Chanterez-vous quand serez vaporeuse?
Alle! Tout fuit! Ma présence est poreuse,
La sainte impatience meurt aussi!

XVIII

Maigre immortalité noire et dorée,
Consolatrice affreusement laurée,
Qui de la mort fais un sein maternel,
Le beau mensonge et la pieuse ruse!
Qui ne connaît, et qui ne les refuse,
Ce crâne vide et ce rire éternel!

XIX

Pères profonds, têtes inhabitées,
Qui sous le poids de tant de pelletées,
Êtes la terre et confondez nos pas,
Le vrai rongeur, le ver irréfutable
N'est point pour vous qui dormez sous la table,
Il vit de vie, il ne me quitte pas!

20

자기애일까 혹은 나 자신에 대한 증오심일까?
구더기의 비밀스런 이빨이 내게 아주 가까이 있어
그 어떤 이름이라도 그에게 어울릴 수 있으리!
상관없어! 그는 보고, 원하고, 꿈꾸고, 만지네!
내 살을 그가 좋아해, 나는 침대에서까지,
이 생명체에 소속되어 살아간다!

21

제논! 잔인한 제논! 엘레아의 제논이여!
너는 이 날개 달린 화살로 나를 꿰뚫었구나
진동하고, 날며, 그리고 날지 않는 화살로!
그 소리는 나를 출산하고 화살은 나를 죽인다!
아! 태양이여… 이 무슨 거북의 그림자인가
영혼에게, 큰 걸음으로 움직이지 않는 아킬레스!

22

아니, 아니다!… 일어나라! 계속되는 시대 속에!
부숴라, 나의 육체여, 사고하는 이 형체를!

XX

Amour, peut-être, ou de moi-même haine?
Sa dent secrète est de moi si prochaine
Que tous les noms lui peuvent convenir!
Qu'importe! Il voit, il veut, il songe, il touche!
Ma chair lui plaît, et jusque sur ma couche,
A ce vivant je vis d'appartenir!

XXI

Zenon! Cruel Zenon! Zenon d'Élée!
M'as-tu percé de cette flèche ailée
Qui vibre, vole, et qui ne vole pas!
Le son m'enfante et la flèche me tue!
Ah! le soleil... Quelle ombre de tortue
Pour l'âme, Achille immobile à grands pas!

XXII

Non, non!... Debout! Dans l'ère successive!
Brisez, mon corps, cette forme pensive!

마셔라, 내 가슴이여, 탄생하는 바람을!
바다에서 발산하는, 서늘함이,
나에게 내 영혼을 되돌려준다… 오 짭짤한 힘이여!
파도로 달려가서 거기서 생기 있게 다시 솟아오르자.

23

그래! 착란을 타고난 위대한 바다여,
표범 가죽 그리고 태양의 무수한
우상들로 구멍 난 그리스 망토여,
침묵과 흡사한 소란 속에서,
반짝이는 너의 꼬리를 다시 물고 있는
너의 푸른 살에 취한, 맹목인 히드라여!

24

바람이 분다!… 살려고 해야 한다!
거대한 대기는 나의 책을 열고 그리고 닫는다,
가루가 된 파도는 바위에서 솟구친다!
날아가거라, 아주 눈부신 책장들이여!
부숴라, 파도여! 유쾌한 물살로 부셔버려라
돛단배들이 모이 쪼았던 이 조용한 지붕을!

Buvez, mon sein, la naissance du vent!
Une fraîcheur, de la mer exhalée,
Me rend mon âme... O puissance salée!
Courons à l'onde en rejaillir vivant!

XXIII

Oui! Grande mer de délires douée,
Peau de panthère et chlamyde trouée
De mille et mille idoles du soleil,
Hydre absolue, ivre de ta chair bleue,
Qui te remords l'étincelante queue
Dans un tumulte au silence pareil,

XXIV

Le vent se lève!... Il faut tenter de vivre!
L'air immense ouvre et referme mon livre,
La vague en poudre ose jaillir des rocs!
Envolez-vous, pages tout éblouies!
Rompez, vagues! Rompez d'eaux réjouies
Ce toit tranquille où picoraient des focs!

## 잠든 여인

루시앙 파브르에게

무슨 비밀을 내 가슴 속에 태우는가 내 젊은 여인은?
영혼은 부드러운 가면으로 꽃향기를 호흡하며,
무슨 헛된 양식으로 그녀의 순진한 열기는
잠든 여인의 즐거운 표정을 만드는 것일까?

순결, 꿈, 침묵 물리칠 수 없는 고요,
너는 승리한다, 오 눈물보다 더 강한 평화여,
이 깊은 잠의 묵중한 물결과 충만이
이와 같은 적의 가슴 위에서 음모를 꾀할 때,

그늘과 포기의 황금 덩어리, 잠든 여인이여,
너의 가공할 휴식은 이러한 선물로 가득 차 있다,
오 포도송이 곁에 길게 누워 있는 맥없는 암사슴이여.

지옥에서 떨어져, 영혼이 없는데도 불구하고,
미끈한 팔이 감싼 순수한 배를 가진 너의 모습은,
깨어있다, 너의 모습은 깨어있다, 그리고 내 두 눈은 열려있다.

## La dormeuse

A Lucien Fabre.

Quels secrets dans mon coeur brûle ma jeune amie,
Âme par le doux masque aspirant une fleur?
De quels vains aliments sa naïve chaleur
Fait ce rayonnement d'une femme endormie?

Souffles, songes, silence, invincible accalmie,
Tu triomphes, ô paix plus puissante qu'un pleur,
Quand de ce plein sommeil l'onde grave et l'ampleur
Conspirent sur le sein d'une telle ennemie.

Dormeuse, amas doré d'ombres et d'abandons,
Ton repos redoutable est chargé de tels dons,
Ô biche avec langueur longue auprès d'une grappe,

Que malgré l'âme absente, occupée aux enfers,
Ta forme au ventre pur qu'un bras fluide drape,
Veille; ta forme veille, et mes yeux sont ouverts.

## 시

놀라움에 사로잡혀,
시의 젖가슴을
빨고 있던 입이
입술을 거기서 뗀다.

오 내 어머니 지성이여,
부드러움을 흘러보내던
젖이 마르도록 내버려두는
이 무슨 태만입니까?

겨우 너의 가슴 위에,
흰 포승줄을 받자마자,
바다물결이 나를 흔들었다
재물로 가득 찬 너의 마음의,

겨우, 너의 어두운 하늘에서,
너의 아름다움에 다가들자마자,
나는 느꼈다, 그림자를 마시면서,
나를 덮쳐오는 밝음을!

자신의 본질 속으로 사라진 신이여,
그리고 기분 좋게
유순하게 지고의
안정을 알고 있다.

## Poesie

Par la surprise saisie,
Une bouche qui buvait
Au sein de la Poésie
En sépare son duvet:

-Ô ma mère Intelligence,
De qui la douceur coulait
Quelle est cette négligence
Qui laisse tarir son lait?

À peine sur ta poitrine,
Accablé de blancs liens,
Me berçait l'onde marine
De ton coeur chargé de biens;

À peine, dans ton ciel sombre,
Abattu sur ta beauté,
Je sentais, à boire l'ombre,
M'envahir une clarté!

Dieu perdu dans son essence,
Et délicieusement
Docile à la connaissance
Du suprême apaisement,

나는 순수한 밤에 닿았다,
이제는 죽을 수도 없었다,
끊어지지 않은 강이
나를 달리게 하는 것 같기에 …

말하라, 그 어떤 헛된 두려움에서,
그 어떤 원한의 그림자에서,
이 경이로운 정맥이
내 입술에서 끊어졌는가를?

오 엄격함이여, 너는 나에게 징조이다
나의 영혼에 내가 마음에 들지 않는다는!
백조처럼 비상하는 침묵은
우리 사이에 더는 유지되지 않는다!

불멸의, 너의 눈꺼풀은
나에게 나의 보물을 거절하게 한다,
그리고 살은 돌이 되었다
나의 육체 아래서 부드러웠던!

하늘마저도 너는 나를 떼어놓는다,
이 무슨 부당한 보복인가?
나의 입술 없이는 너는 무엇이란 말이냐?
사랑 없이는 나는 무엇이란 말이냐?

Je touchais à la nuit pure,
Je ne savais plus mourir,
Car un fleuve sans coupure
Me semblait me parcourir...

Dis, par quelle crainte vaine,
Par quelle ombre de dépit,
Cette merveilleuse veine
À mes lèvres se rompit?

Ô rigueur, tu m'es un signe
Qu'à mon âme je déplus!
Le silence au vol de cygne
Entre nous ne règne plus!

Immortelle, ta paupière
Me refuse mes trésors,
Et la chair s'est faite pierre
Qui fut tendre sous mon corps!

Des cieux même tu me sèvres,
Par quel injuste retour?
Que seras-tu sans mes lèvres?
Que serai-je sans amour?

그러나 흐르다 멈춘 샘은
엄하지 않게 그에게 대답한다.
너무 세게 당신이 나를 물어뜯어
내 가슴을 멈춰버렸어요!

Mais la Source suspendue

Lui répond sans dureté:

-Si fort vous m'avez mordue

Que mon coeur s'est arrêté!

## 나르시스는 말한다

나르시스의 혼을 위로하기 위해서

오 형제들이여! 슬픈 백합들이여, 나는 아름다움에 대해 괴로워한다
너희들의 벌거벗은 상태 속에서 나를 원했기 때문에,
그리고 당신에게로, 요정이여, 요정이여, 오 샘의 요정이여,
순수한 침묵 속에 내 헛된 눈물을 바치러 온다.

크나큰 정적이 내 말에 귀 기울이면, 거기서 나는 희망의 소리를 듣는다.
샘물의 소리는 바뀌고 나에게 저녁에 대해 말해준다,
나는 은빛 풀이 성스러운 그림자 안에서 자라는 것을 듣는다,
그리고 믿을 수 없는 달은 그의 거울을 들어올린다
빛을 잃은 샘의 비밀 안에까지.

그리고 나는! 내 마음을 다해서 이 갈대에 몸을 던지고,
나는 괴로워한다, 오 사파이어여, 나의 슬픈 아름다움 때문에!
나는 이제 마법의 물밖에 사랑할 수 없다
내가 웃음과 옛날의 장미를 잊어버렸던 곳.

너의 숙명적이고 순수한 반짝임을 나는 얼마나 탄식했는지,
그렇게 부드럽게 나에게 둘러싸인 샘,
필멸의 창공 속에서 내 눈을 가져오는 곳
물기 있고 빛나는 꽃들에 대한 나의 이미지!

오호! 모습은 헛되고 눈물은 영원하다!
푸른 숲과 우애로운 팔 저쪽에,

## Narcisse Parle

Narcissiae placandis manibus.

Ô frères! tristes lys, je languis de beauté
Pour m'être désiré dans votre nudité,
Et vers vous, Nymphe, Nymphe, ô Nymphe des fontaines,
Je viens au pur silence offrir mes lames vaines.

Un grand calme m'écoute, où j'écoute l'espoir.
La voix des sources change et me parle du soir;
J'entends l'herbe d'argent grandir dans l'ombre sainte,
Et la lune perfide élève son miroir
Jusque dans les secrets de la fontaine éteinte.

Et moi! De tout mon coeur dans ces roseaux jeté,
Je languis, ô saphir, par ma triste beauté!
Je ne sais plus aimer que l'eau magicienne
Où j'oubliai le rire et la rose ancienne.

Que je déplore ton éclat fatal et pur,
Si mollement de moi fontaine environnée,
Où puisèrent mes yeux dans un mortel azur
Mon image de fleurs humides couronnée!

Hélas! L'image est vaine et les pleurs éternels!
À travers les bois bleus et les bras fraternels,

알 수 없는 시간의 부드러운 빛이 존재한다,
그리고 남은 빛이, 슬픈 물이 나를 유혹하는
창백한 곳에서 나를 벌거벗은 약혼자로 만든다…
매혹적이고 싸늘한, 감미로운 악마여!

여기 물속에 달과 장미로 된 나의 살이 있다,
나의 눈 반대편에 있는 온순한 형태여!
여기 움직임이 순수한 나의 은빛 팔이 있다!…
그러나 근사한 황금 안에서 나의 느린 손은 지쳐간다
나뭇잎들이 감싸고 있는 이 포로를 부르는데,
그리고 나는 암울한 신들의 이름을 에코에게 소리친다!…

잘 있어라, 조용히 닫힌 물결 위로 사라진 그림자여,
나르시스여 … 그 이름마저 감미로운 향기이다
부드러운 마음에는. 사자의 망령에서 뜯어내라
이 빈 무덤 위에서 장례의 장미를.

내 입술이여, 입맞춤을 떨어뜨리는 장미가 되어라
사랑하는 유령을 천천히 달랠 수 있도록,
밤은 가까이서 그리고 멀리서, 낮은 목소리로 말한다,
그림자와 가벼운 졸음으로 가득 찬 꽃받침에게.
그러나 달은 늘어진 도금양을 즐기고 있다.

이 도금양 아래서, 나는 너를 찬양한다, 오

Une tendre lueur d'heure ambiguë existe,
Et d'un reste du jour me forme un fiancé
Nu, sur la place pâle où m'attire l'eau triste...
Délicieux démon, désirable et glacé!

Voici dans l'eau ma chair de lune et de rosée,
Ô forme obéissante à mes yeux opposée!
Voici mes bras d'argent dont les gestes sont purs!...
Mes lentes mains dans l'or adorable se lassent
D'appeler ce captif que les feuilles enlacent,
Et je crie aux échos les noms des dieux obscurs!...

Adieu, reflet perdu sur l'onde calme et close,
Narcisse... ce nom même est un tendre parfum
Au coeur suave. Effeuille aux mânes du défunt
Sur ce vide tombeau la funérale rose.

Sois, ma lèvre, la rose effeuillant le baiser
Qui fasse un spectre cher lentement s'apaiser,
Car la nuit parle à demi-voix, proche et lointaine,
Aux calices pleins d'ombre et de sommeils légers.
Mais la lune s'amuse aux myrtes allongés.

Je t'adore, sous ces myrtes, ô l'incertaine

고독 때문에 쓸쓸하게 꽃피는 모호한 육체여
잠자는 너의 거울 속에 자신을 비춰본다.
나는 너의 부드러운 면전에서 벗어나려 해도 소용없다,
거짓말쟁이 시간도 이끼 위에서는 사지가 부드럽다
그리고 불길한 환희에서 심오한 바람이 분다.

잘있거라 나르시스여… 죽어라! 여기 황혼이 있다.
내 마음의 한숨에서 나의 모습은 출렁거린다,
숨어버린 창공을 따라 사라져 가는 피리 소리
가축들의 후회 소리는 사라져 간다.
그러나 별들이 불붙는 지독한 추위 위에,
완만한 무덤이 안개로 이루어지기 전에,
치명적인 물의 정적을 깨뜨리는 이 입맞춤을 받아라.
희망만이 이 수정을 부숴버릴 수 있다.
잔물결이여 나를 추방하는 숨결로 나의 마음을 빼앗아라
그리고 나의 숨결이 섬세한 피리 소리에 생기를 준다
그러면 가벼운 연주자는 나에게 관대할 것이다!…

사라져라, 탁해진 여신이여!
그리고, 너는, 달에게 부어라, 고립된 소박한 피리여,
우리의 다양한 은빛 눈물을.

Chair pour la solitude éclose tristement
Qui se mire dans le miroir au bois dormant.
Je me délie en vain de ta présence douce,
L'heure menteuse est molle aux membres sur la mousse
Et d'un sombre délice enfle le vent profond.

Adieu, Narcisse... Meurs! Voici le crépuscule.
Au soupir de mon coeur mon apparence ondule,
La flûte, par l'azur enseveli module
Des regrets de troupeaux sonores qui s'en vont.
Mais sur le froid mortel où l'étoile s'allume,
Avant qu'un lent tombeau ne se forme de brume,
Tiens ce baiser qui brise un calme d'eau fatal!
L'espoir seul peut suffire à rompre ce cristal.
La ride me ravisse au souffle qui m'exile
Et que mon souffle anime une flûte gracile
Dont le joueur léger me serait indulgent!...

Évanouissez-vous, divinité troublée!
Et, toi, verse à la lune, humble flûte isolée,
Une diversité de nos larmes d'argent.

# 석류

너희들의 알들이 너무 넘쳐나서
반쯤 벌어진 단단한 석류들이여,
자기의 발견에 파열된
고매한 이마를 보는 듯하다!

너희들이 감내한 태양빛,
오, 살며시 입을 벌린 석류들이여
자만심으로 너희들을 일하게 하여
홍옥의 장벽을 찢어지게 해도,

그리고 황금빛 메마른 껍질이
어떤 힘의 요구에 따라
과즙의 붉은 보석으로 찢긴다 해도,

이 빛나는 파열은
내가 가졌던 어느 영혼의
은밀한 구조를 꿈꾸게 한다.

## Les Grenades

Dures grenades entr'ouvertes
Cédant à l'excès de vos grains,
Je crois voir des fronts souverains
Éclatés de leurs découvertes!

Si les soleils par vous subis,
Ô grenades entre-bâillées
Vous ont fait d'orgueil travaillées
Craquer les cloisons de rubis,

Et que si l'or sec de l'écorce
À la demande d'une force
Crève en gemmes rouges de jus,

Cette lumineuse rupture
Fait rêver une âme que j'eus
De sa secrète architecture.

## 꿀벌

프랑시스 드 미오망드르에게

아무리 네 침이 예리하고
치명적일지라도, 금빛 꿀벌이여,
내 부드러운 바구니는,
꿈처럼 엷은 레이스를 둘렀을 뿐.

찔러라 아름다운 표주박 가슴을,
그 위에서 「사랑」은 죽거나 잠든다,
진홍빛 나 자신의 조금만이라도,
둥글고 순응치 않는 살결에 닿도록!

나는 신속한 고통이 정말 필요하다.
생생하고 제대로 끝이 난 아픔은
잠자는 형벌보다 훨씬 낫다!

그러니 나의 감각이 이 미세한
황금빛 인고에 의해 끼어나기를
이것 없다면 「사랑」은 죽었거나 잠든 거다!

## L'abeille

A Francis De Miomandre.

Quelle, et si fine, et si mortelle,
Que soit ta pointe, blonde abeille,
Je n'ai, sur ma tendre corbeille,
Jeté qu'un songe de dentelle.

Pique du sein la gourde belle,
Sur qui l'Amour meurt ou sommeille,
Qu'un peu de moi-même vermeille,
Vienne à la chair ronde et rebelle!

J'ai grand besoin d'un prompt tourment:
Un mal vif et bien terminé
Vaut mieux qu'un supplice dormant!

Soit donc mon sens illuminé
Par cette infime alerte d'or
Sans qui l'Amour meurt ou s'endort!

## 잃어버린 포도주

나는 어느 날 대양 속에,
(그러나 어느 하늘 아래인지 이미 잊어버렸지만)
부었다, 무에 바치는 공물로서,
귀중한 포도주 아주 조금을…

누가 너의 멸망을 바랐을까, 오 술이여?
내가 어쩌면 예언가에게 순종한 것일까?
어쩌면 나의 마음의 근심에,
피를 상상하며, 포도주를 따르면서,

언제나 투명한 물은
장미빛 연기가 있은 후에
꼭같이 순수한 바다를 회복한다…

이 포도주가 사라지고, 파도는 취했다!
나는 보았다 쓰라린 하늘에서
가장 깊은 형체들이 뛰어오르고 있는 것을…

## Le vin perdu

J'ai, quelque jour, dans l'Océan,
(Mais je ne sais plus sous quels cieux)
Jet, comme offrande au néant,
Tout un peu de vin précieux...

Qui voulut ta perte, ô liqueur?
J'obéis peut-être au devin?
Peut-être au souci de mon coeur,
Songeant au sang, versant le vin?

Sa transparence accoutumée
Après une rose fumée
Reprit aussi pure la mer...

Perdu ce vin, ivres les ondes!
J'ai vu bondir dans l'air amer
Les figures les plus profondes

## 바람의 요정

보이지도 알려지지도 않는
나는 향기다
바람에 실려 와
살았다 죽었다가!

보이지도 알려지지도 않는,
우연인가 정령인가?
겨우 와서
임무는 끝난다!

읽히지도 이해되지도 않는다고?
가장 나은 정신들에도
이 무슨 예고된 오류들이!

보이지도 알려지지도 않는,
두 셔츠 사이에
맨 가슴의 시간!

## Le Sylphe

Ni vu ni connu
Je suis le parfum
Vivant et défunt
Dans le vent venu!

Ni vu ni connu,
Hasard ou génie?
A peine venu
La tâche est finie!

Ni lu ni compris?
Aux meilleurs esprits
Que d'erreurs promises!

Ni vu ni connu,
Le temps d'un sein nu
Entre deux chemises!

7

# 모데르니슴 시 1

(모데르니슴, 자연주의, 신고전파)

고답파의 주제에 빚을 지고 있는 자연주의 시는 감정을 다룸에 있어서도 객관성을 투영하고 감정 이면의 생의 본질을 다루려는 경향을 띈다. 신고전파도 상징과 기교에 쏠린 상징주의에 반하여 소박한 고전적 정서를 견지하려는 추세를 보인다.

## 1. 트리스탕 코르비에르

본명은 에두아르 조아생 코르비에르. 브르타뉴의 모를레 출생. 해양소설가 E. 코르비에르의 아들이다. 병약하여 중학교를 중퇴하고 요양지인 로스코프에서 살았다. 화가가 되려고 했지만 뜻을 이루지 못했다. 파리에 와서,《파리 생활》(1873)을 기고하고, 같은 해 시집 ▶

### 두꺼비

황색의 사랑에서 발췌

바람 한 점 없는 한밤에 노랫소리…
- 달빛은 은을 입힌다
들쑥날쑥한 검푸른 잎사귀에.

… 노랫소리, 메아리처럼, 너무나 생생하게
저기, 돌담 밑에, 묻혀 있다.
- 조용해졌다. 가보자, 저기 그늘 안으로…

- 두꺼비 한 마리! 왜 이렇게 무서워 해,
너의 충직한 병사인 내 옆에서!
이 놈 봐! 머리를 짧게 깎은 날개 없는 시인,
진흙 속의 나이팅게일… - 무서워!-

두꺼비는 노래한다. -무서워!! -왜 무서워?
너는 이 놈의 번득이는 눈을 보지 못했니…

## Tristan Corbière, 1845-75

《황색의 사랑》을 자비로 출판하였지만 인정받지 못하고 30세로 요절했다. 상징적 풍토 속에서 자연을 노래한 시인으로 라포르그에 영향을 주었다.

### Le crapaud

Extrait de: Les Amours jaunes

Un chant dans une nuit sans air…
– La lune plaque en métal clair
Les découpures du vert sombre.

… Un chant; comme un écho, tout vif
Enterré, là, sous le massif…
– Ça se tait: Viens, c'est là, dans l'ombre…

– Un crapaud! – Pourquoi cette peur,
Près de moi, ton soldat fidèle!
Vois-le, poète tondu, sans aile,
Rossignol de la boue… – Horreur! –

… Il chante. – Horreur!! – Horreur pourquoi?
Vois-tu pas son œil de lumière…

아니, 그는 쌀쌀하게 돌 밑으로 가버린다.
[……]
잘 가! 저 두꺼비가 바로 나다

Non: il s'en va, froid, sous sa pierre.

.........

Bonsoir – ce crapaud-là c'est moi.

## 2. 조리 카를 위스망

파리 출생. 자연주의 작가로 데뷔했으며 평생 관리생활을 했다. 초기에는 소시민 생활의 평범하고 비참한 단면을 사실적으로 그렸다. 졸라의 자연주의에 동조하고 실재주의 문학을 표방하여《마르타》(1876),《바타르 자매》(1879)를 썼다. 자연주의의 편협성에서 한계를 느껴 일상생활을 떠나 심미적이며 신비적인 체험에서 출구를 찾으 ▶

### 황홀

밤이 되어, 달은 지평선에 떠올랐고, 하늘의 푸른 포석 위에
유황색 옷을 펼치고 있었다. 나는 나의 연인 옆에 앉아 있었다,
오! 바로 곁에! 나는 그녀의 손을 잡았고, 그 목에서 나오는
미지근한 향기, 그 입에서 취하는 숨결을 들이마시고 있었다.
그녀의 어깨에 기대고, 나는 울고 싶었다. 황홀감으로 가슴이
떨렸고, 미칠 것만 같았다. 내 영혼은 무한한 바다 위로 날아갔다.

갑자기 연인이 일어나, 손을 빼고 숲속으로 사라졌다.
나는 나뭇잎에 비가 뚝뚝 떨어지는 소리를 들었다.

달콤한 꿈은 사라져버렸다… 나는 지상으로 돌아왔다.
역겨운 지상으로. 아 신이시여! 그런데 그건 사실이었다.

## Joris Karl Huysmans, 1848-1907

려고 했다. 《거꾸로》(1884)를 쓴 이후부터 그의 독특한 작품세계가 형성되었다. 트라피스트 수도원을 방문하고 가톨릭 신앙으로 개종한 후 《앞으로》(1895), 《대성당》(1898) 등의 저서를 남겼다. 열렬한 가톨릭 신자로 종교예술, 종교 예식, 종교적 신비에 많은 관심을 보이고 상징적이고 초월적 환상세계를 구현했다.

## L'extase

La nuit était venue, la lune émergeait de l'horizon, étalant sur le pavé bleu du ciel sa robe couleur soufre. J'étais assis près de ma bien-aimée, oh! bien près! Je serrais ses mains, j'aspirais la tiède senteur de son cou, le souffle enivrant de sa bouche, je me serrais contre son épaule, j'avais envie de pleurer; l'extase me tenait palpitant, éperdu, mon âme volait à tire d'aile sur la mer de l'infini.

Tout à coup elle se leva, dégagea sa main, disparut dans la charmoie, et j'entendis comme un crépitement de pluie dans la feuillée.

Le rêve délicieux s'évanouit...; je retombais sur la terre, sur l'ignoble terre. O mon Dieu! c'était donc vrai, elle,

신과도 같은 그 여인, 그녀도 다른 사람들처럼,
세속적인 욕망의 노예였다.

la divine aimée, elle était, comme les autres, l'esclave de vulgaires besoins!

## 3. 에밀 베르하렌

벨기에계 시인, 극작가. 한때 변호사를 하기도 했지만 시작에 전념한다. 1883년 자연주의적인 첫 번째 시집《플랑드르 사람들》(1883) 발표 후 차츰 작품을 발표한다. 보리밭과 풍차의 고향풍경을 노래하다가,《환각의 들》(1893),《확장되는 도시》(1895)에 이르러서는 근대공업의 동력인 돈이 무자비하게 평화로운 들을 좀먹는 농촌을 한탄하 ▶

### 당신은 내게 말했지, 너무도 아름다운 말을

당신은 내게 말했지, 어느 날 저녁, 너무나도 아름다운 말을
그래선지 우리에게 몸을 기울이던 꽃들이
갑자기 우리를 사랑하는 듯 그 중 한 송이가,
우리 둘에게 닿으려고, 무릎 위로 떨어졌었지.

당신은 내게 우리의 일생이, 너무 익은 과일처럼,
거두어질 가까운 시기에 대해 이야기 했었지,
어떻게 운명의 조종이 울려 퍼지고,
어떻게 사람들이 서로 사랑하는가를, 늙어감을 느끼면서.

당신의 목소리는 나를 사랑스런 포옹처럼 껴안고,
당신의 마음은 너무나도 조용히 아름답게 불타고 있어
순간 나는 아무런 두려움 없이 볼 수 있을 것만 같았지
무덤을 향해 가는 꼬불꼬불한 그 길을.

## Émile Verhaeren, 1855-1916

는 무정을 그렸다. 그러나 후기의 시집에서는 삶의 전진을 위한 노력에 전 인류가 협력할 것을 촉구했다.《밝은 시간》(1896),《다양한 빛》(1906),《저녁의 시간》(1911)등이 있다.

## Vous m'avez dit, tel soir, des parole si belles

Vous m'avez dit, tel soir, des paroles si belles
Que sans doute les fleurs, qui se penchaient vers nous,
Soudain nous ont aimés et que l'une d'entre elles,
Pour nous toucher tous deux, tomba sur nos genoux.

Vous me parliez des temps prochains où nos années,
Comme des fruits trop mûrs, se laisseraient cueillir;
Comment éclaterait le glas des destinées,
Comment on s'aimerait, en se sentant vieillir.

Votre voix m'enlaçait comme une chère étreinte,
Et votre coeur brûlait si tranquillement beau
Qu'en ce moment, j'aurais pu voir s'ouvrir sans crainte
Les tortueux chemins qui vont vers le tombeau.

## 어느 저녁

나의 고통스런 손가락으로
형편없는 글을 적는 필경사,
광적인 나쁜 검사관,
또 다시 글을, 글을 쓴다…

내 정신은, 나가 버렸다.

우울하게, 내 분노의
찌꺼기들을 빼내려고,
날카로운 오만함, 위축된 노력,
내 죽은 두뇌를 하릴없이 긁어내 본다.

내 정신은, 나가 버렸다.

나 자신에게 침을 뱉고 싶다,
입술은 피가 나고, 얼굴은 창백하다.
자아에 도취된 자는
되돌아서 거칠게 내뱉었다.

내 정신은, 나가 버렸다.

분노에 지친 자여,
자기의 격노감에 지쳐서,
그에게 삶이란 다만

## Un soir

Avec les doigts de ma torture
Gratteurs de mauvaise écriture,
Maniaque inspecteur de maux,
J'écris encor des mots, des mots...

Quant à mon âme, elle est partie.

Morosement et pour extraire
L'arrière-faix de ma colère,
Aigu d'orgueil, crispé d'effort,
Je râcle en vain mon cerveau mort.

Quant à mon âme, elle est partie.

Je voudrais me cracher moi-même,
La lèvre en sang, la face blême:
L'ivrogne de son propre moi
S'éructerait en un renvoi.

Quant à mon âme, elle est partie.

Homme las de rage, qui rage
D'être lassé de son orage,
La vie en lui ne se prouvait

삶에 대한 공포일뿐이었다.

내 정신은, 나가 버렸다.

책 속에서 내 두 주먹은
삶에 대한 짜낼 수 없는 열망을 짜냈다.
충분하게 짜내지는 못했다
내 주먹이 으스러졌을 텐데도.

내 정신은, 나가 버렸다.

지고한 밤이여, 들어라!
저 아래 큰길 위에 펼쳐진다,
너의 덧창들을 닫아라 – 다 끝장났으니,
무한을 향한 재갈이여.

Que par l'horreur qu'il en avait.

Quant à mon âme, elle est partie.

Mes poings ont tordu dans le livre
L'intordable fièvre de vivre;
Ils ne l'ont point tordue assez
Bien que mes poings en soient cassés.

Quant à mon âme, elle est partie.

Le han du soir suprême, écoute!
S'entend là-bas sur la grand'route;
Clos tes volets - c'est bien fini
Le mors-aux-dents vers l'infini.

## 4. 레미 드 구르몽

노르망디 오른 출생. 시인, 소설가, 평론가 그리고 백과사전적 박식의 소유자이다. 1884년 파리로 가서 파리 국립도서관의 사서가 되었으나 33세 때 면직 당했다. 상징시 운동의 이론가, 옹호자로 알려져 있다. 문예지《메르퀴르 드 프랑스》에 평론을 발표하여 높은 평가를 받았다. 결핵의 일종인 낭창에 걸려 얼굴이 추해지자, 사람들과 교류 ▶

### 눈

시몬, 눈은 너의 목처럼 희다,
시몬, 눈은 너의 무릎처럼 희다.

시몬, 너의 손은 눈처럼 차다,
시몬, 너의 마음은 눈처럼 차다.

눈을 녹이는 데는 불의 키스만,
너의 마음을 녹이는 데는 이별의 키스만.

눈은 슬프다 소나무 가지 위에,
너의 이마는 슬프다 너의 밤색 머리카락 아래.

시몬, 너의 동생인 눈이 정원에 잠들어 있다,
시몬, 너는 나의 눈 그리고 나의 사랑.

Remy de Gourmont, 1838-1915

를 하지 않고 고독한 생애를 보냈다.《대중적인 시》(1896),《가면집》(1896),《문학산책》(1904~1913),《철학산책》(1905),《프랑스어의 미학》(1899 간행, 1955 복간) 등의 작품이 있다.

## la neige

Simone, la neige est blanche comme ton cou,
Simone, la neige est blanche comme tes genoux.

Simone, ta main est froide comme la neige,
Simone, ton cœur est froid comme la neige.

La neige ne fond qu'à un baiser de feu,
Ton cœur ne fond qu'à un baiser d'adieu.

La neige est triste sur les branches des pins,
Ton front est triste sous tes cheveux châtains.

Simone, ta sœur la neige dort dans la cour,
Simone, tu es ma neige et mon amour.

## 낙엽

시몬, 나뭇잎이 저버린 숲으로 가자,
낙엽은 이끼와 돌과 오솔길을 덮고 있다.

시몬, 너는 좋으냐? 낙엽 밟는 소리가.

낙엽 빛깔은 너무 정답고 소리는 무겁다,
낙엽은 연약하게 땅 위에 흩어져 있다!

시몬, 너는 좋으냐? 낙엽 밟는 소리가.

해질 무렵 낙엽의 모습은 너무 쓸쓸하다,
바람이 휘몰아치면 낙엽은 너무 정답게 소리친다!

시몬, 너는 좋으냐? 낙엽 밟는 소리가.

발에 밟히면 낙엽은 영혼처럼 운다,
낙엽은 날갯소리와 여인의 옷자락 소리를 낸다.

시몬, 너는 좋으냐? 낙엽 밟는 소리가.

가까이 오라. 우리도 언젠가는 가여운 낙엽 되리니.
가까이 오라. 벌써 밤이 되고 바람은 우리를 휩쓴다.

시몬, 너는 좋으냐? 낙엽 밟는 소리가.

## Les feuilles mortes

Simone, allons au bois: les feuilles sont tombées;
Elles recouvrent la mousse, les pierres et les sentiers.

Simone, aimes-tu le bruit des pas sur les feuilles mortes?

Elles ont des couleurs si douces, des tons si graves,
Elles sont sur la terre de si frêles épaves!

Simone, aimes-tu le bruit des pas sur les feuilles mortes?

Elles ont l'air si dolent à l'heure du crépuscule,
Elles crient si tendrement, quand le vent les bouscule!

Simone, aimes-tu le bruit des pas sur les feuilles mortes?

Quand le pied les écrase, elles pleurent comme des âmes,
Elles font un bruit d'ailes ou de robes de femme:

Simone, aimes-tu le bruit des pas sur les feuilles mortes?

Viens: nous serons un jour de pauvres feuilles mortes.
Viens: déjà la nuit tombe et le vent nous emporte.

Simone, aimes-tu le bruit des pas sur les feuilles mortes?

## 5. 네레 보슈맹

캐나다 야마치시에서 태어남. 평생을 태어난 고장에서 떠나지 않고 정직하고 성실하게 주민을 돌보는 의사였다. 시골의 목가적인 생활에 ▶

### 빈 집

낮고 작은 집, 뾰족한 큰 지붕에,
겨울마다, 꽃 없는 땅 속으로,
주변으로 잠겨 드는 것 같은.
작은 회색 집이여, 뾰족한 큰 모자를 쓰고,
내게 말해 보렴, 저쪽, 먼 푸른 하늘에서, 너는 무얼 보는지?

너의 붉게 녹이 슨 창들의 깜빡이는 두 눈을 통해,
더 분명하게, 더 멀리 보려고, 너는 애쓰는 것 같구나,
너의 이끼 낀 모자 아래서 눈썹을 찌푸린다.
태양이 잠들어 있는 꿈의 일몰을 향해서,
더 분명하게, 더 멀리 보려고, 너는 애쓰는 것 같구나.

저기, 묘지 깊숙이, 그가 누워 있다,
네가 그를 사랑한 만큼 여전히 너를 사랑하는.
낡은 작은 집이여, 먼지로 된 모자에,
네가 그를 사랑한 만큼 여전히 너를 사랑하는,
이제는 없는, 너무나 보고 싶은, 결코 돌아오지 않을.

## Nérée Beauchemin, 1850-1931

서 느끼는 서정을 노래했다. 두 개의 시집《아침의 꽃피는 계절》(1897)과《내면의 조국》(1928)을 발간했다.

## La maison vide

Petite maison basse, au grand chapeau pointu,
Qui, d'hiver en hiver, semble s'être enfoncée
Dans la terre sans fleurs, autour d'elle amassée.
Petite maison grise, au grand chapeau pointu,
Au lointain bleu, là-bas, dis-le-moi, que vois-tu?

Par les yeux clignotants de ta lucarne rousse,
Pour voir plus clair, plus loin, tu sembles faire effort,
Et froncer les sourcils sous ton chapeau de mousse.
Vers ces couchants de rêve où le soleil s'endort,
Pour voir plus clair, plus loin, tu sembles faire effort.

Il est couché, là-bas, au fond du cimetière,
Celui qui t'aime encore autant que tu l'aimais.
Petite maison vieille, au chapeau de poussière,
Celui qui t'aime encore autant que tu l'aimais,
L'absent, tant regretté, ne reviendra jamais.

## 6. 프랑시스 잠

투르네 출생. 상징파의 후기의 신고전파 시인. 일생을 대부분 자연 속에서 살며 자연의 풍물을 종교적 애정으로 노래하였다. 말라르메 이후 상징시가 신비성과 기교에 쏠린 것에 반발하여 이에 맞서 독자적인 경지를 열었다. 소박하고 간결한 필치로 자연, 인생, 동물을 노래했 ▶

### 당나귀들과 함께 천국에 가기 위한 기도

내가 당신의 곁으로 가는 날에는, 오 하나님,
마을이 축제로 먼지를 일으키는 날로
골라 주소서. 대낮에도 별들이 빛나는
천국으로 가기 위해, 이 세상에서 내가 한 그대로,
내가 좋아하는 길을 택하고 싶습니다.
나는 지팡이를 짚고 그리고 큰길을 걸으며
나의 친구들, 당나귀들에게 말하고 싶습니다.

나는 프랑시스 잠므, 이제부터 천국으로 가는 거야,
하나님의 나라엔 지옥이 없으니까.
나는 그들에게 말하겠습니다. "가자, 푸른 하늘의 온순한 친구들아,
날쌔게 귀를 움직여, 탐욕스런 파리, 쇠파리, 꿀벌을
쫓아내는 가여운 사랑스런 짐승들아…"
내가 당신 앞에 이 짐승들의 한가운데 나타나게 하소서
내가 이처럼 당나귀를 사랑함은 당나귀들이 온순히 머리를 숙이고,

## Francis Jammes, 1868-1938

고 종교적인 경지에 도달했다. 말라르메와 지드의 지지를 받았고, 지드와는 평생의 벗으로 1948년에 간행된 두 사람의 왕복서한은 높이 평가되었다.《새벽종에서 저녁종까지》(1898), 《하늘의 빈터》(1906) 등이 있다.

## Prière pour Aller au Paradis avec les Ânes

Lorsqu'il faudra aller vers vous, ô mon Dieu, faites
que ce soit par un jour où la campagne en fête
poudroiera. Je désire, ainsi que je fis ici-bas,
choisir un chemin pour aller, comme il me plaira,
au Paradis, où sont en plein jour les étoiles.
Je prendrai mon bâton et sur la grande route
j'irai, et je dirai aux ânes, mes amis:

Je suis Francis Jammes et je vais au Paradis,
car il n'y a pas d'enfer au pays du Bon-Dieu.
Je leur dirai: «Venez, doux amis du ciel bleu,
pauvres bêtes chéries qui, d'un brusque mouvement d'oreille,
chassez les mouches plates, les coups et les abeilles... »
Que je Vous apparaisse au milieu de ces bêtes
que j'aime tant parce qu'elles baissent la tête

너무나 온순하게 조그마한 발을 모아 걸음을 멈추고
당신으로 하여금 자비심을 일으키게 하기 때문입니다.
나는 수천 마리 나귀의 귀를 데리고 가겠습니다,
옆구리에 광주리를 단 것들,
광대들의 마차를 끌던 것들,
깃털 빗자루와 양철을 실은 마차를 끌던 것들,
울퉁불퉁한 술통을 등에 실은 것들,
가죽 주머니처럼 배가 불룩한, 비틀거리는 암당나귀들,
우글거리는 파리들을 열중케 하는
파랗게 질리고 고름이 질질 흐르는 상처 때문에
사람들이 작은 바지를 입혀 준 것들을 데리고.

하나님. 이 당나귀들과 함께 당신에게 오게 하소서.
천사들의 평화 속에 우리 일행을
소녀의 웃음이 넘치는 육체처럼 미끄러운
버찌가 흔들리는 풀 우거진 시냇물로 인도케 하소서,
그래서 영혼들의 정박지, 당신의 성스런 물에
몸을 구부려, 영원한 사랑의 맑은 거울에
겸허하고 온순한 가난함을 비추는
당나귀들처럼 나도 되게 하소서.

doucement, et s'arrêtent en joignant leurs petits
d'une façon bien douce et qui vous fait pitié.
J'arriverai suivi de leurs milliers d'oreilles,
suivi de ceux qui portèrent au flanc des corbeilles,
de ceux traînant des voitures de saltimbanques
ou des voitures de plumeaux et de fer-blanc,
de ceux qui ont au dos des bidons bossues,
des ânesses pleines comme des outres, aux pas cassés,
de ceux à qui l'on met de petits pantalons
à cause des plaies bleues et suintantes que font
les mouches entêtées qui s'y groupent en ronds.

Mon Dieu, faites qu'avec ces ânes je Vous vienne.
Faites que, dans la paix, des anges nous conduisent
vers des ruisseaux touffus où tremblent des cerises
lisses comme la chair qui rit des jeunes filles,
et faites que, penché dans ce séjour des âmes,
sur vos divines eaux, je sois pareil aux ânes
q,ui mireront leur humble et douce pauvreté
à la limpidité de l'amour éternel.

## 집은 장미로 가득하리라…

집은 장미와 꿀벌로 가득하리라.
오후 만찬의 종소리 거기서 들리고,
그리고 투명한 보석 빛깔 포도알이
느린 그늘 아래 햇살에서 잠든 듯하리.
거기서 그대를 사랑하리
나는 그대에게 모두 바치리
스물네 살의 내 마음, 그리고 놀리기 좋아하는 내 정신을,
나의 자존심과 흰 장미의 내 시를,
하지만 나는 그대를 알지 못하고, 그대는 존재하지 않는다.
나는 다만 알고 있다, 만약 그대가 살아있다면,
그대가 나처럼 목장 속 깊이 있다면,
우리는 황금빛 꿀벌 아래서 웃으며 우리 입 맞추리라,
시원한 시냇물 가에서, 무성한 잎사귀 아래서.
들리는 건 오직 태양의 열기뿐이네.
그대의 귀에는 개암나무 그늘이 지리라,
그러면 우리는 웃기를 그치고 입술을 맞추리,
말로는 말할 수 없는 우리의 사랑을 말하기 위해,
그리고 나는 발견하리라 그대 입술의 루주에서,
황금빛 포도와 붉은 장미와 꿀벌의 맛을.

## La maison serait pleine de roses...

La maison serait pleine de roses et de guêpes.
On y entendrait, l'après-midi, sonner les vêpres;
et les raisins couleur de pierre transparente
sembleraient dormir au soleil sous l'ombre lente.
Comme je t'y aimerais
Je te donne tout mon cœur
qui a vingt-quatre ans, et mon esprit moqueur,
mon orgueil et ma poésie de roses blanches;
et pourtant je ne te connais pas, tu n'existes pas.
Je sais seulement que, si tu étais vivante,
et si tu étais comme moi au fond de la prairie,
nous nous baiserions en riant sous les abeilles blondes,
près du ruisseau frais, sous les feuilles profondes.
On n'entendrait que la chaleur du soleil.
Tu aurais l'ombre des noisetiers sur ton oreille,
puis nous mêlerions nos bouches, cessant de rire,
pour dire notre amour que l'on ne peut pas dire;
et je trouverais, sur le rouge de tes lèvres,
le goût des raisins blonds, des roses rouges et des guêpes.

## 며칠 후엔 눈이 오리라

며칠 후엔 눈이 오리라. 나는 회상한다
지나간 해를. 난로 구석에서 나의 슬픔을 회상한다.
누군가 내게 물어 왔다면, 무슨 일이세요?
나는 말했을 거다. 내버려 두세요. 아무 일도 아니에요.

지난해엔, 방 안에서, 곰곰이 생각했다,
밖에서는 무겁게 눈이 쏟아지는데.
부질없는 생각에 사로잡혔다. 지금 그때처럼
나는 호박 물부리의 나무 파이프에 담배를 피운다.

나의 오래된 떡갈나무 서랍장은 언제나 좋다.
하지만 나는 그때 어리석었다, 이것들은
변할 수 없었고 우리가 알고 있는 것들을
추구하려고 하는 것도 실없는 짓이기에.

그런데 우리는 왜 생각하고 말하는가? 그건 우습다.
우리의 눈물과 우리의 입맞춤은 말을 하지 않는다,
그런데도 우리는 그것들을 이해한다, 친구의
발자국 소리는 부드러운 말보다도 더 부드럽다.

별에겐 이름이 필요 없다는 걸 생각하지 않고
우리는 별에게 이름을 붙였다, 아름다운 혜성이
어둠 속을 지나갈 것을 증명하는 숫자가,
혜성을 억지로 지나가게 하지는 않을 것이다.

# Il va neiger...

Il va neiger dans quelques jours. Je me souviens
de l'an dernier. Je me souviens de mes tristesses
au coin de feu. Si l'on m'avait demandé: qu'est-ce?
J'aurais dit: laissez-moi tranquille. Ce n'est rien.

J'ai bien réfléchi, l'année avant, dans ma chambre,
pendant que la neige lourde tombait dehors.
J'ai réfléchi pour rien. A présent comme alors
je fume une pipe en bois avec un bout d'ambre.

Ma vieille commode en chêne sent toujours bon.
Mais moi j'étais bête parce que ces choses
ne pouvaient pas changer et que c'est une pose
de vouloir chasser les choses que nous savons.

Pourquoi donc pensons-nous et parlons-nous? C'est drôle;
nos larmes et nos baisers, eux, ne parlent pas
et cependant nous les comprenons, et les pas
d'un ami sont plus doux que de douces paroles.

On a baptisé les étoiles sans penser
qu'elles n'avaient pas besoin de nom, et les nombres
qui prouvent que les belles comètes dans l'ombre
passeront, ne les forceront pas à passer.

그리고 지금도, 지난해의 옛 슬픔은
어디에 있는가? 겨우 기억이 난다.
나는 말할 거다. 내버려 두세요, 아무 일도 아니에요,
누군가 내 방에서 내게 물어 왔다면, 무슨 일이세요?

Et maintenant même, où sont mes vieilles tristesses
de l'an dernier? A peine si je m'en souviens.
Je dirais: laissez-moi tranquille, ce n'est rien,
si dans ma chambre on venait me demander: qu'est-ce?

## 7. 폴 클로델

북프랑스의 농촌 태생으로 외교관이자 시인. 파리에서 수학하고, 상징주의적인 근대시인의 영향을 받았다. 1890년 서사시극《황금의 머리》를 발표하고, 이후에도《도시》(1893),《교환》(1894),《마리아에의 계시》(1912),《비단구두》(1926 간행, 1943 초연),《크리스토프 콜롱의 서》(1930 작, 1953 초연)등을 발표했다. 외교관의 경험으로 동양 연극에 대한 이해가 깊었다. 시의 운율은 사람의 호흡에 따라야 ▶

### 닫힌 집

땅은 이제 약간의 모래에 불과하며 당신이 지으신 하늘만이 절대로 가려지지 않고 제 눈에 보이는 이 세상의 끝으로 저를 인도하신 하나님.

그들의 말도 이해 못하는 제가, 이 미개한 백성들 가운데 있음을,

저의 처나 자식과 같이 모든 사람들, 저의 형제들에 대한 기억을 잊게 하지 마옵소서,

천문학자가, 뛰는 가슴으로, 멋 부리는 여인이 거울을 들여다보듯,

그 같은 날카로운 호기심으로 화성의 모습을 탐색하며 적도에서 수많은 밤을 보내는데,

얼마나 더 저에게는 가장 유명한 별보다도,

당신의 형상으로 당신이 만든 보잘것없는 당신의 아들이어야 합니까?

자비는 너무 많이 가진 것을 그냥 내주는 것이 아니라, 과학과 같은 정열입니다.

## Paul Claudel, 1868-1955

된다고 주장하여 "클로델적 시형"을 만들었다. 20세기 연극을 대표하는 프랑스 작가로 인정되었다. 시집으로는《육순절의 시》(1905), 십자가의 길(1911),《전쟁의 시》(1922) 172의 하이쿠로 된《부채를 위한 백 개의 문장》(1942) 등이 있다.

### La maison fermée

Mon Dieu, qui m'avez conduit à cette extrémité du monde où la terre n'est plus qu'un peu de sable et où le ciel que vous avez fait n'est jamais dérobé à mes yeux,

Ne permettez point que parmi ce peuple barbare dont je n'entends point la langue,

Je perde mémoire de mes frères qui sont tous les hommes, pareils à ma femme et à mon enfant.

Si l'astronome, le cœur battant, passe des nuits à l'équatorial,

Épiant avec la même poignante curiosité le visage de Mars qu'une coquette qui étudie son miroir,

Combien plus ne doit pas être pour moi que la plus fameuse étoile,

Votre enfant le plus humble que vous fîtes à votre image?

La miséricorde n'est pas un don mol de la chose qu'on a en trop, elle est une passion comme la science,

자비는 과학과 같이 당신이 만드신 이 가슴 깊은 곳에서 당신의 모습을 발견하는 것입니다.

당신의 모든 별들이 저에게 필요하다면, 저의 모든 형제들은 얼마나 더 많이 필요할 것입니까?

당신은 저에게 먹여 살려야 할 가난한 사람도, 고쳐주어야 할 병자도 주지 않았습니다,

나누어 주어야 할 빵도, 저에게는 빵과 물보다도 더욱 완전하게 받아들여진 말씀, 그리고 영혼 속에서 녹는 영혼을 주셨습니다.

제가 이 말씀을 저의 마음속의 가장 좋은 것으로 생산하게 하소서, 땅이 있는 곳에는 어디서나 계속 자라나오는 수확물과 같이(길 가운데 떨어진 이삭까지),

그리고 자신은 열매로부터 명예나 이익을 기대하지 않고 오히려 할 수 있는 것을 내주는 성스러운 무지 속의 나무와 같이.

그리고 사람들이나 하늘의 새들이 열매를 떨어뜨리게 하소서. 그것이 좋습니다.

그리고 각자는 자기가 가능한 것을 줍니다. 어떤 사람은 빵을, 다른 사람은 빵의 씨앗을 줍니다.

얼굴이 없는 인간처럼 사람들 사이에서 있게 하소서

저의 말이 말없이 씨 뿌리는 사람처럼, 그들에게 아무런 소리도 들리지 않게, 어둠 속에서 씨 뿌리는 사람처럼, 교회에서 씨 뿌리는 사람처럼,

신에 상응하는 씨 뿌리는 사람처럼.

사람들이 무엇인지도 모르는 작은 곡식처럼

Elle est une découverte comme la science de votre visage au fond de ce cœur que vous avez fait.

Si tous vos astres me sont nécessaires, combien davantage tous mes frères?

Vous ne m'avez pas donné de pauvre à nourrir, ni de malade à panser,

Ni de pain à rompre, mais la parole qui est reçue plus complètement que le pain et l'eau, et l'âme soluble dans l'âme.

Faites que je la produise de la meilleure substance de mon cœur comme une moisson qui va poussant de toutes parts où il y a de la terre (des épis jusqu'au milieu de la route),

Et comme l'arbre dans une sainte ignorance qui lui-même n'attend pas gloire ou gain de ses fruits, mais qui donne ce qu'il peut.

Et que ce soient les hommes qui le dépouillent ou les oiseaux du ciel, cela est bien.

Et chacun donne ce qu'il peut: l'un le pain, et l'autre la semence du pain.

Faites que je sois entre les hommes comme une personne sans visage et ma

Parole sur eux sans aucun son comme un semeur de silence, comme un semeur de ténèbres, comme un semeur d'églises,

Comme un semeur de la mesure de Dieu.

Comme une petite graine dont on ne sait ce que c'est

그리고 비옥한 땅에 던져져 모든 에너지를 거두어들이고 특별한 식물을 생산해내는,

뿌리와 모든 것으로 완성되는,

그리하여 영혼 속에는 말. 고로 말하소서, 오 제 손가락 사이에서 생명이 없는 땅이여!

제가 고독하게 씨를 심는 사람처럼 되게 하소서 그리고 저의 말을 듣게 하소서

그의 집으로 조심스럽고 무거운 마음으로 돌아가도록.

Et qui jetée dans une bonne terre en recueille toutes les énergies et produit une plante spécifiée,

Complète avec ses racines et tout,

Ainsi le mot dans l'esprit. Parle donc, ô terre inanimée entre mes doigts!

Faites que je sois comme un semeur de solitude et que celui qui entend ma parole

Rentre chez lui inquiet et lourd.

## 8. 앙드레 지드

파리 출생. 《좁은 문》(1909)의 저자로 유명하지만 처음에는 시인으로 출발했다. 22세 때 서정적 작품 《앙드레 바르텔의 수기》(1891)를 쓴다. 말라르메의 '화요회'에 드나들었으나 상징주의적 문학관을 벗어나 생의 긍정과 찬미를 주로 한 작품을 쓴다. 그의 대표작 《지상의 양식》(1897)에서 당시의 경직된 문학관을 타파하고자 하였다. 《신프 ▶

### 욕망의 론도

어젯밤 무슨 꿈을 꾼 것인가.
깨어보니 모든 나의 욕망이 갈증을 느끼고 있었다.
잠자는 사이에 수많은 사막을 지난 듯하다.
욕망과 권태 사이에서
우리의 불안이 흔들린다.

[……]

나에게는 인류 전체가 잠을 자기 위해 침대를 돌고 있는 병자처럼 보인다.
휴식을 찾고 있지만 잠을 잘 수조차 없다.
우리의 욕망은 벌써 많은 세계를 통과해 왔다,
그런데 그것으로는 절대로 충족되지 않는다.
자연 전체가 괴로워하고 있다.

## Andre Gide, 1869-1951

랑스 평론》지(誌) 주간의 한 사람으로 20세기 문학의 발전에 큰 공헌을 했고 문학의 여러 가능성을 실험했다. 1947년 노벨 문학상을 수상했다.

## Ronde de tous mes désires

Je ne sais ce que j'avais pu rêver cette nuit.
À mon réveil tous mes désirs avaient soif.
Il semblait qu'en dormant, ils eussent traversé des déserts.
Entre le désir et l'ennui
Notre inquiétude balance.

.........

Et l'humanité tout entière m'a paru comme un malade qui
se retourne dans son lit pour dormir – qui cherche le repos et
ne trouve même pas le sommeil.
Nos désirs ont déjà traversé bien des mondes;
Ils ne se sont jamais rassasiés.
Et la nature entière se tourmente,

휴식의 갈증과 욕망의 갈증의 틈바구니에서.
우리는 절규의 소리를 지른다.
텅 빈 아파트에서.
우리는 고층으로 올라간다
거기는 깜깜한 밤만이 보일 뿐이다.
암캐가 되어, 우리는 괴로움으로 울부짖는다,
말라붙은 낭떠러지를 따라,

Entre soif de repos et soif de volupté.

Nous avons crié de détresse

Dans les appartements déserts.

Nous sommes montés sur des tours

D'où l'on ne voyait que la nuit.

Chiennes, nous avons hurlé de douleur

Le long des berges desséchées;

## 9. 마르셀 프루스트

파리 태생. 의사 아버지를 둔 유복한 가정에서 자랐으나 젊어서부터 천식의 발작으로 고생했다. 어머니는 교양이 풍부한 유대계 부르주아지 출신으로 그의 정신생활에 크게 영향을 주었다. 사교계의 살롱과 호화로운 레스토랑을 드나들며 인간을 관찰했다. 모든 것에 호기심을 가졌고 하인들을 시켜서 자료를 수집했다. 대작《잃어버린 시간을 되 ▶

### 쇼팽

쇼팽이여, 한숨과 눈물과 흐느낌의 바다여
한 무리의 나비 떼 멈추지도 않고 건너간다.
슬픔 위에 놀고 또 파도 위를 춤추며.
꿈꾸고, 사랑하고, 괴로워하고, 고함치고, 진정시키고, 매혹하거나 달래준다.
너는 언제나 매 고통 사이에서 달리게 하는구나,
어지럽고 부드러운 너의 변덕스런 곡조를 망각하고
이 꽃에서 저 꽃으로 날아다니는 나비처럼,
그때 너의 기쁨은 너의 슬픔의 반쪽.
소용돌이 바람의 정열은 눈물을 마르게 한다.
달과 창백한 물과 부드러운 친구여,
절망한 왕자 또는 배반당한 귀족이여,
너는 또 열광하고, 창백하고 더 아름답다,
태양 빛으로 넘치는 너의 병실은

## Marcel Proust, 1871-1922

찾아서》는 1913년에 자비로 출판되었으나 주목받지 못했다. 섬세한 심리적 상상력으로 무의식의 세계를 시간과 공간을 뛰어넘어 자기의 존재를 되찾아 가는 '의식의 흐름'의 묘사로 문학의 새 지평을 연 20세기 최고의 소설가.

## Chopin

Chopin, mer de soupirs, de larmes, de sanglots
Q'un vol de papillons sans se poser traverse
Jouant sur la tristesse ou dansant sur les flots.
Rêve, aime, souffre, crie, apaise, charme ou berce,
Toujours tu fais courir entre chaque douleur
L'oubli vertigineux et doux de ton caprice
Comme les papillons volent de fleur en fleur;
De ton chagrin alors ta joie est la complice:
L'ardeur du tourbillon accroît la soif des pleurs
De la lune et des eaux pale et doux camarade,
Prince du désespoir ou grand seigneur trahi,
Tu t'exaltes encore, plus beau d'être pâli,
Du soleil inondant ta chambre de malade

그에게 눈물의 미소를 던지고 그를 보는 것을 견딘다…
애석한 미소와 희망의 눈물이여!

Qui pleure a lui sourire et souffre de le voir…

Sourire du regret et larmes de l'Espoir!

## 10. 피에르 루이

벨기에의 강 출생. 시인, 소설가, 희랍학자. 고답파의 영향을 받고 시를 쓰기 시작했고, 지드, 발레리와 깊은 친교를 맺었다. 고대 그리스를 동경하여 헬레니스트로서 유미주의를 구가했다. 인간이 고대 그리 ▶

### 머리카락

그는 내게 말했다. "오늘밤 나는 꿈을 꾸었지. 내 목에 당신 머리카락이 감겨져 있었어. 당신 머리카락이 내 목덜미와 가슴둘레에 검은 목걸이처럼 감겼었지.

나는 그것을 어루만졌어. 그런데 그건 내 머리카락이었어, 우리는 이렇게 영원히 맺어져 있었지. 입과 입을 맞춘 듯한 머리카락으로, 마치 두 월계수가 흔히 한 나무의 뿌리이듯.

그리고 차츰 이런 생각이 들었어. 너무나 우리의 사지가 분간할 수 없게 되어 나는 당신이 된 듯, 아니면 당신이 내 꿈처럼 내 속으로 들어온 듯.

그는 말을 마치고서, 살며시. 두 손을 내 어깨에다 얹었다, 그리고 너무나 부드러운 눈길로 나를 바라보기에, 전율하듯 나는 눈을 내려뜨렸다.

## Pierre Louÿs, 1870-1925

스 시대보다 한 걸음도 진보하지 않은 야만 상태에 머물러 있다고 생각하고 고대의 행복한 시대의 재건을 외쳤다. 산문시《빌리티스의 노래》(1894),《시집》(1916) 등이 있다.

## La chevelure

Il m'a dit: « Cette nuit, j'ai rêvé. J'avais ta chevelure autour de mon cou. J'avais tes cheveux comme un collier noir autour de ma nuque et sur ma poitrine.

«Je les caressais, et c'étaient les miens; et nous étions liés pour toujours ainsi, par la même chevelure la bouche sur la bouche, ainsi que deux lauriers n'ont souvent qu'une racine.

«Et peu à peu, il m'a semblé, tant nos membres étaient confondus, que je devenais toi-même ou que tu entrais en moi comme mon songe.»

Quand il eut achevé, il mit doucement ses mains sur mes épaules, et il me regarda d'un regard si tendre, que je baissai les yeux avec un frisson.

## 목신의 피리

히아신스 제를 위하여,
그는 나에게 피리를 주었다.
잘 다듬은 갈대로,
밀초로 결합되어 만들어져
내 입술에 꿀처럼 달다.

그의 무릎에 앉혀놓고, 내게 부는 법을 가르쳐 준다,
그러나 나는 좀 떨린다.
그는 나의 뒤에서 피리를 분다,
너무 부드럽게 불어서 내게는 그것이 들릴까 말까 하다.

우리는 우리에게 아무것도 말할 것이 없다,
그만큼 우리는 서로 가까이 있다,
그러나 우리의 노래는 서로 화답하기를 원하고,
번갈아서 우리의 입술은
피리 위에서 합쳐진다.

늦은 시간이다.
청개구리들이 노래하고
밤은 시작된다.
내 어머니는 결코 생각하지 못했으리라
내가 잃어버린 허리띠를 찾느라고
이렇게 오래 머물러 있었으리라고는.

## La flûte de Pan

Pour le jour des Hyacinthies,
il m'a donné une syrinx faite
de roseaux bien taillés,
unis avec la blanche cire
qui est douce à mes lèvres comme le miel.

Il m'apprend à jouer, assise sur ses genoux;
mais je suis un peu tremblante.
il en joue après moi,
si doucement que je l'entends à peine.

Nous n'avons rien à nous dire,
tant nous sommes près l'un de l'autre;
mais nos chansons veulent se répondre,
et tour à tour nos bouches
s'unissent sur la flûte.

Il est tard,
voici le chant des grenouilles vertes
qui commence avec la nuit.
Ma mère ne croira jamais
que je suis restée si longtemps
à chercher ma ceinture perdue.

# 11. 폴 포르

랭스 출생. 1890년 예술 극장을 창설하여 상징파 시인들의 희곡과 고전극을 상연하면서 자유극장의 자연주의에 대항했다.(1890~1893) 1905년 계간문예지 《시와 산문》을 창간하여 《프랑스의 발라드》▶

## 론도

만일 세상의 모든 소녀가 모두 다 손을 잡는다면,
바다의 어디서나 소녀들은 론도를 출 수 있으리.

만일 세상의 모든 소년이 선원이 되기를 원한다면,
그들의 작은 배를 이용하여 파도 위에 멋진 다리를 놓을 수 있으리.

그때는 세계를 둘러싸고 론도를 출 수 있으리,
만일 세계의 모든 사람이 함께 손잡기를 원한다면.

## Paul Fort, 1872-1960

(1922~1949)로 독자적인 경지를 개척했다. 프랑스의 자연미, 전원미, 역사적 인물, 소박한 서민들의 일상생활을 정감 있는 상징적 수법으로 노래했다. 1912년 시왕에 선출되었다.

## La ronde autour du monde

Si toutes les filles du monde voulaient s'donner la main,
tout autour de la mer elles pourraient faire une ronde.

Si tous les gars du monde voulaient bien êtr' marins,
ils f'raient avec leurs barques un joli pont sur l'onde.

Alors on pourrait faire une ronde autour du monde,
si tous les gens du monde voulaient s'donner la main

## 12. 샤를 페기

오를레앙 출생. 고등사범학교에 입학하여 베르그송에게 사사했고, 드레퓌스 사건이 일어났을 때 정의와 진실을 위하여 활약했다. 가톨릭 시인으로서 고전적 위치를 차지했다. 보불전쟁에서 1차 세계대전까지 정치적 사상으로 괴로워했고 애국적 해결을 추구했다. 1900년 잡 ▶

### 제2미덕의 신비한 현관

[……]

밤이여 너는 성스럽다, 밤이여 너는 광대하다. 밤이여 너는 아름답다.

커다란 망토를 입은 밤.

밤이여 나는 너를 사랑하고 그리고 인사하고 너를 찬양한다, 그리고 너는 나의 장녀 그리고 나의 창조물

오 아름다운 밤이여, 커다란 망토를 입은 밤이여, 별이 총총한 망토를 입은 내 딸이여.

너는 내게 상기시킨다, 나 자신에게 너는 상기시킨다, 이 광막한 침묵을

내가 배은망덕의 수문을 열기 전에 있었던.

그리고 너는 내게 알려 준다, 나 자신에게 알려 준다, 이 광막한 침묵을

내가 그 배은망덕의 수문을 닫을 때 있었을.

오 부드러운, 오 광막하고, 오 성스러운, 오 아름다운 밤이여, 어쩌면 내 딸 중에서 가장 성스러우리라, 별이 총총한, 커다란 옷을 입은 밤이여

너는 세상에 있었던 이 광막한 침묵을 내게 상기시킨다

## Charles Peguy, 1873-1914

지《반월수첩》을 창간하여 실증주의를 비판하고 휴머니즘의 전통을 옹호했다. 시집에《잔 다르크의 자비의 신비》(1910),《제 2 미덕의 신비한 현관》(1911)이 있다.

# Le porche de la deuxième vertu

.........

Nuit tu es sainte, Nuit tu es grande, Nuit tu es belle.

Nuit au grand manteau.

Nuit je t'aime et je te salue et je te glorifie et tu es ma grande fille et ma créature

O belle nuit, nuit au grand manteau, ma fille au manteau étoilé

Tu me rappelles, à moi-même tu me rappelles ce grand silence qu'il y avait

Avant que j'eusse ouvert les écluses d'ingratitude.

Et tu m'annonces, à moi-même tu m'annonces ce grand silence qu'il y aura

Quand je les aurai fermées.

O douce, ô grande, ô sainte, ô belle nuit, peut-être la plus sainte de mes filles, nuit à la grande robe, à la robe étoilée

Tu me rappelles ce grand silence qu'il y avait dans le monde

인간의 지배가 시작되기 전에.

너는 이 광막한 침묵을 내게 알려준다,

내가 다시 왕홀을 쥘 때인 인간의 지배가 끝난 후에.

그리고 때때로 나는 그것을 미리 생각한다, 왜냐하면 이 인간이 정말 너무 시끄럽기 때문에. 그러나 무엇보다도, 밤이여, 너는 이 밤을 상기시킨다.

그리고 나는 그것을 영원히 기억하리니.

아홉 시가 울렸다. 그것은 이스라엘의 나의 백성의 땅에서였다.

모든 것이 성취되었었다. 그것은 거대한 모험이었다.

여섯 시 이후로 온 나라에 어둠이 깔렸다, 아홉 시까지.

모든 것이 성취되었었다. 그것에 대해서는 이 이상 이야기하지 말자. 그것은 나를 아프게 한다.

인간들 사이에 믿을 수 없는 내 아들의 강림.

인간들의 세상에.

인간들이 그에게 어떻게 했던가.

그가 인간 세상에서 목수였던 저 삼십 년.

그가 인간 세상에서 일종의 설교자였던 저 삼십 년.

한 목사.

그가 인간 세상에서 희생자였던 저 삼일 낮.

인간들 사이에서.

그가 인간 세상에서 사자였던 저 삼일 밤.

죽은 자들 사이에서.

그가 인간 세상에서 제물인 저 수많은 세기들.

모든 것이 성취되었었다. 이 믿을 수 없는 모험

Avant le commencement du règne de l'homme.

Tu m'annonces ce grand silence qu'il y aura

Après la fin du règne de l'homme, quand j'aurai repris mon sceptre.

Et j'y pense quelquefois d'avance, car cet homme fait vraiment beaucoup de bruit. Mais surtout, Nuit, tu me rappelles cette nuit.

Et je me la rappellerai éternellement.

La neuvième heure avait sonné. C'était dans le pays de mon peuple d'Israël.

Tout était consommé. Cette énorme aventure.

Depuis la sixième heure il y avait eu des ténèbres sur tout le pays, jusqu'à la neuvième heure.

Tout était consommé. Ne parlons plus de cela. Ça me fait mal.

Cette incroyable descente de mon fils parmi les hommes.

Chez les hommes.

Pour ce qu'ils en ont fait.

Ces trente ans qu'il fut charpentier chez les hommes.

Ces trois ans qu'il fut une sorte de prédicateur chez les hommes.

Un prêtre.

Ces trois jours où il fut une victime chez les hommes.

Parmi les hommes.

Ces trois nuits où il fut un mort chez les hommes.

Parmi les hommes morts.

Ces siècles et ces siècles où il est une hostie chez les hommes.

Tout était consommé, cette incroyable aventure

그 때문에 내가, 신이, 나의 두 손을 영원히 묶었다.
나의 아들이 나의 팔을 묶는 이 모험.
영원히 내 정의의 팔을 묶으며, 영원히 내 자비의 팔을 풀면서.
그리고 같은 정의를 창조하면서 나의 정의에 반대하는.
사랑의 정의, 희망의 정의, 모든 것이 성취되었다.
해야 할 일이다. 했어야 한 일처럼. 나의 예언자들이 그것을 알려주었던 것처럼. 신전의 베일은 둘로 찢어졌다, 꼭대기에서 밑바닥까지.
대지는 흔들렸다, 바위는 갈라졌다.
무덤들이 열렸고, 죽었던 대여섯 성인들의 시체가 부활했다.
그리고 아홉 시 경에 내 아들은 뱉아졌다
결코 지워 없앨 수 없는 고함을. 모든 것은 성취되었다.
병사들은 그들의 병영으로 되돌아갔다
웃으면서 조롱하면서 왜냐하면 그들의 임무가 끝났으니까.
그들이 다시는 맡지 않아도 될 경비.
오직 백부장만이 남아있었다, 그리고 몇 명의 사람들이.
이 중요하지도 않은 십자가를 지키기에는 너무나 적은 초병들이었다.
내 아들이 매달려 있는 교수대.
몇 명의 여자들만이 남아있었다.
어머니가 거기에 있었다.
그리고 아마도 몇 명의 제자들 역시, 그리고 아직 아주 확실하지는 않다.
그런데 모든 사람들은 자기 아들을 묻을 권리가 있다.
지상의 모든 사람들이 만약 이 큰 불행을 당하면

Par laquelle, moi, Dieu, j'ai les bras liés pour mon éternité.

Cette aventure par laquelle mon Fils m'a lié les bras.

Pour éternellement liant les bras de ma justice, pour éternellement déliant les bras de ma miséricorde.

Et contre ma justice inventant une justice même.

Une justice d'amour. Une justice d'Espérance. Tout était consommé.

Ce qu'il fallait. Comme il avait fallu. Comme mes pro-phètes l'avaient annoncé. Le voile du temple s'était déchiré en deux, depuis le haut jusqu'en bas.

La terre avait tremblé; des rochers s'étaient fendus.

Des sépulcres s'étaient ouverts, et plusieurs corps des saints qui étaient morts étaient ressuscites.

Et environ la neuvième heure mon Fils avait poussé

Le cri qui ne s'effacera point. Tout était consommé.

Les soldats s'en étaient retournés clans leurs casernes.

Riant et plaisantant parce que c'était un service de fini.

Un tour de garde qu'ils ne prendraient plus.

Seul un centenier demeurait, et quelques hommes.

Un tout petit poste pour garder ce gibet sans importance.

La potence où mon Fils pendait.

Seules quelques femmes étaient demeurées.

La Mère était là.

Et peut-être aussi quelques disciples, et encore on n'en est pas bien sûr.

자기 아들보다 먼저 죽지 않는. 그런데 나만이, 신인 나만이,
이 모험으로 두 팔이 묶여,
나만이 이 순간 그렇게 많은 아버지 뒤의 아버지,
나만이 나의 아들을 묻을 수 없었다.
그때였다, 오 밤이여, 네가 온 것은.
오 모든 딸 중에서 귀한 나의 딸이여, 그리고 나는 그것을 아직도 보고 있다, 그리고 그것을 나의 영원 속에서 보리라.
그때였다, 오 밤이여, 네가 온 것은, 그리고 커다란 수의 속에 너는 매장되었다.
백부장과 그의 로마 부하들,
성모와 성스러운 여자들,
그리고 이 산과 이 골짜기, 그 위로 저녁이 내려왔다,
그리고 나의 이스라엘 백성과 죄인들 그리고 함께 죽어가고 있던 자, 그들을 위해 죽었다
그리고 아리마테아의 요셉의 사람들은 벌써 가까이 오고 있었다
흰 수의를 가지고.

Or tout homme a le droit d'ensevelir son fils.

Tout homme sur terre, s'il a ce grand malheur

De ne pas être mort avant son fils. Et moi seul, moi Dieu,

Les bras liés par cette aventure,

Moi seul à cette minute père après tant de pères,

Moi seul je ne pouvais pas ensevelir mon fils.

C'est alors, ô nuit, que tu vins.

O ma fille chère entre toutes et je le vois encore et je verrai cela dans mon éternité

C'est alors, ô Nuit que tu vins et dans un grand linceul tu ensevelis

Le Centenier et ses hommes romains,

La Vierge et les saintes femmes,

Et cette montagne et cette vallée, sur qui le soir descendait,

Et mon peuple d'Israël et les pécheurs et ensemble celui qui mourait, qui était mort pour eux

Et les hommes de Joseph d'Arimathée qui déjà s'approchaient

Portant le linceul blanc.

## 13. 안나 드 노아유

루마니아의 명문 출신으로 파리에서 태어나 자라고 사망했다. 조숙한 미인으로 21세에 노아유 백작과 결혼했다. 처녀작인 시집《헤아릴 수 없는 마음》(1901)이 크게 호평을 받았고 명성을 얻었다. 잇달 ▶

### 놀람

나는 명상하고 있었다, 갑자기 정원이 모습을 드러내고
나의 타는 듯한 눈길을 단숨에 끌어버린다.
나는 터질 것 같은 환희로 정원을 바라본다,
웃음, 싱그러움, 순진함, 여름의 목가!
모두 나를 감동시키고, 모두 나를 기쁘게 하고, 나는 황홀경에 빠진다,
나는 앞으로 나아가고 걸음을 멈춘다, 마치 환희가
이 작은 나무 위에 있다가 내 마음 속으로 뛰어오른 것 같았다.
나는 흥분, 사랑, 향긋한 내음으로 가득 찬다.
그리고 푸른 하늘도 내 몸에 씨실을 너무나 얽히게 하여
나의 놀란 눈길에는, 느닷없는 듯이,
이 목장이 아니라, 내 눈에 꽃피는 것 같고,
그리고 내가 원하면, 나의 감긴 눈꺼풀 아래서도
태양과 장미를 여전히 볼 수 있을 것 같았다.

## Anna de Noaille, 1876-1933

아《나날의 그림자》(1902),《산 자와 죽은 자》(1913),《영원한 힘》(1920),《고통이라는 명예》(1927) 등 많은 시집을 출판했다. 불안, 우수, 관능적인 향락을 다룬 시를 즐겨 썼다.

## Surprise

Je méditais; soudain le jardin se révèle
Et frappe d'un seul jet mon ardente prunelle.
Je le regarde avec un plaisir éclaté;
Rire, fraîcheur, candeur, idylle de l'été!
Tout m'émeut, tout me plaît, une extase me noie,
J'avance et je m'arrête; il semble que la joie
Etait sur cet arbuste et saute dans mon coeur!
Je suis pleine d'élan, d'amour, de bonne odeur,
Et l'azur à mon corps mêle si bien sa trame
Qu'il semble brusquement, à mon regard surpris,
Que ce n'est pas ce pré, mais mon oeil qui fleurit
Et que, si je voulais, sous ma paupière close
Je pourrais voir encor le soleil et la rose.

## 과수원

[……]
무심하고 부드러운 내 마음은
밤이슬이 그의 꿈과 휴식을 흩뜨리지 않고
내려앉아 굽이굽이 흘러내리는
강낭콩의 휘기 쉽고 편편한 잎사귀처럼 경사지리라.

비 뿌린 정원처럼 지치고,
새벽안개 속에 연못처럼 고요한,
나는 드디어 두려움과 고통에서 해방되리라,
더는 고통 받지 않고, 더는 생각도 하지 않으리라,

나는 더 이상 알지 못하리라 속세의 일들을,
내 인생과 내 조국의 고통을,
나는 들으리라 깊은 영혼 속에서
새싹이 움트는 조화로운 평화를.

나는 자만심도 잃게 되고 내 새로운,
순진함과 소박함 속에서 여름의 사랑스런 즐거움인,
내 오빠 포도나무 가지와
내 언니 까치밥나무 열매를 닮으리라.

나는 대지에 너무 예민해지고 너무 결합되어
내가 죽음을 이미 알았다고 생각할 수 있으리라,
그리고 시체로 초록에 영양을 주고, 꽃피우는

## Le verger

………

Mon coeur, indifférent et doux, aura la pente
Du feuillage flexible et plat des haricots
Sur qui l'eau de la nuit se dépose et serpente
Et coule sans troubler son rêve et son repos.

Je serai libre enfin de crainte et d'amertume,
Lasse comme un jardin sur lequel il a plu,
Calme comme l'étang qui luit dans l'aube et fume,
Je ne souffrirai plus, je ne penserai plus,

Je ne saurai plus rien des choses de ce monde,
Des peines de ma vie et de ma nation,
J'écouterai chanter dans mon âme profonde
L'harmonieuse paix des germinations.

Je n'aurai pas d'orgueil, et je serai pareille,
Dans ma candeur nouvelle et ma simplicité,
A mon frère le pampre et ma soeur la groseille
Qui sont la jouissance aimable de l'été,

Je serai si sensible et si jointe à la terre
Que je pourrai penser avoir connu la mort,
Et me mêler, vivante, au reposant mystère

아늑한 신비에, 산 채로 섞일 수 있으리라.

그리고 내 물결치는 눈이 이 아마와 닮았고,
열렬한 무거운 내 마음이, 햇볕에 가만히
껍질을 익히는 이 배라고 믿는 것
이것은 너무나 좋고 너무나 옳은 일이다…

Qui nourrit et fleurit les plantes par les corps.

Et ce sera très bon et très juste de croire
Que mes yeux ondoyants sont à ce lin pareils,
Et que mon coeur, ardent et lourd, est cette poire
Qui mûrit doucement sa pelure au soleil...

## 14. 기욤 아폴리네르

로마 출생. 19세 때 파리로 나와 유럽 여러 곳을 여행하여 초기 작품에는 여행의 인상과 이국적인 전설, 민화를 주제로 작품을 썼다. 그는 19세기와 20세기의 접합점에 위치해 있다. 자콥, 살몽, 피카소, 브라크 등과 새로운 예술 운동을 시작하고 입체파, 야수파 화가들과 친교 ▶

### 미라보 다리

미라보 다리 아래 센 강이 흐른다
그리고 우리의 사랑이
추억해야만 하는가 그 사랑을
기쁨은 언제나 고통 뒤에 왔다.

밤이여 오라 종이여 울려라
세월은 흐르고 나는 남는다

손에 손을 잡고서 얼굴을 마주 보자
우리들의 팔의 다리 아래로
영원한 시선의 나른한
물결이 흘러가는 동안

밤이여 오라 종이여 울려라
세월은 흐르고 나는 남는다

Guillaume Apollinaire,
1880-1918

를 맺고 시, 평론, 소설을 기고하여 모더니즘 투사로 활동하였다. 중세 및 괴기취미, 공상적인 시상을 애호했다. 주요 시집에 《알콜》(1913), 《칼리그람》(1918) 등이 있다.

## le pont Mirabeau

Sous le pont Mirabeau coule la Seine
Et nos amours
Faut-il qu'il m'en souvienne
La joie venait toujours après la peine.

Vienne la nuit sonne l'heure
Les jours s'en vont je demeure.

Les mains dans les mains restons face à face
Tandis que sous
Le pont de nos bras passe
Des éternels regards l'onde si lasse.

Vienne la nuit sonne l'heure
Les jours s'en vont je demeure.

## 비가 내린다

추억 속에서 죽기라도 한 것처럼
여인들의 목소리로 비가 내린다

비가 되어 내리는 건
내 인생의 복된 해후들 오 낙수여!

성난 구름이 으르렁대기 시작한다
음향의 도시 이 우주에서

뉘우침과 서러움이 옛 노래로 흐를진대
이 빗소리 들어라

아래로 위로 그대를 묶어 놓은
이 인연의 줄이 떨어지는 것을 들어라

# Il pleut

Il pleut des voix de femmes
comme si elles étaient mortes même dans le souvenir.

C'est vous aussi qu'il pleut,
merveilleuses rencontres de ma vie. ô gouttelettes!

Et ces nuages cabrés se prennent à hennir
tout un univers de villes auriculaires

Ecoute s'il pleut tandis que le regret et le dédain
pleurent une ancienne musique

Ecoute tomber les liens
qui te retiennent en haut et en bas

## 상테 감옥에서

1

나는 감옥에 들어가기 전에
나는 옷을 벗어야 했다
누군가의 불길한 목소리가 울부짖는다
기욤, 이게 무슨 꼴이요

무덤에서 밖으로 나오기는커녕
무덤 속으로 들어가는 나자로와도 같이
잘 있어라 잘 있어라 노래하는 론도여
오 나의 세월이여 오 젊은 아가씨들이여

2

아니, 여기서는 이미
나는 없구나
나는 단지 11번 방의
제 15번
유리창 너머로
태양은 흘러들고
햇살은 내 시 위에서
익살을 부리고
종이 위에서 춤을 춘다

# A la Santé

I

Avant d'entrer dans ma cellule
Il a fallu me mettre nu
Et quelle voix sinistre ulule
Guillaume qu'es-tu devenu

Le Lazare entrant dans la tombe
Au lieu d'en sortir comme il fit
Adieu adieu chantante ronde
O mes années ô jeunes filles

II

Non je ne me sens plus là
Moi-même
Je suis le quinze de la
Onzième
Le soleil filtre à travers
Les vitres
Ses rayons font sur mes vers
Les pitres
Et dansent sur le papier

누군가 발로
천장을 두드리는 소리를
듣는다

3

구덩이 속의 곰처럼
매일 아침 나는 돌아다닌다
돌고 돌자 계속 돌자
하늘은 쇠사슬처럼 푸르다
구덩이 속의 곰처럼
아침마다 나는 돌아다닌다

바로 옆 감방에서는
분수물을 내뿜는다
열쇠를 철컥거리며
교도관이 오고 가곤 하나
바로 옆 감방에서는
분수물을 내뿜는다.

J'écoute
Quelqu'un qui frappe du pied
La voûte

III

Dans une fosse comme un ours
Chaque matin je me promène
Tournons tournons tournons toujours
Le ciel est bleu comme une chaîne
Dans une fosse comme un ours
Chaque matin je me promène

Dans la cellule d'à côté
On y fait couler la fontaine
Avec les clefs qu'il fait tinter
Que le geôlier aille et revienne
Dans la cellule d'à côté
On y fait couler la fontaine

4

희뿌연 색으로 칠한 헐벗은 벽 사이에
갇힌 나는 한없이 지루하다
파리 한 마리가 종이 위에
서투른 내 글씨를 밟으며 기어다닌다

나는 어떻게 될까요 오 하나님 나의 고통을 잘 아시며
그 고통을 나에게 주신 하나님
불쌍히 여기소서 눈물마저 말라버린 내 눈과
창백한 내 얼굴 쇠사슬에 묶인 이 의자 소리를

그리고 이 감옥 안에서 숨 쉬는 저 많은 가엾은 가슴들을
저와 항상 함께하시는 사랑이여
저의 연약한 이성과 이를 누르는 절망감을
특별히 불쌍히 여기소서

5

시간은 지루하게 흐른다
장례의 순간이 지나가듯이
그대가 울고 있는 때를 애석해하리라
모든 시간과 같이 이 시간도

IV

Que je m'ennuie entre ces murs tout nus
Et peints de couleurs pâles
Une mouche sur le papier à pas menus
Parcourt mes lignes inégales

Que deviendrai-je ô Dieu qui connais ma douleur
Toi qui me l'as donnée
Prends en pitié mes yeux sans larmes ma pâleur
Le bruit de ma chaise enchaînée

Et tous ces pauvres coeurs battant dans la prison
L'Amour qui m'accompagne
Prends en pitié surtout ma débile raison
Et ce désespoir qui la gagne

V

Que lentement passent les heures
Comme passe un enterrement
Tu pleureras l'heure où tu pleures
Qui passera trop vitement

너무 빨리 지나갈 것이므로

6

나는 거리의 소리에 귀 기울인다
그러나 지평선이 없는 죄수에게는
적의에 찬 하늘과
이 감옥의 헐벗은 성벽만이 보일 뿐
날이 저물고 이윽고
감방 속에서도 램프는 켜진다
아름다운 불빛이여 그리운 이성이여
우리는 우리의 감옥에서 고독하다

Comme passent toutes les heures

VI

J'écoute les bruits de la ville
Et prisonnier sans horizon
Je ne vois rien qu'un ciel hostile
Et les murs nus de ma prison
Le jour s'en va voici que brûle
Une lampe dans la prison
Nous sommes seuls dans ma cellule
Belle clarté Chère raison

## 미래

밀짚을 올리자
눈(雪)을 쳐다보자
편지를 쓰자
명령을 기다리자

사랑을 생각하며
파이프를 피우자
진지는 저기 있나니
장미꽃을 바라보자

분수는 마르지 않았고
밀짚의 황금도 시들지 않았다
꿀벌을 쳐다보고
미래 따위는 생각지 말자

우리들 손바닥을 들여다보자
그것은 눈
장미 그리고 꿀벌
그리고 또 미래이다

## L'Avenir

Soulevons la paille
Regardons la neige
Ecrivons des lettres
Attendons des ordres

Fumons la pipe
En songeant à l'amour
Les gabions sont là
Regardons la rose

La fontaine n'a pas tari
Pas plus que l'or de la paille ne s'est terni
Regardons l'abeille
Et ne songeons pas à l'avenir

Regardons nos mains
Qui sont la neige
La rose et l'abeille
Ainsi que l'avenir

## 병든 가을

병든 가을 사랑하는 가을아
장미동산에 폭풍우 몰아칠 때면
눈보라가 과수원에
휘몰아칠 때면 죽으리라

가엾은 가을아
눈과 무르익은 과일이
하얗게 되고 풍성하면 죽는다
저 멀리 하늘에는
새매가 맴돌고 있다
결코 사랑해보지 못한
물의 요정들과 초록색 머리를 짧게 깎은 난장이 머리 위에서

멀리 변두리에서는
수사슴들이 울부짖고 있다

그리고 나는 사랑한다 오 계절이여 너의 속삭임을
따지 않아도 떨어지는 열매들
잎새에서 잎새로 가을의 모든 눈물들이
울고 있는 바람과 숲
나뭇잎들은
밟혀 다져진다
기차는
달려간다

## Automne malade

Automne malade et adoré
Tu mourras quand l'ouragan soufflera dansles roseraies
Quand il aura neigé
Dans les vergers

Pauvre automne
Meurs en blancheur et en richesse
De neige et de fruits mûrs
Au fond du ciel
Des éperviers planent
Sur les nixes nicettes aux cheveux verts et naines
Qui n'ont jamais aimé

Aux lisières lointaines
Les cerfs ont bramé

Et que j'aime ô saison que j'aime tes rumeurs
Les fruits tombant sans qu'on les cueille
Le vent et la forêt qui pleurent
Toutes leurs larmes en automne feuille à feuille
Les feuilles
Qu'on foule
Un train
Qui roule

인생은
흘러간다

La vie
S’écoule

## 15. 마리 로랑생

파리 출생의 화가. 우아하고 약간 우울한 여성을 그린 섬세한 수채화로 유명하다. 몽마르트르의 입체파 화가들 틈에서 활동했지만 입체파 화풍을 따르지는 않았다. 작품의 주제나 색조, 기법이 무척 여성스 ▶

### 진정제

권태로운 여자보다
슬픈 여자.

슬픈 여자보다
불행한 여자.

불행한 여자보다
고통받는 여자.

고통받는 여자보다
버림받은 여자.

버림받은 여자보다
세상에 의지가지 없는 여자.

## Marie Laurencin, 1883-1956

러워서 '꾀꼬리'라는 별명을 얻었다. 아폴리네르의 연인이었던 그녀는 아폴리네르와 친구들의 초상화를 여러 점 그렸다.《집》(1939),《밤의 수첩》(1942) 등의 시를 남겼다.

### Le Calmant

Plus qu'ennuyée
Triste.

Plus que triste
Malheureuse.

Plus que malheureuse
Souffrante.

Plus que souffrante
Abandonnée.

Plus qu'abandonnée
Seule au monde.

세상에 의지가지 없는 여자보다
쫓겨난 여자.

쫓겨난 여자보다
죽은 여자.

죽은 여자보다
잊혀진 여자.

Plus que seule au monde
Exilée.

Plus qu'exilée
Morte.

Plus que morte
Oubliée.

## 16. 장 콕도

파리 근교 메종 라피트 출생. 어떤 시파에도 속하지 않고 시인, 창작가, 배우, 영화연출가, 화가, 소설가, 평론가 등 모든 분야에서 활동했다. 일찍부터 파리 사교계에 출입했고 스트라빈스키, 피카소, 아폴리네르 등 전위적인 예술가들과 교유했다. 그는 포에지를 꿈, 기적, 초 ▶

### 꿈속에 날아 다녀요

칠판 위에 새가 몇 마리 그려져 있어요.

분필로 그린 새 다리 몇 개
내 꿈의 비밀을 그려보고
또 지워요.

가위가 있고 물결 모양의 새털을 그렸지만.

어쩌지
물이 흘러넘치고
비 오듯 선이 그어져 있는 걸?

지우개와 철사줄이 있어요.

등에는

Jean Cocteau, 1889-1963

자연, 죽음 등이라고 생각했다. 그가 시도한 활동 영역의 다양화는 19세기적인 문학관이 끝나고 새로운 세계관의 시작을 예견하게 한다. 시집에는《레온》(1945), 소설《무서운 아이들》(1929), 영화《미녀와 야수》(1946) 등을 남겼다.

## Je vole en rêve

Vous avez mes oiseaux et les pattes de craie.

Sur l'ardoise
J'apprivoise
Et je lave les secrets.

Vous avez mes ciseaux et l'écume de plumes.

Mais que faire
L'eau s'allume
Et il pleut du fil de fer?

Vous avez une éponge et pattes de ficelle.

Sur le dos

책가방 그리고
새가 그려져 있는 칠판.

Une selle

Et l'ardoise des oiseaux

## 잠든 아가씨

꿈의 나무 뒤에서의 밀회
그러나 어느 쪽으로 가야 할지는 알아야만 했다,
때때로 만치닐[1] 나무의 희생자인
사람은 천사들을 혼동한다…

이 제스처가 무언지 알고 있는 우리.
무도회와 술 마시는 사람들을 떠나,
사격장으로부터 안전한 거리에 있는 것,
우리는 헛되이 잠들지 않는다.

어떤 구실로든 간에 잠을 자자,
예를 들면. 꿈으로 날아가자,
그리고 오점형의 모양으로 자리 잡자,
밀회를 엿보기 위해서.

잠이야말로 시를 만들어 준다.
단 하나의 길고 게으른 팔을 가진 아가씨,
이미 꿈이 당신을 사로잡아
더 이상 아무것도 당신에겐 흥미가 없구나.

1 열대산의 독이 있는 나무

# Jeune fille endormie

Rendez-vous derrière l'arbre à songe
Encore faut-il savoir auquel aller,
Souvent on embrouille les anges
Victime du mancenillier...

Nous qui savons ce que ce geste attire:
Quitter le bal et les buveurs de vin,
À bonne distance des tirs,
Nous ne dormirons pas en vain.

Dormons sous un prétexte quelconque,
Par exemple: voler en rêve;
Et mettons-nous en forme de quinconce,
Pour surprendre les rendez-vous.

C'est le sommeil qui fait la poésie,
Jeune fille avec un seul grand bras paresseux;
Déjà le rêve t'a saisie
Et plus rien d'autre ne t'intéresse.

## 나의 시풍이…

이 시의 시풍이 여기서 같지 않다 해도,
오호, 나로서는 어쩔 수 없다.
나는 언제나 시를 기다리기가 힘들어서,
나에게 오는 것을 붙잡는다.

독자여, 나는 뮤즈의 뜻을 알지 못한다,
신의 뜻과 같아서.
나를 무대로 삼아 움직이는.
그들의 심오한 계략을 나로서는 짐작할 수가 없다.

나는 그들이 나에게서 춤추며 맺었다 풀었다,
혹은 부수는 대로 내버려둔다,
그들의 법칙을 따라가는 것 외에는
다른 경솔한 일을 할수는 없기 때문에.

# Si ma façon de chant...

Si ma façon de chant n'est pas ici la même,
Hélas, je n'y peux rien.
Je suis toujours en mal d'ettendre le poème,
Et prends ce qui me vient.

Je ne connais, lecteur, la volonte des Muses,
Plus que celle de Dieu.
Je n'ai rien devine de leurs profondes ruses.
Dont me voici le lieu.

Je les laisse nouer et denouer leurs danses,
Où les casser en moi,
Ne pouvant me livrer a d'autres imprudences
Que de suivre leur loi.

8

# 모데르니슴 시 2

(초현실주의, 입체파, 저항시, 전후시)

두 차례에 걸쳐 세계대전을 치른 유럽에서는 초현실주의 다다 등 새로운 사조가 출현한다. 전쟁을 기점으로 저항시 그리고 전후시로 대변되기도 하는 이 시기의 시는, 생과 사 및 인간존재에 대한 치열한 탐구정신을 기저로 한다. 이후의 현대시에선 다극화된 사회를 반영해 여러 갈래의 독자적이고 창조적인 작업이 이어지고 있다.

## 1. 앙드레 브르통

초현실주의의 주창자. 처음에는 의학을 지망했다. 프로이트의 저서를 애독 정신분석 요법을 응용하여 자동기술법을 발견하고 꿈, 잠, 무의식을 인간정신의 자유로운 발로로 보는 시의 혁신운동을 주도했다. ▶

### 자유로운 결합

나의 아내는 가지고 있다. 장작불의 머리카락을
모래시계에 어울리는
섬광 같은 열기의 생각들을
나의 아내는 호랑이 이빨 사이에서 수달에 어울리는
나의 아내는 장식리본과 최후의 웅대한 별의 부케 같은 입술을
하얀 땅 위에 하얀 생쥐의 흔적 같은 이빨을
호박의 혀와 문지른 유리를
나의 아내는 단도에 찔린 면병 같은 혀를
눈을 떴다 감았다 하는 인형의 혀를
믿을 수 없는 돌의 혀를
나의 아내는 어린아이의 습자 막대 같은 속눈썹을
제비 둥지의 가장자리 같은 눈썹을
나의 아내는 온실지붕의 슬레이트 같은 관자놀이를
그리고 김이 서린 유리창을
나의 아내는 샹파뉴 같은 어깨를
그리고 분수 같은, 얼음 밑에서 돌고래 같은 머리를

## André Breton, 1896-1966

《문학》,《초현실주의 혁명》 등의 기관지를 발간했다. 시집으로《땅의 빛》(1923), 시적 소설《나자》(1928), 수필집《연통관》(1932) 등의 중요한 작품이 있다.

## L'Union Libre

Ma femme à la chevelure de feu de bois
Aux pensées d'éclairs de chaleur
A la taille de sablier
Ma femme à la taille de loutre entre les dents du tigre
Ma femme à la bouche de cocarde et de bouquet d'étoiles de dernière grandeur
Aux dents d'empreintes de souris blanche sur la terre blanche
A la langue d'ambre et de verre frottés
Ma femme à la langue d'hostie poignardée
A la langue de poupée qui ouvre et ferme les yeux
A la langue de pierre incroyable
Ma femme aux cils de bâtons d'écriture d'enfant
Aux sourcils de bord de nid d'hirondelle
Ma femme aux tempes d'ardoise de toit de serre
Et de buée aux vitres
Ma femme aux épaules de Champagne
Et de fontaine à têtes de dauphins sous la glace

나의 아내는 성냥개비 같은 팔목을
나의 아내는 우연과 하트의 에이스 같은 손가락을
잘린 건초 같은 손가락을
나의 아내는 담비와 너도밤나무 같은 겨드랑이를
성 요한의 밤의
쥐똥나무의 그리고 스칼라의 둥지의
바다 거품과 수문 같은 팔을
그리고 밀과 물레방아의 혼합을
나의 아내는 로켓 같은 다리를
시계장치와 절망의 움직임을
나의 아내는 딱총나무의 골수 같은 장딴지를
나의 아내는 머리글자의 발을
열쇠 뭉치 같은 발을 술 마시는 배 수리공의 발을
나의 아내는 방울 맺힌 보리의 목을
나의 아내는 황금 골짜기의 목을
급류의 한 침대에서 만나는
밤의 젖가슴을
나의 아내는 바다의 작은 언덕의 젖가슴을
나의 아내는 루비 도가니의 젖가슴을
이슬 아래서 장미의 유령 같은 젖가슴을
나의 아내는 나날이 부채를 펼치는 것 같은 복부를
거대한 발톱 같은 복부를
나의 아내는 수직으로 나는 새의 등을
수은의 등을

Ma femme aux poignets d'allumettes
Ma femme aux doigts de hasard et d'as de cœur
Aux doigts de foin coupé
Ma femme aux aisselles de martre et de fênes
De nuit de la Saint-Jean
De troène et de nid de scalares
Aux bras d'écume de mer et d'écluse
Et de mélange du blé et du moulin
Ma femme aux jambes de fusée
Aux mouvements d'horlogerie et de désespoir
Ma femme aux mollets de moelle de sureau
Ma femme aux pieds d'initiales
Aux pieds de trousseaux de clefs aux pieds de calfats qui boivent
Ma femme au cou d'orge imperlé
Ma femme à la gorge de Val d'or
De rendez-vous dans le lit même du torrent
Aux seins de nuit
Ma femme aux seins de taupinière marine
Ma femme aux seins de creuset du rubis
Aux seins de spectre de la rose sous la rosée
Ma femme au ventre de dépliement d'éventail des jours
Au ventre de griffe géante
Ma femme au dos d'oiseau qui fuit vertical
Au dos de vif-argent

빛의 등을
굴린 돌과 젖은 분필의 목덜미를
그리고 마셔버린 술잔 안에 떨어지는
나의 아내는 곤돌라의 허리를
윤기 나는 허리와 화살의 기다란 깃을
그리고 흰 공작의 깃털 줄기를
감지할 수 없는 균형의
나의 아내는 도자기와 석면의 엉덩이를
나의 아내는 백조의 등의 엉덩이를
나의 아내는 봄의 엉덩이를
글라디올러스의 섹스를
나의 아내는 금광상과 오리너구리의 섹스를
나의 아내는 해조와 옛날 과자의 섹스를
나의 아내는 거울의 섹스를
나의 아내는 눈물을 가득 머금은 눈을
보라색 갑옷과 자석침의 눈을
나의 아내는 대초원의 눈을
나의 아내는 교도소에서 마시기 위한 물의 눈을
나의 아내는 언제나 도끼 아래 있는 숲의 눈을
물의 수준, 공기의 땅의 그리고 불의 수준의 눈을

Au dos de lumière
A la nuque de pierre roulée et de craie mouillée
Et de chute d'un verre dans lequel on vient de boire
Ma femme aux hanches de nacelle
Aux hanches de lustre et de pennes de flèche
Et de tiges de plumes de paon blanc
De balance insensible
Ma femme aux fesses de grès et d'amiante
Ma femme aux fesses de dos de cygne
Ma femme aux fesses de printemps
Au sexe de glaïeul
Ma femme au sexe de placer et d'ornithorynque
Ma femme au sexe d'algue et de bonbons anciens
Ma femme au sexe de miroir
Ma femme aux yeux pleins de larmes
Aux yeux de panoplie violette et d'aiguille aimantée
Ma femme aux yeux de savane
Ma femme aux yeux d'eau pour boire en prison
Ma femme aux yeux de bois toujours sous la hache
Aux yeux de niveau d'eau de niveau d'air de terre et de feu

## 2. 루이 아라공

브르통과 함께 초현실주의를 이끌었다. 시인, 소설가, 평론가. 1919년 평론잡지《문학》지를 창간하고 다다이즘 운동에도 참여했으나 1922년 다다이즘과 결별했다. 그 후 직접적인 시의 형태로 또 중세 프랑스 시풍으로 돌아갔다. 정치 참여로 초현실주의와 결별하고 사 ▶

### 엘자의 눈

너의 눈은 너무나도 심오하여 내가 물을 마시려 몸을 숙이면서
나는 보았다, 모든 태양빛이 거기에 자기의 모습을 비춰보고
모든 절망한 사람들이 죽으려고 거기에 몸을 던지는 것을
너의 눈은 너무나도 심오하여 나는 거기서 나의 기억을 잃어버린다

새들의 그늘 아래 네 눈은 흐려진 대양
이윽고 날씨가 갑자기 맑아지면 너의 눈은 변한다
여름이 천사의 앞치마에서 구름을 빚어내고
하늘은 절대로 밀밭 위에서만큼은 푸를 수가 없다

바람이 푸른 하늘의 괴로움을 몰아내도 헛일
너의 눈은 한 방울의 눈물이 반짝일 때 하늘보다 더 맑고
너의 눈은 비 갠 후의 하늘도 질투하게 한다
유리도 절대로 그녀의 갈라진 입술보다 더 푸르지 않다

## Louis Aragon, 1897-1982

회주의자의 길을 걸었다.《아니세》(1921),《파리의 농부》(1926),《방종》(1924),《현실세계》(1933-44) 등의 작품을 남겼다. 1981년에 레지옹 도뇌르 훈장을 받았다.

## Les Yeux D'elsa

Tes yeux sont si profonds qu'en me penchant pour boire
J'ai vu tous les soleils y venir se mirer
S'y jeter à mourir tous les désespérés
Tes yeux sont si profonds que j'y perds la mémoire

À l'ombre des oiseaux c'est l'océan troublé
Puis le beau temps soudain se lève et tes yeux changent
L'été taille la nue au tablier des anges
Le ciel n'est jamais bleu comme il l'est sur les blés

Les vents chassent en vain les chagrins de l'azur
Tes yeux plus clairs que lui lorsqu'une larme y luit
Tes yeux rendent jaloux le ciel d'après la pluie
Le verre n'est jamais si bleu qu'à sa brisure

일곱 가지 고통의 어머니, 오 눈물 젖은 빛이여
일곱 개의 검이 색색의 프리즘을 꿰뚫었다
눈물 사이를 뚫은 햇빛은 더욱 가슴을 찌르고
검은 구멍이 난 무지개는 상복을 입어 더욱 푸르르다

너의 눈은 불행 속에서 이중의 갈라진 틈을 열고 있다
그곳은 동방 박사의 기적이 소생하는 곳
세 박사 모두가 가슴 두근거리며 보았을 때
말구유에 걸려있는 성모 마리아의 망토를

한 입이면 충분하다 말 많은 오월에
어떤 노래에도 그리고 어떤 탄식에도
수백만의 별을 위해서는 하나의 하늘은 너무 보잘것없다
너의 눈이 그리고 그 눈의 비밀스런 쌍둥이자리가 필요했다

아름다운 그림에 사로잡힌 어린애는
엄청나게 조금 그의 눈을 크게 뜬다
네가 커다란 눈을 뜰 때 네가 거짓말을 하는지 나는 모르나
사람들은 말하리라 소나기가 야생 꽃을 피운다고

너의 눈은 이 라벤더 꽃 속에 번갯불을 감추고 있는가
곤충들이 그들의 거친 사랑을 부숴버리는 곳
나는 유성의 그물에 잡힌다
8월의 한창 때에 바다에서 죽는 어떤 수부처럼

Mère des Sept douleurs ô lumière mouillée
Sept glaives ont percé le prisme des couleurs
Le jour est plus poignant qui point entre les pleurs
L'iris troué de noir plus bleu d'être endeuillé

Tes yeux dans le malheur ouvrent la double brèche
Par où se reproduit le miracle des Rois
Lorsque le coeur battant ils virent tous les trois
Le manteau de Marie accroché dans la crèche

Une bouche suffit au mois de Mai des mots
Pour toutes les chansons et pour tous les hélas
Trop peu d'un firmament pour des millions d'astres
Il leur fallait tes yeux et leurs secrets gémeaux

L'enfant accaparé par les belles images
Écarquille les siens moins démesurément
Quand tu fais les grands yeux je ne sais si tu mens
On dirait que l'averse ouvre des fleurs sauvages

Cachent-ils des éclairs dans cette lavande où
Des insectes défont leurs amours violentes
Je suis pris au filet des étoiles filantes
Comme un marin qui meurt en mer en plein mois d'août

나는 우라늄 광석에서 이 라듐을 끌어냈다
나는 이 금단의 불에 나의 손가락을 데었다
오, 백 번이나 넘게 잃었다가 되찾은 낙원이여
너의 눈은 나의 페루 나의 골콩드 나의 인도

어느 아름다운 저녁 세계는 암초에 부서져
약탈자들은 암초 위에 불을 질렀다
나는 보고 있었다, 바다 위 멀리 반짝이는
엘자의 눈 엘자의 눈 엘자의 눈을

J'ai retiré ce radium de la pechblende
Et j'ai brûlé mes doigts à ce feu défendu
Ô paradis cent fois retrouvé reperdu
Tes yeux sont mon Pérou ma Golconde mes Indes

Il advint qu'un beau soir l'univers se brisa
Sur des récifs que les naufrageurs enflammèrent
Moi je voyais briller au-dessus de la mer
Les yeux d'Elsa les yeux d'Elsa les yeux d'Elsa.

## (1940년의) 리처드 2세

나의 조국은 작은 배처럼
뱃사공들이 버리고 갔다
나는 군주와 같다
나는 불행보다 더 불행해져
자기 고통의 왕으로 남아 있던

산다는 것은 오직 전략일 뿐
바람은 눈물을 잘 말릴 줄 모른다
내가 사랑하는 모든 것을 증오해야 하고
내가 가지지 않는 것도 그들에게 주어라
나는 내 고통의 왕으로 남아 있다

심장은 뛰는 것을 멈출 수 있고
피는 열기 없이 흐를 수 있다
2 더하기 2는 4가 아니다
사기꾼들의 놀이에서는
나는 내 고통의 왕으로 남아 있다

태양이 죽고 다시 살아나도
하늘은 그 색을 잃어버렸다
나의 젊은 시절의 다정한 파리여
케-오-플뢰르의 봄이여 잘 있어라
나는 내 고통의 왕으로 남아 있다

# Richard II quarante

Ma patrie est comme une barque
Qu'abandonnèrent ses haleurs
Et je ressemble à ce monarque
Plus malheureux que le malheur
Qui restait roi de ses douleurs

Vivre n'est plus qu'un stratagème
Le vent sait mal sécher les pleurs
Il faut haïr tout ce que j'aime
Ce que je n'ai plus donnez-leur
Je reste roi de mes douleurs

Le cœur peut s'arrêter de battre
Le sang peut couler sans chaleur
Deux et deux ne fassent plus quatre
Au Pigeon-Vole des voleurs
Je reste roi de mes douleurs

Que le soleil meure ou renaisse
Le ciel a perdu ses couleurs
Tendre Paris de ma jeunesse
Adieu printemps du Quai-aux-Fleurs
Je reste roi de mes douleurs

숲과 연못에서 달아나라
재잘대는 새들은 침묵하라
너희들의 노래는 격리되었다
새잡이들이 지배하는 세상이다
나는 내 고통의 왕으로 남아 있다

고통의 시기가 있다
잔이 보쿨뢰르에 왔다
아 프랑스를 조각내 버려라
그 날도 이렇게 창백했다
나는 내 고통의 왕으로 남아 있다

Fuyez les bois et les fontaines
Taisez-vous oiseaux querelleurs
Vos chants sont mis en quarantaine
C'est le règne de l'oiseleur
Je reste roi de mes douleurs

Il est un temps pour la souffrance
Quand Jeanne vint à Vaucouleurs
Ah coupez en morceaux la France
Le jour avait cette pâleur
Je reste roi de mes douleurs

## 3. 폴 엘뤼아르

파리 교외의 생드니 출생. 폐병으로 학업을 중단하고 스위스에서 요양생활을 하였다. 제 1차 세계대전의 종군 경험이 최초의 시집《의무와 불안》(1917)에 나타난다. 폴랑, 브르통, 아라공 등과 알게 되어 다다이즘 운동에 합류하고, 초현실주의의 시인으로 활약했다. 걸작인《고통의 도시》(1926)는 인간의 우애를 표출하고 있다. 그의 시의 주 ▶

### 연인

그녀는 내 눈꺼풀 위에 서 있다
그리고 그녀의 머리카락은 내 머리카락 속에.
그녀는 내 손 모양을 하고 있다,
그녀는 내 눈 색깔을 하고 있다,
그녀는 내 그림자 속으로 사라져 버린다
마치 하늘에 던져진 돌처럼.

그녀는 눈을 언제나 뜨고 있어
나를 잠들지 못하게 한다.
환한 대낮에 그녀의 꿈은
태양을 증발시키고,
나를 웃기고, 울리고, 웃기고,
별 할 말이 없는 데도 말하게 한다.

## Paul Eluard, 1895-1952

제는 사랑과 자유로 '시인은 영감을 받는 자가 아니라 영감을 주는 자'라고 생각했다.《자유》가 수록된《시와 진실》(1942),《독일군의 주둔지에서》(1944)는 프랑스 저항시의 백미로 꼽힌다.

## L'Amoureuse

Elle est debout sur mes paupières
Et ses cheveux sont dans les miens,
Elle a la forme de ma main,
Elle a la couleur de mes yeux,
Elle s'englouti dans mon ombre
comme une pierre sur le ciel.

Elle a toujours les yeux ouverts
Et ne me laisse pas dormir.
Ses rêves en pleine lumière
Font s'évaporer les soleils,
Me font rire, pleurer et rire,
Parler sans avoir rien à dire.

## 아무도 나를 알 수 없다

아무도 나를 알 수 없다
네가 나를 아는 것보다 더 잘

우리 둘이 잠들어 있는
너의 눈이
세계의 밤에보다
인간의 빛에 더 좋은 운명을 만들었다

내가 여행하는 너의 눈은
길의 제스처에
대지와는 떨어진 의미를 주었다

네 눈 속에선 우리에게
우리의 무한한 고독을 드러내는 이들은
벌써 그들이 생각했던 바와는 다르다.

아무도 너를 알 수 없다
내가 너를 아는 것보다 더 잘.

## On ne peut me connaître

On ne peut me connaître
Mieux que tu me connais

Tes yeux dans lesquels nous dormons
Tous les deux
Ont fait à mes lumières d'homme
Un sort meilleur qu'aux nuits du monde

Tes yeux dans lesquels je voyage
Ont donné aux gestes des routes
Un sens détaché de la terre

Dans tes yeux ceux qui nous révèlent
Notre solitude infinie
Ne sont plus ce qu' ils croyaient être

On ne peut te connaître
Mieux que je te connais.

# 자유

나의 학습 노트 위에
나의 책상과 나무 위에
모래 위에 눈 위에
나는 너의 이름을 쓴다

내가 읽은 모든 책장 위에
모든 백지 위에
돌과 피와 종이와 재 위에
나는 너의 이름을 쓴다

황금빛 이미지 위에
병사들의 무기 위에
제왕들의 왕관 위에
나는 너의 이름을 쓴다

밀림과 사막 위에
새둥지 위에 금작화 나무 위에
나의 어린 시절의 메아리 위에
나는 너의 이름을 쓴다

밤의 경이로움 위에
일상의 흰 빵 위에
약혼 시절 위에
나는 너의 이름을 쓴다

# Liberté

Sur mes cahiers d'écolier
Sur mon pupitre et les arbres
Sur le sable sur la neige
J'écris ton nom

Sur toutes les pages lues
Sur toutes les pages blanches
Pierre sang papier ou cendre
J'écris ton nom

Sur les images dorées
Sur les armes des guerriers
Sur la couronne des rois
J'écris ton nom

Sur la jungle et le désert
Sur les nids les genêts
Sur l'écho de mon enfance
J'écris ton nom

Sur les merveilles des nuits
Sur le pain blanc des journées
Sur les saisons fiancées
J'écris ton nom

내 모든 하늘빛 옷자락 위에
녹쓴 태양의 연못 위에
달빛이 교교한 호수 위에
나는 너의 이름을 쓴다

들판 위에 지평선 위에
새들의 날개 위에
그리고 그림자 진 풍차 위에
나는 너의 이름을 쓴다

새벽의 입김 위에
바다 위에 배 위에
미친 듯한 산 위에
나는 너의 이름을 쓴다

구름의 거품 위에
폭풍의 땀방울 위에
굵고 무미한 빗방울 위에
나는 너의 이름을 쓴다

반짝이는 모든 것 위에
여러 빛깔의 종들 위에
물질적인 진실 위에
나는 너의 이름을 쓴다

Sur tous mes chiffons d'azur
Sur l'étang soleil moisi
Sur le lac lune vivante
J'écris ton nom

Sur les champs sur l'horizon
Sur les ailes des oiseaux
Et le moulin des ombres
J'écris ton nom

Sur chaque bouffée d'aurore
Sur la mer sur les bateaux
Sur la montagne démente
J'écris ton nom

Sur la mousse des nuages
Sur les sueurs de l'orage
Sur la pluie épaisse et fade
J'écris ton nom

Sur les formes scintillantes
Sur les cloches des couleurs
Sur la vérité physique
J'écris ton nom

잠이 깬 오솔길 위에
곧게 뻗어나간 큰길 위에
넘치는 광장 위에
나는 너의 이름을 쓴다

불이 켜진 램프 위에
불이 꺼진 램프 위에
모여 앉은 나의 가족들 위에
나는 너의 이름을 쓴다

둘로 쪼갠 과일 위에
거울과 나의 방 위에
빈 조개껍질 내 침대 위에
나는 너의 이름을 쓴다

식탐 많고 귀여운 나의 강아지 위에
쫑긋 선 그의 양쪽 귀 위에
뒤뚱거리는 그의 발걸음 위에
나는 너의 이름을 쓴다

내 문의 발판 위에
낯익은 물건 위에
축복된 불길 위에
나는 너의 이름을 쓴다

Sur les sentiers éveillés
Sur les routes déployées
Sur les places qui débordent
J'écris ton nom

Sur la lampe qui s'allume
Sur la lampe qui s'éteint
Sur mes maisons réunies
J'écris ton nom

Sur le fruit coupé en deux
Du miroir et de ma chambre
Sur mon lit coquille vide
J'écris ton nom

Sur mon chien gourmand et tendre
Sur ses oreilles dressées
Sur sa patte maladroite
J'écris ton nom

Sur le tremplin de ma porte
Sur les objets familiers
Sur le flot du feu béni
J'écris ton nom

균형 잡힌 모든 육체 위에
내 친구들의 이마 위에
건네는 모든 손길 위에
나는 너의 이름을 쓴다

놀라움이 담긴 유리창에
주저하는 입술 위에
침묵의 아주 저 너머에
나는 너의 이름을 쓴다

파괴된 내 안식처 위에
무너진 내 등대 위에
내 권태의 벽 위에
나는 너의 이름을 쓴다

욕망 없는 부재 위에
벌거벗은 고독 위에
죽음의 걸음 위에
나는 너의 이름을 쓴다

회복된 건강 위에
사라진 위험 위에
추억 없는 희망 위에
나는 너의 이름을 쓴다.

Sur toute chair accordée
Sur le front de mes amis
Sur chaque main qui se tend
J'écris ton nom

Sur la vitre des surprises
Sur les lèvres attentives
Bien au-dessus du silence
J'écris ton nom

Sur mes refuges détruits
Sur mes phares écroulés
Sur les murs de mon ennui
J'écris ton nom

Sur l'absence sans désirs
Sur la solitude nue
Sur les marches de la mort
J'écris ton nom

Sur la santé revenue
Sur le risque disparu
Sur l'espoir sans souvenirs
J'écris ton nom

그 한마디 말의 힘으로
나는 나의 삶을 다시 시작한다
나는 태어났다 너를 알기 위해서
너의 이름을 부르기 위해서

자유여

Et par le pouvoir d'un mot
Je recommence ma vie
Je suis né our te connaître
Pour te nommer

Liberté

## 올바른 정의

이것이 인간의 뜨거운 법칙이다
포도로 포도주를 만들고
석탄으로 불을 피우고
입맞춤으로 인간을 만든다

이것이 인간의 냉혹한 법칙이다
망가지지 않고 자신을 지켜내는
전쟁과 비참함에도 불구하고
죽음의 위험에도 불구하고

이것이 인간의 따뜻한 법칙이다
물을 빛으로
꿈을 현실로
그리고 적을 형제로 바꾸는 것

이것은 오래되고 새로운 법칙이다
어린이의 마음속부터
지고의 이성에 이르기까지
완성을 향해 가고 있는.

## Bonne justice

C'est la chaude loi des hommes
Du raisin ils font du vin
Du charbon ils font du feu
Des baisers ils font des hommes

C'est la dure loi des hommes
Se garder intact malgré
Les guerres et la misère
Malgré les dangers de mort

C'est la douce loi des hommes
De changer l'eau en lumière
Le rêve en réalité
Et les ennemis en frères

Une loi vieille et nouvelle
Qui va se perfectionnant
Du fond du cœur de l'enfant
Jusqu'à la raison suprême.

## 4. 제르맹 누보

남불 부아르 출신. 성직자가 되려 했지만 포기하고 1872년에 파리에 와서 회화와 문학을 연구한다. 베를렌과 알게 되고 1874년 랭보와 런던으로 건너간다.《사랑의 교의》(1882)를 쓰고, 1891년 광기의 발작 ▶

### 사랑

나는 운명의 타격을 두려워하지 않는다.
나는 아무것도 두려워하지 않는다. 형벌도,
물어뜯는 뱀의 이빨도,
성배의 독도,
낮을 피해가는 도둑도,
깡패도, 그 일당들도 두려워하지 않는다.
나의 사랑과 함께 있기에.

나는 심한 완력에도 끄떡하지 않는다.
짓궂은 장난도.
증오가 만연하여 몸이 비틀리고
사냥개에게 물어 뜯겨도 웃어넘긴다.
북소리가 요란한 전쟁도,
싸늘한 모략의 칼도
즐거움으로 만들 수 있었다.
나의 사랑과 함께 있기에.

## Germain Nouveau, 1851-1920

으로 쓰러져 입원치료를 받는다. 퇴원 후 유럽과 북아프리카를 순례했다. 후에 초현실주의자 아라공과 브르통에게 높은 평가를 받는다.

### Amour

Je ne crains pas les coups du sort,
Je ne crains rien, ni les supplices,
Ni la dent du serpent qui mord,
Ni le poison dans les calices,
Ni les voleurs qui fuient le jour,
Ni les sbires ni leurs complices,
Si je suis avec mon Amour.

Je me ris du bras le plus fort,
Je me moque bien des malices,
De la haine en fleur qui se tord,
Plus caressante que les lices;
Je pourrais faire mes délices
De la guerre au bruit du tambour,
De l'épée aux froids artifices,
Si je suis avec mon Amour.

기습하는 증오도 잠자고 있는 살쾡이도
나에게는 저주가 되지 않는다,
나는 정면으로 죽음을,
불행을, 재난을, 박해를 바라본다.
나는 당당하게,
궁전 한가운데 있는 왕들,
의병대 앞에 있는 대장들에게 맞섰다,
나의 사랑과 함께 있기에.

Haine qui guette et chat qui dort
N'ont point pour moi de maléfices;
Je regarde en face la mort,
Les malheurs, les maux, les sévices;
Je braverais, étant sans vices,
Les rois, au milieu de leur cour,
Les chefs, au front de leurs milices,
Si je suis avec mon Amour.

## 5. 막스 자콥

유태계로 브르타뉴 캥페르 출생. 아폴리네르와 함께 입체파를 대표하는 시인. 아폴리네르가 서정적이고 음악적이라면, 그의 시는 우아하고 회화적이다. 피카소, 아폴리네르, 사몬 등과 교류하면서, 큐비즘이나 쉬르레알리즘의 탄생에 큰 영향을 끼쳤다. 조소적이고 풍자적 ▶

### 라비냥 거리

라비냥 거리. "아무도 두 번 같은 강물에서 목욕할 수 없다." 철학자 헤라클레이토스가 말했다. 그런데도 다시 지나가는 것은 항상 같은 사람들이다! 똑같은 시간에, 그들은 즐거운 혹은 슬픈 얼굴로 지나간다. 라비냥 가를 걷는 당신들 모두, 나는 당신들에게 역사의 죽은 자들의 이름을 주었다! 여기 아가멤논이 있다! 여기 한스카 부인이 있다! 율리시즈는 우유 배달부! 파트로클로스는 거리의 저 밑에 있고, 이집트 왕은 내 옆에 있다. 카스토르와 폴룩스는 6층의 귀부인들이다. 그러나 너, 늙은 넝마주이, 너는, 요술에 걸린 아침에 내가 훌륭한 굵직한 램프를 끄고 있을 때 아직도 살아있는 잔해를 치우려고 오는, 너는, 신비롭고 가엾은 넝마주이여, 나는 너에게 고상하고 유명한 이름을 붙였다, 나는 너를 도스토엡스키라고 명명했다.

## Max Jacob, 1876-1944

인 그의 시는 속어나 익살을 다루면서 날카로운 아이러니를 보여주고 있다. 독일군에게 잡혀 드랑시의 포로수용소에서 사망했다.《중앙실험실》(1922),《발라드》(1938) 등의 작품이 있다.

### La Rue Ravignan

La Rue Ravignan: "On ne se baigne pas deux fois dans le même fleuve", disait le philosophe Héraclite. Pourtant, ce sont toujours les mêmes qui remontent! Aux mêmes heures, ils passent gais ou tristes. Vous tous, passants de la rue Ravignan, je vous ai donné les noms des défunts de l'Histoire! Voici Agamemnon! voici madame hanska! Ulysse est un laitier! Patrocle est au bas de la rue qu'un Pharaon est près de moi. Castor et Pollux sont les dames du cinquième. Mais toi, vieux chiffonnier, toi, qui, au féerique matin, viens enlever les débris encore vivants quand j'éteins ma bonne grosse lampe, toi que je ne connais pas, mystérieux et pauvre chiffonnier, je t'ai nommé d'un nom célèbre et noble, je t'ai nommé Dostoiewsky.

## 헤아릴 수 없는 회한

태어난 지 십오 년의 세월이 흘러 나는 캉페르를 다시 찾았다
그런데 나는 눈물을 흘리지 않았다.
옛날 저 하얀 가난한 교회에 가까이 갈 때
나는 울었었다. 눈물로 나무가 흐려질 만큼.
이번엔 모든 것이 추하고, 나무는 여윈 푸른 난장이
나는 이방인이 되어 돌아왔다. 돌 사이에
책을 내놓을 때 신세를 졌던 내 사랑하는
파리의 친구들이 숲을 망쳐 놓았다
행복하고 슬픈 나의 생각을
여윈 소나무 경치로부터 멀리 딴 곳으로 이끌어 가
말하자면 나는 대리석 인간, 그래서 아무런 감정도 들어오지
않는다. 예술에 대한 사랑이 나 자신을 이처럼 무겁게 하여
나는 눈물을 흘리지 않는다 내 고향을 지나면서도
나는 낯선 사람이다. 나는 미움을 받는 것이 두렵다
나를 몰라보는 이 사람들, 그들은 날 미워하리라.
나 역시 그들에게 사랑을 느끼지 못해. 그것이 쓰라림이다.

# Mille regrets

J'ai retrouvé Quimper où sont nés mes quinze premiers ans
Et je n'ai pas retrouvé mes larmes.
Jadis quand j'approchais les pauvres faubourgs blancs
Je pleurais jusqu'à me voiler les arbres.
Cette fois tout est laid, l'arbre est maigre et nain vert
Je viens en étranger parmi des pierres
Mes amis de Paris que j'aime, à qui je dois
D'avoir su faire des livres gâtent les bois
En entraînant ailleurs loin des pins maigres ma pensée
Heureuse et triste aussi d'être entraînée
Plutôt je suis de marbre et rien ne rentre. C'est l'amour
De l'art qui m'a fait moi-même si lourd
Que je ne pleure plus quand je traverse mon pays
Je suis un inconnu: j'ai peur d'être haï.
Ces gens nouveaux qui m'ignorent, je crois qu'ils me haïssent
Et je n'ai plus d'amour pour eux: c'est un supplice.

## 6. 쥘 수페르비엘

우루과이 수도 몬테비데오 출생. 태어난 후 바로 양친이 사망하여 삼촌에게서 자랐다. 소르본을 졸업하고 우루과이와 계속 접촉을 유지했다. 우화적 표현으로 분방한 상상력과 엄격한 지성을 조화시켰다. 그의 시는 신화적이고 우주적이며, 생자와 사자를 연결하고 영혼의 신 ▶

### 어느 시인

나는 항상 나 자신의 내부에 혼자 들어가지 않는다
그래서 나와 함께 하나 이상의 생물을 끌고 들어간다.
나의 차가운 동굴에 들어갈 이들은
거기서 한 순간만이라도 나올 수 있으리라 확신할까?
나는 밤에 채워 넣는다, 침몰하는 배처럼,
닥치는 대로, 승객들과 선원들을,
그리고 선실 안에서 눈의 불을 끈다,
나는 위대한 심연의 친구가 된다.

## Jules Supervielle, 1884-1960

비를 그려낸다. 《선창》(1922), 《중력》(1925), 《미지의 친구들》(1934), 《세계의 우화》(1938) 등의 작품이 있다.

## Un Poète

Je ne vais pas toujours seul au fond de moi-même
Et j'en traîne avec moi plus d'un être vivant.
Ceux qui seront entrés dans mes froid escavernes
Sont-ils sûrs d'en sortir même pour un moment?
J'entasse dans ma nuit, comme un vaisseau qui sombre.
Pêle-mêle, les passagers et les marins,
Et j'éteins la lumière aux yeux, dans les cabines,
Je me fais des amis des grandes profondeurs.

## 7. 오스카르 우라디스라스 드 뤼비츠 밀로스

발틱 해의 리트아니아 출신. 프랑스에서 생활하며 프랑스어로 시를 썼다. 비니를 생각나게 하는 고고한 사상성과 상징적인 작풍을 가지 ▶

### 죽은 자들은 모두 취해 있다…

죽은 자들은 모두 낡고 더러운 비에 취해 있다
로포텐의 이상한 묘지에 내리는.
해빙의 시계가 멀리서 째깍째깍
로포텐의 초라한 관들의 마음에.

그리고 검은 봄에 의해 파여진 구멍 덕분에
까마귀들은 차가운 인육으로 살찌고,
어린애 목소리로 우는 여윈 바람 덕분에
로포텐의 죽은 자들에겐 잠이 감미롭다.

아마도 나는 결코 보지 못하리라
로포텐의 바다도 무덤들도
하지만 그것은 내 안에 있다, 마치 내가 이렇게
멀리 떨어진 구석진 땅과 온갖 고통을 사랑이라도 하듯

사라진 그대들, 자살한 그대들, 멀리 로포텐의

## Oscar Vladislas de Lubicz Milosz, 1877-1939

고 있다. 주요 시집으로《일곱 고독》,《요소》등이 있다.

# Tous les morts sont ivres

Tous les morts sont ivres de pluie vieille et sale
Au cimetière étrange de Lofoten.
L'horloge du dégel tictaque lointaine
Au cœur des cercueils pauvres de Lofoten.

Et grâce aux trous creusés par le noir printemps
Les corbeaux sont gras de froide chair humaine;
Et grâce au maigre vent à la voix d'enfant
Le sommeil est doux aux morts de Lofoten.

Je ne verrai très probablement jamais
Ni la mer ni les tombes de Lofoten
Et pourtant c'est en moi comme si j'aimais
Ce lointain coin de terre et toute sa peine.

Vous disparus, vous suicidés, vous lointaines

이상한 묘지에 있는 그대들이여
이 이름은 내 귀에는 이상하고 부드럽게 들린다,
진실로, 내게 말해다오, 그대들은 잠들어 있는가, 잠들어 있는가?

너는 내게 더 우스운 이야기를 말할 수 있겠지
나의 은잔을 가득 채운 맛있는 클라레 술이여,
더 매혹적인 아니면 덜 미친 이야기들을,
너의 로포텐과 함께 나를 조용히 내버려두렴.

기분이 좋다. 난로 안에서는 부드럽게 흐르고 있다
달들의 가장 멜랑콜릭한 목소리가.
아! 죽은 자들이여, 로포텐의 그들을 포함하여 -
죽은 자들은, 결국 나보다는 덜 죽어 있다.

Au cimetière étranger de Lofoten
— Le nom sonne à mon oreille étrange et doux,
Vraiment, dites-moi, dormez-vous, dormez-vous?

— Tu pourrais me conter des choses plus drôles
Beau claret dont ma coupe d'argent est pleine,
Des histoires plus charmantes ou moins folles;
Laisse-moi tranquille avec ton Lofoten.

Il fait bon. Dans le foyer doucement traîne
La voix du plus mélancolique des mois.
— Ah! les morts, y compris ceux de Lofoten —
Les morts, les morts sont au fond moins morts que moi.

## 8. 에밀 넬리강

몬트리올 출생으로 17세 때부터 시를 발표했다. 캐나다 최초의 프랑스계 근대시를 창조했다. 전위적 시인그룹인 몬트리올 문학파에 참여하며 주목을 받았다. 20세에 정신병으로 입원하여 40년을 정신병원에서 보냈다. 감정으로서는 로맨틱, 형식적으로는 고답파, 언어적으로는 상징파 시인으로 칭해진다. 그의 작품에는 우수와 죽음의 그림 ▶

### 누가 침묵 속에서 울고 있다

누가 침묵 속에서 울고 있다
구슬픈 사월의 밤에,
누가 꿈결에서 울고 있다
긴 그의 이별에서,
누가 그의 괴로움에서 울고 있다
그런데 그건 내 마음이다!

# Émile Nelligan, 1879-1941

자가 짙게 드리워져 있다. 그의 시작은 20편 정도이며 3년 정도의 활약에도 불구하고 캐나다계의 시는 애국적, 로망파적 시풍에서 탈피하여 상징파의 시대에 진입한다. 대표작《전시집》(1952)이 있다.

## Quelqu'un Pleure dans le Silence

Quelqu'un pleure dans le silence
Morne des nuits d'avril;
Quelqu'un pleure la somnolence
Longue de son exil;
Quelqu'un pleure sa douleur
Et c'est mon coeur!

## 9 블레즈 상드라르스

스위스 태생의 시인, 소설가. 어릴 때부터 여행을 좋아해서 거의 전 세계를 방랑했다. 제1차 세계대전 이후 당시의 전위운동의 일파인 입체파에 참가했다. 모든 고전적 리듬에서 벗어난 열광적 시를 삶의 기쁨 ▶

### 섬들

섬들
섬들
섬들 여태까지 아무도 상륙한 적이 없는
섬들 여태까지 아무도 내린 적 없는
섬들 수목으로 뒤덮인
섬들 표범처럼 웅크린
섬들 말 없는
섬들 움직이지 않는
섬들 잊을 수 없고 이름도 없는

나는 내 구두를 뱃전 너머로 던진다
너희들이 있는 곳까지 너무 가고 싶어서

Blaise Cendrars, 1887-1961

과 비참함이 섞인 감각적 시를 썼다. 대표 시집에 《뉴욕의 부활제》(1919), 《시베리아 철도》(1913), 《파나마》(1918) 등이 있다.

## Iles

Iles
Iles
Des
Iles où l'on ne prendra jamais terre
Des où l'on ne descendra jamais
Iles couvertes de végétations
Iles tapies comme des jaguars
Iles muettes
Iles immobiles
Iles inoubliables et sans nom

Je lance mes chaussures par-dessus bord car je voudrais bien aller jusqu'à vous

## 10. 피에르 장 주브

아라스 태생. 전쟁 중 위생병으로 지원하여 전쟁에 반대하는 시를 썼다. 이 시기의 작품으로《당신들은 인간이다》(1912),《현존》(1912)《말》(1913) 등의 작품이 있다. 1924년 가톨릭으로 개종하고 정신분석학에 집중하여 죄악, 성, 죽음 등에 관심을 가지게 되었다. 제2차 세계대전 때는 몇 년 동안 주네브에서 지냈고 전후에는 파리에 살았다. 정신주의와 에로티시즘이 섞여 있는 시집《신비스러운 결혼식》▶

### 엘렌

당신이 사라져버린 지금 당신은 얼마나 아름다운가
죽음의 먼지는 당신에게서 영혼마저 벗겨냈다
우리가 사라져버린 이후 당신은 얼마나 갈망의 대상이 되었던가
물결이 물결이 사막의 심장을 채우고 있다.
여인들 중 가장 창백한 여인
날씨는 청명하다, 굶어죽은 풍경의
이 땅의 물의 꼭대기 위에
날씨는 청명하다, 교회로 변한
예기치 못한 녹색 곡마단 위에
날씨가 청명하다, 비참하고 갈아엎은 고원 위에
왜냐하면 당신이 아주 죽었기 때문에
당신 눈의 흔적과 그리고 커다란 뿌리 깊은
나무의 그림자를 통해 태양을 내뿜으며
나를 열광케 했던
당신의 끔찍한 머리카락 속에서

Pierre Jean Jouve, 1887- 1976

(1925), 《새로운 결혼식》(1926), 《피의 땀》(1935)과 《폴리나 1880》(1925) 등의 산문을 썼다. 언어 탐구에 대한 시집으로 《파리의 성모》(1944), 《언어》(1952) 등이 있다. 19세기 프랑스 작가들과 예술가들에 대한 평론, 음악평론을 썼으며 번역가이기도 했다.

## Hélène

Que tu es belle maintenant que tu n'es plus
La poussière de la mort t'a déshabillée même de l'âme
Que tu es convoitée depuis que nous avons disparu
Les ondes les ondes remplissent le coeur du désert
La plus pale des femmes
Il fait beau sur les crêtes d'eau de cette terre
Du paysage mort de faim
Qui borde la ville d'hier des malentendus
Il fait beau sur les cirques verts inattendus
Transformés en églises
Il fait beau sur le plateau désastreux nu et retourné
Parce que tu es si morte
Répandant des soleils par les traces de tes yeux
Et les ombres des grands arbres enracinés
Dans la terrible  Chevelure celle qui me faisait délirer

## 11. 피에르 르베르디

오드의 나르본 출생. 1910년 파리에 와 아폴리네르, 자콥, 아라공, 브르통, 짜라, 피카소 등과 친교를 가진다. 생활이 궁핍하여 갖가지 직업으로 일하며 시를 썼다. 입체파를 주창하기 위해 평론지《노르 쉬드》(1916)를 발행했다.《채색한 별들》(1921),《천국의 난파선들》(1924),《유리 웅덩이》(1929) 등의 시집을 내어 브르통, 아라공, 수포 등의 청년시인들을 열광시켰다. 1926년 솔렘 수도원에 은거하여 ▶

### 곡예사들

이 구경꾼들의 한가운데 춤추는 아이와 함께 역기를 들어 올리는 사내가 있다. 파란 문신을 새긴 그의 팔은 하늘에 호소한다. 마치 소용없는 팔의 힘이 증인이듯이.

아이가 춤을 춘다. 가볍게, 아주 큰 타이츠를 입고, 아이는 균형을 잡으려고 쥐고 있는 공들보다도 더 가볍다. 그런데 그가 돈주머니를 내밀 때, 아무도 돈을 주지 않는다. 그것을 너무 큰 무게로 채울까 봐 겁이 나서 아무도 주는 사람이 없다. 그는 너무 말랐다.

## Pierre Reverdy, 1889-1960

《바람의 샘》(1929) 등의 시집을 내고《말총장갑》(1927),《내 옆의 책》(1948) 등의 자전적 에세이는 현대 프랑스 시에 크게 영향을 미쳤다. 고문당하고 불안한 서정의 시를 써서 초현실주의를 예견했다. 제1차 세계대전 직후의 탁월한 젊은 시인들 중 가장 위대한 서정적 천성을 가졌다고 평가받고 있다.

### Saltimbanques

Au milieu de cet attroupement il y a avec un enfant qui danse un homme qui soulève des poids. Ses bras tatoués de bleu prennent le ciel à témoin de leur force inutile.

L'enfant danse, léger, dans un maillot trop grand; plus léger que les boules où il se tient en équilibre. Et quand il tend son escarcelle, personne ne donne. Personne ne donne de peur de la remplir d'un poids trop lourd. Il est si maigre.

## 12. 생 존 페르스

서인도제도의 과들루프에서 출생. 본명은 마리르네 알렉시스 생 레제. 보르도 대학에서 법학을 전공하고 문인들과 사귀면서 시작에 뜻을 두었다. 1911년에 처녀시집《찬가》를 발표. 1914년 외교관이 되어 베이징과 워싱턴 등지에서 근무했다. 외몽골, 중앙아시아를 탐험한 경험을 살린,《아나바스》(1924),《태자 친선》(1924)을 발표했 ▶

### 눈

1

그리고 눈이 내리기 시작했다, 부재의 첫눈이, 꿈과 현실로 짜여진 거대한 피륙 위에. 모든 고통은 기억력 좋은 사람들에게 맡겨두고, 우리의 관자놀이에는 아마포와 같은 서늘함이 깃들어 있었다.

그때는 아침, 새벽의 잿빛 소금에 깔린 여섯 시, 조금 전 잠시 머무는 항구에서처럼 침묵의 대 송가들의 무리를 내보내야 할 은총과 은혜의 장소였다.

그러고는 밤새도록 우리가 모르는 사이에, 날개의 이 높은 위업 아래, 영혼의 폐허와 무거운 짐을 걸머지고, 반짝이는 곤충들에 구멍 뚫린 경석으로 된 높은 도시들은 자기의 무게를 잊고 퍼지고 커지기를 멈추지 않았다. 그리고 기억은 불확실하고 그 이야기는 오류가 있지만 곤충들만이 거기에 대해서 무엇인가를 알고 있다.

이 어마어마한 일에 정신이 어떤 역할을 했는지 우리는 모른다.

아무도 깨닫지 못하고, 아무도 알아보지 못했다, 돌의 가장 높은 지붕

## Saint John Perse, 1887-1975

다. 독일에 대한 강경론으로 공직에서 해임되어 미국으로 망명했고, 《망명》(1946), 《바람》(1949), 《항해목표》(1957) 등을 발표했다. 귀국 후 1960년에 노벨상을 수상했다.

# Neiges

I

Et puis vinrent les neiges, les premières neiges de l'absence, sur les grands lés tissés du songe et du réel; et toute peine remise aux hommes de mémoire, il y eut une fraîcheur de linges à nos tempes.

Et ce fut au matin, sous le sel gris de l'aube, un peu avant la sixième heure, comme en un havre de fortune, un lieu de grâce et de merci où licencier l'essaim des grandes odes du silence.

Et toute la nuit, à notre insu, sous ce haut fait de plume, portant très haut vestige et charge d'âmes, les hautes villes de pierre ponce forées d'insectes lumineux n'avaient cessé de croître et d'exceller, dans l'oubli de leur poids. Et ceux-là seuls en surent quelque chose, dont la mémoire est incertaine et le récit est aberrant.

La part que prit l'esprit à ces choses insignes, nous l'ignorons.

Nul n'a surpris, nul n'a connu, au plus haut front de pierre, le

에서 이 비단 같은 시간의 첫 출현을, 눈썹이 맞닿은 것 같은 저 연약하고 너무 하찮은 것의 최초의 하강을.

청동 덮개 위에서 그리고 크롬강철의 탑 위에, 둔중한 도자기의 석재 위에 그리고 두터운 유리기와 위에, 검은 대리석 차륜 위에 그리고 은도금의 박차 위에, 아무도 깨닫지 못하고, 아무도 흐리게 하지 않았다.

뽑아진 칼의 최초의 황홀경 같은 이 막 태어난 입김의 안개를……

눈은 계속 내리고 있었다. 그리고 여기서 우리는 그 놀라움을 말하자. 날개에 싸여 말이 없는 새벽은 정령의 입김에 사로잡힌 전설의 올빼미처럼 제 깃털에 쌓인 흰 달리아의 몸을 부풀리고 있었다.

그리고 도처에서 기적과 축제가 우리에게 오고 있었다.

그리고 저 건축가가 지낸 여름, 쏙독새의 알을 우리에게 보여준 저 테라스의 위에서 인사를 하게 하라!

2

나는 알고 있다, 이 창백한 어린 굴속 전부에서 고뇌하는 배가 인간과 신들의 맹목에 대항하여 둔탁한 짐승의 울음소리를 내는 것을, 이 세상의 모든 비참함이 넓은 강어귀에서 물길 안내인을 부르는 것을.

나는 알고 있다, 큰 강의 낙하에서 하늘과 신들 사이에 기이한 동맹의 약속이 맺어져 있는 것을. 밤나방의 하얀 결혼, 날도래의 하얀 축제.

그리고 유리 아래서 종려나무 숲과 같은 새벽의 안개 피어오르는 넓은 부두 위에는, 우유 같은 밤이 겨우살이의 축제를 만들어낸다.

여섯 시와 아침 교대 시간 조금 전에, 거대한 호수에 둘러싸인, 저 높

premier affleurement de cette heure soyeuse, le premier attouchement de cette chose fragile et très futile, comme un frôlement de cils.

Sur les revêtements de bronze et sur les élancements d'acier chromé, sur les moellons de sourde porcelaine et sur les tuiles de gros verre, sur la fusée de marbre noir et sur l'éperon de métal blanc, nul n'a surpris, nul n'a terni cette buée d'un souffle à sa naissance, comme la première transe d'une lame mise à nu...

Il neigeait, et voici, nous en dirons merveilles: l'aube muette dans sa plume, comme une grande chouette fabuleuse en proie aux souffles de l'esprit, enflait son corps de dahlia blanc.

Et de tous les côtés il nous était prodige et fête.

Et le salut soit sur la face des terrasses, où l'Architecte, l'autre été, nous a montré des œufs d'engoulevent!

## II

Je sais que des vaisseaux en peine dans tout ce naissain pâle poussent leur meuglement de bêtes sourdes contre la cécité des hommes et des dieux; et toute la misère du monde appelle le pilote au large des estuaires.

Je sais qu'aux chutes des grands fleuves se nouent d'étranges alliances, entre le ciel et l'eau: de blanches noces de noctuelles, de blanches fêtes de phryganes.

Et sur les vastes gares enfumées d'aube comme des palmeraies sous

이, 이 지역에서도, 공장의 사이렌이 울리고, 밤새도록 불을 켠 조선소는 하늘의 과수장 위에 별에서 나오는 키 큰 포도넝쿨을 걸어 놓는다. 눈의 고치에서 뽑은 수많은 소중한 등불…

성장해 가는 커다란 진주층, 흠결 하나 없는 커다란 진주층은 가장 깊은 물 밑에서 그 응답을 사유하고 있는가? - 오 재생해야 할 모든 것들이여, 오 너희들 모든 응답들이여!

그리고 결국은 균열도 없고 흠결도 없는 모습이여!…

눈은 내린다. 주조된 신들 위에 그리고 간결한 기도의 미친 제강소들 위에, 쇠조각 위에 그리고 쓰레기 위에 그리고 흙더미의 잡초 위에. 눈이 내린다, 열기 위에 그리고 사람들의 도구 위에 – 눈은 더 섬세하다 – 사막의 고수풀의 씨보다도, 4월의 젊은 짐승의 초유보다 더 신신한 눈이,

저기 서쪽에도 눈이 내린다. 창고 위에 그리고 목장 위에 그리고 탑문이 걸쳐진 역사 없는 광막한 평원 위에도, 태어나야 할 신도시의 설계도 위에 그리고 철거한 야영지의 꺼져버린 재 위에도,

아직 갈지 않은 산성토양의 대지 위에, 그리고 전리품처럼 가시 돋친 독수리들과 얽혀 묶인 검은 전나무와 같은 유목민들 위에도 … 덫을 놓는 사냥꾼아, 너는 너의 한가한 두 손에 대해서 무엇이라고 말했는가? 개척자의 도끼 위에 이날 밤 어떤 불안한 부드러움이 뺨을 대었는가?

눈은 내린다, 기독교국의 바깥에, 가장 어린 넝쿨 위에, 가장 새로운 짐승 위에. 세상의 배우자인 나의 현존! …,

적막이 낙엽송의 꿈을 비춘다, 세계의 어디에선가 비애는 내 하녀의 가면을 벗긴다.

verre, la nuit laiteuse engendre une fête du gui.

Et il y a aussi cette sirène des usines, un peu avant la sixième heure et la relève du matin, dans ce pays, là-haut, de très grands lacs, où les chantiers illuminés toute la nuit tendent sur l'espalier du ciel une haute treille sidérale: mille lampes choyées des choses grèges de la neige...

De grandes nacres en croissance, de grandes nacres sans défaut méditent-elles leur réponse au plus profond des eaux? — ô toutes choses à renaître, ô vous toute réponse!

Et la vision enfin sans faille et sans défaut!...

Il neige sur les dieux de fonte et sur les aciéries cinglées de brèves liturgies; sur le mâchefer et sur l'ordure et sur l'herbage des remblais: il neige sur la fièvre et sur l'outil des hommes — neige plus fine — qu'au désert la graine de coriandre, neige plus fraîche qu'en avril le premier lait des jeunes bêtes...

Il neige par là-bas vers l'Ouest, sur les silos et sur les ranchs et sur les vastes plaines sans histoire enjambées de pylônes; sur les tracés de villes à naître et sur la cendre morte des camps levés;

sur les hautes terres non rompues, envenimées d'acides, et sur les hordes d'abiès noirs empêtrés d'aigles barbelés, comme des trophées de guerre... Que disiez-vous, trappeur, de vos deux mains congédiées? Et sur la hache du pionnier quelle inquiétante douceur a cette nuit posé la joue?...

Il neige, hors chrétienté, sur les plus jeunes ronces et sur les bêtes les plus neuves. Épouse du monde ma présence!...

Et quelque part au monde où le silence éclaire un songe de mélèze, la tristesse soulève son masque de servante.

## 망명

1

문은 사막에 열리고, 문은 망명지에 열리고,
등대지기들에게 열쇠, 그리고 문턱 돌계단 위에 생살의 처형당한 태양.
주여, 당신의 사막의 유리 집을 저에게 맡기소서…
석고의 여름은 우리의 상처 속에 그 창끝을 자극하고,
내가 택한 것은 의심의 여지가 없는 곳 사계절의 납골당,
그리고, 이 세상의 모든 모래톱 위에, 피어오르는
신의 정령은 석면 침대를 떠난다.
번갯불의 경련이야말로 토리드 귀공자들의 환희이니라.

2

어느 기슭에도 바쳐지지 않네, 어느 책에도 맡겨지지 않네, 이 노래의 순수한 유혹은…
타인은 신전 안에서 눈부신 빛깔 뿔피리를 잡는다.
나의 영광은 사막에 있다! 나의 영광은 사막에 있다!…
그리고 유랑이 아니다, 오 순례자여
무에서 태어나는 위대한 시를, 무에서 만들어진 위대한 시를, 망명지의 흐르는 모래 위에 모으기 위하여 적나라한 땅을 구하는 것은…
울려라, 오 석궁이여 세상을 돌며, 노래하라, 오 소라피리여 바다 위에서!

# EXIL

I

Portes ouvertes sur les sables, portes ouvertes sur l'exil,

Les clés aux gens du phare, et l'astre roué vif sur la pierre du seuil:

Mon hôte, laissez-moi votre maison de verre dans les sables...

L'Eté de gypse aiguise ses fers de lance dans nos plaies,

J'élis un lieu flagrant et nul comme l'ossuaire des saisons

Et, sur toutes grèves de ce monde, l'esprit du dieu

fumant déserte sa couche d'amiante.

Les spasmes de l'éclair sont pour le ravissement des Princes en Tauride.

II

À nulles rives dédiée, à nulles pages confiée la pure amorce de ce chant...

D'autres saisissent dans les temples la corne peinte des autels:

Ma gloire est sur les sables! ma gloire est sur les sables!...

Et ce n'est point errer, ô Pérégrin

Que de convoiter l'aire la plus nue pour assembler aux syrtes de l'exil un grand poème né de rien, un grand poème fait de rien...

Sifflez, ô frondes par le monde, chantez, ô conques sur les eaux!

나는 낭떠러지 위에 사막의 연기와 물보라를 세우노라.

나의 보금자리는 유조선 안 그리고 움푹 파진 통나무배 안.

장대한 기 누워 있는 불모의 모든 땅에.

"… 율리우스 일족에 보다 적은 영감이 떠오를수록, 승려계급에게는 보다 적은 협조가 원조되었느니라.

"그곳, 사막이 그들 노래를 좇아가는 곳에 망명의 귀공자들은 가버리고

"그곳, 순풍 가득 실은 배 사라진 곳에, 현악기의 꿈보다 더 매끄러운 표류물이 떠나가고,

"그곳, 치열한 전투 벌어진 곳에, 노새의 턱뼈는 이미 허옇게 드러나도다.

"주위의 바다는 모래톱 위에 두개골 소리 굴리고,

"이 세상의 모든 것은 공허하다고, 어느 날 저녁, 세계의 끝에서 우리에게 말한 것은

"망명의 사막에 이는 군사들의 바람…"

거품의 예지여, 오 소금의 타닥대는 소리와 활기찬 석회유 안에서 영혼의 악취여!

지식이 나에게 굴러들어올 때 영혼에게는 가혹하다. 바람은 우리에게 그 해적질을 이야기한다, 바람은 우리에게 그 경멸을 이야기한다!

기사처럼, 고삐를 쥐고, 사막의 입구에서,

나는 서커스에서 가장 호사스러운 몸짓에서 가장 큰 신비의 갈망을 노리고 있다.

그리고 새벽은 우리를 위하여 그 점치는 손가락으로 성스러운 책의 책장을 넘긴다.

망명은 예전에 없네! 망명은 예전에 없네! "오 유물이여, 오 전제여",

J'ai fondé sur l'abîme et l'embrun et la fumée des sables. Je me coucherai dans les citernes et dans les vaisseaux creux,

En tous lieux vains et fades où gît le goût de la grandeur.

«... Moins de souffles flattaient la famille des Jules; moins d'alliances assistaient les grandes castes de prêtrise.

«Où vont les sables à leur chant s'en vont les Princes de l'exil,

«Où furent les voiles haut tendues s'en va l'épave plus soyeuse qu'un songe de luthier,

«Où furent les grandes actions de guerre déjà blanchit la mâchoire d'âne,

«Et la mer à la ronde roule son bruit de crânes sur les grèves,

«Et que toutes choses au monde lui soient vaines, c'est ce qu'un soir, au bord du monde, nous contèrent

«Les milices du vent dans les sables d'exil...»

Sagesse de l'écume, ô pestilences de l'esprit dans la crépitation du sel et le lait de chaux vive!

Une science m'échoit aux sévices de l'âme... Le vent nous conte ses flibustes, le vent nous conte ses méprises!

Comme le Cavalier, la corde au poing, à l'entrée du désert,

J'épie au cirque le plus vaste l'élancement des signes les plus fastes.

Et le matin pour nous mène son doigt d'augure parmi de saintes écritures.

L'exil n'est point d'hier! l'exil n'est point d'hier! «Ô vestiges, ô prémisses»,

말하노라, 사막을 방황하는 이방인은, "이 세상의 모든 만물이 내게는 새롭다고!"

그리고 그의 노래의 탄생은 그에게 더 생소한 것이 아니라고

Dit l'Étranger parmi les sables, «toute chose au monde m'est nouvelle!...»

Et la naissance de son chant ne lui est pas moins étrangère.

## 13. 앙리 미쇼

벨기에 출생. 일찍부터 신비주의 작가들의 저작을 탐독했다. 부모는 건축가가 되기를 바랐으나 21세 때 갑자기 선원이 되어 브라질과 아메리카를 항해하고, 귀로에 시를 쓰기 시작하였다. 시인 로트레아몽과 쉬페르비엘에게 깊은 감명을 받고 1922년부터 시작에 들어갔다. 《내면의 공간》(1944), 《시련, 악마 쫓기》(1945) 등이 있다. 시의 내부 ▶

### 바다

내가 알고 있는 것, 나의 것, 그것은 끝없는 바다다.

스물하나, 나는 거리의 생활에서 도망쳐 나왔다. 고용 수부가 되었다.

배 위에는 일이 있었다. 나는 놀랐다. 나는 배 위에서는 바다를 바라보는 것이라고 생각해 왔었다, 끊임없이 바다를 바라보는 것이라고.

배는 돛을 풀고 있었다. 바다 사나이들의 목가가 시작되었다.

나는 등을 돌리고 출발하였다. 한마디도 말을 하지 않고, 나는 바다를 나의 속에 갖고 있었다. 영원히 내 주위에 넓혀져 있는 바다를.

어떤 바다냐고? 그것이 그런데 무엇인가가 있는데, 도저히 확실하게 말할 수가 없다네…

## Henri Michau, 1898-1984

에 있는 이상한 꿈을 과학적 객관성으로 표현하고 신비주의와 광기와의 교차점에 서는 독자적인 시경을 개척했다. 1955년 프랑스에 귀화했다.

## La mer

Ce que je sais, ce qui est mien, c'est la mer indéfinie.

A vingt et un ans, je m'évadai de la vie des villes, m'engageai, fus marin.

Il y avait des travaux à bord. J'étais étonné. J'avais pensé que sur un bateau on regardait la mer, qu'on regardait sans fin la mer.

Les bateaux furent désarmés. C'était le chômage des gens de mer qui commençait.

Tournant le dos, je partis, je ne dis rien, j'avais la mer en moi, la mer éternellement autour de moi.

Quelle mer? Voilà ce que je serais bien empêché de préciser.

## 빙산

빙산, 난간도 없고, 허리띠도 없는 빙산에, 늙은 까마귀들과 최근에 죽은 수부들의 망령들이 북극의 매혹적인 밤에 와서 팔꿈치를 괸다.

빙산, 빙산, 영원한 겨울의 종교 없는 대성당, 지구라는 행성의 얼음 모자를 쓰고. 이런 추위에서 태어난 너의 기슭은 얼마나 드높고, 얼마나 순결한가.

빙산, 빙산, 북대서양의 등, 아무도 바라보지 않는 바다 위에 얼어붙은 엄숙한 불상, 결말 없는 죽음의 반짝거리는 등대, 침묵의 광란적인 절규는 수세기 동안 계속되고 있다.

빙산, 빙산, 필요 없는 고독인, 갇히고 멀고 그리고 벌레 없는 나라, 섬들의 부모, 샘물의 부모인 당신들을 보면 볼수록 나에게는 얼마나 친숙한지…

# Icebergs

Icebergs, sans garde-fou, sans ceinture, où de vieux cormorans abattus et les âmes des matelots morts récemment viennent s'accouder aux nuits enchanteresses de l'hyperboréal.

Icebergs, Icebergs, cathédrales sans religion de l'hiver éternel, enrobés dans la calotte glaciaire de la planète Terre. Combien hauts, combien purs sont tes bords enfantés par le froid.

Icebergs, Icebergs, dos du Nord-Atlantique, augustes Bouddhas gelés sur des mers incontemplées, Phares scintillants de la Mort sans issue, le cri éperdu du silence dure des siècles.

Icebergs, Icebergs, Solitaires sans besoin, des pays bouchés, distants, et libres de vermine. Parents des îles, parents des sources, comme je vous vois, comme vous m'êtes familiers...

# 14. 프랑시스 퐁쥬

철학을 공부하려고 했으나 시험에 실패하고 문학으로 방향을 바꾸었다. 레지스탕스 운동에 가담하기도 했으나 차후에 멀어졌다. 새로운 시학에 토대를 둔 독창적인 시로 된《사물의 편》(1942)이라는 시집을 발표하여 시단의 큰 주목을 받았다. 브르통, 엘뤼아르, 아라공과 같은 시기의 시인이나 1942년 이후에 인정받는다. 그의 시는 현대에 속 ▶

## 촛불

밤은 때때로 한 그루의 이상한 식물을 소생하게 한다, 그 희미한 빛은 거대한 그림자로 가구로 가득 찬 방을 분해한다.

그 황금색 잎은 시커먼 꼭지에 달려 가느다란 백색 석고 기둥의 구멍에서 넘을 수 없게 잡고 있다.

초라한 나비들은 숲을 증발시키는 달이 너무 높이 있어 오히려 이쪽을 공격한다. 그러나 금방 타버리거나 싸우다 지쳐서, 모두 대경실색에 가까운 광기의 상태에서 떨고 있다.

그러나 촛불은 갑자기 원래의 연기를 내뿜으며 책 위에 밝은 빛을 흔들어서 독자에게 용기를 주고, -그리고서 그 자리에 기울어지고 그 자료 속에 빠진다.

## Francis Ponge, 1899-1988

하고 있으며 젊은 소설가와 시인들에게 많은 영향을 끼쳤다.《방법에 대한 10 강좌》(1946),《송림 수첩》(1947),《프로엠》(1948),《표현의 분노》(1950) 최근의 작품으로《비누》(1967)가 있다.

# La Bougie

La nuit parfois ravive une plante singulière dont la lueur décompose les chambres meublées en massifs d'ombre.

Sa feuille d'or tient impassible au creux d'une colon-nette d'albâtre par un pédoncule très noir.

Les papillons miteux l'assaillent de préférence à la lune trop haute, qui vaporise les bois. Mais brûlés aussitôt ou vannés dans la bagarre, tous frémissent aux bords d'une frénésie voisine de la stupeur.

Cependant la bougie, par le vacillement des clartés sur le livre au brusque dégagement des fumées originales encourage le lecteur, — puis s'incline sur son assiette et se noie dans son aliment.

## 15 로베르 데스노스

파리 출생. 처음에는 초현실주의 운동에 가담하고 이 운동의 방향설정에 큰 역할을 했지만 후에 브르통과 헤어졌다. 최면상태에서 꿈을 이야기하는 재능이 있었다. 그의 최상의 시는 연애시의 서정적 소박 ▶

### 신비로운 여인에게

나는 너를 너무나 꿈꾸었기에 너는 너의 현실성을 잃는다.

아직 시간이 있는가, 이 살아있는 육체에 닿아서 이 입술 위에서 태어나오는 정다운 목소리에 입 맞출 시간이?

나는 너를 너무나 꿈꾸었기에 너의 그림자를 내 가슴 위에 겹쳐지게 껴안는데 익숙한 나의 두 팔은 굳어져 너의 몸 둘레에 굽어지지 않으리라, 어쩌면.

그리고 수많은 나날과 세월 동안 나에게 들러붙어 나를 지배해온 참모습 앞에서, 나는 하나의 그림자가 되리라, 아마도.

오, 애정의 밸런스여,

나는 너를 너무나 꿈꾸었기에 아마도 나는 깨어 있을 때란 더 이상 없다. 나는 서서 잠을 자고, 나의 몸을 삶과 사랑과 너의 모든 겉모습에 노출시키고, 너, 오늘 나에게 중요한 단 하나의 여자, 나는 너의 이마와 입술을 건드리기는 해도 내게 왔던 첫 번째 입술과 이마보다는 못하리라.

나는 너를 너무나 꿈꾸고, 너의 환영과 너무나 걷고, 이야기하고, 잠잤기에 이제 내게 남은 것은 아마도 더 이상 없고, 그렇지만 환영 중의 환

# Robert Desnos, 1900-45

함이다. 레지스탕스에 가담했다가 체포되어, 강제수용소에서 사망했다. 대표적 시집으로 《육체와 행복》(1930), 《재산》(1942) 등이 있다.

## A la Mystérieuse

J'ai tant rêvé de toi que tu perds ta réalité.

Est-il encore temps d'atteindre ce corps vivant et de baiser sur cette bouche la naissance de la voix qui m'est chère?

J'ai tant rêvé de toi que mes bras habitués en étreignant ton ombre à se croiser sur ma poitrine ne se plieraient pas au contour de ton corps, peut-être.

Et que, devant l'apparence réelle de ce qui me hante et me gouverne depuis des jours et des années, je deviendrais une ombre sans doute.

O balances sentimentales.

J'ai tant rêvé de toi qu'il n'est plus temps sans doute que je m'éveille. Je dors debout, le corps exposé à toutes les apparences de la vie et de l'amour et toi, la seule qui compte aujourd' hui pour moi, je pourrais moins toucher ton front et tes lèvres que les premières lèvres et le premier front venu.

J'ai tant rêvé de toi, tant marché, parlé, couché avec ton fantôme qu'il ne me reste plus peut-être, et pourtant, qu'à être fantôme parmi

영이 되는 것 그리고 너의 삶의 해시계 위에서 명랑하게 거닐고 또 거닐어 다닐 그림자보다 백배나 더한 그림자가 되는 것이리라.

les fantômes et plus ombre cent fois que l'ombre qui se promène et se promènera allégrement sur le cadran solaire de ta vie.

## 내일

십만 살에도, 너를 기다리는 힘이 여전히 있으리라
오, 희망을 예견하는 내일이여.
시간, 수많은 상처로 얼룩진 이 노인도,
신음소리를 낼 것이다. 아침은 새롭고, 새로운 건 저녁이라고.

그러나 너무 많은 세월을 우리는 밤을 새우며 살고,
우리는 밤을 새우고, 우리는 빛과 불을 지킨다,
우리는 낮은 목소리로 속삭이고 우리는 귀를 기울인다
노름판에서처럼 순식간에 꺼지고 사라지는 많은 소리에.

그래서, 한밤중에, 우리는 여전히 증언한다
낮의 현란함과 그의 모든 선물을.
만약 새벽을 망보기 위해서 우리가 잠자지 않는다면
우리가 현재에 살고 있음을 결국 증명하는 것이리라.

## Demain

Age de cent mille ans, j'aurais encor la force
De t'attendre, o demain pressenti par l'espoir.
Le temps, vieillard souffrant de multiples entorses,
Peut gemir: Le matin est neuf, neuf est le soir.

Mais depuis trop de mois nous vivons a la veille,
Nous veillons, nous gardons la lumiere et le feu,
Mous parlons a voix basse et nous tendons l'oreille
A maint bruit vite eteint et perdu comme au jeu.

Or, du fond de la nuit, nous temoignons encore
De la splendeur du jour et de tous ses presents.
Si nous ne dormons pas c'est pour guetter l'aurore
Qui prouvera qu'enfin nous vivons au present.

## 16. 자크 프레베르

파리 교외의 뇌이쉬르센에서 태어났다. 1920년대 후반 브르통 등의 진영에 참가하여 1930년까지는 초현실주의 시인으로 활약하였다. 문학에 미련을 갖지 않고 샹송이나 영화에 관심을 가졌다. 초기의 시에는 초현실주의의 흔적이 있다. 샹송풍의 후기작품에서는 풍자와 소 ▶

### 새의 초상화를 그리기 위해서는

엘자 앙리크에게

먼저 새장을 하나 그린다
문이 열린
그 다음
무언가 예쁜 것
무언가 단순한 것
무언가 소용 있는 것을
그린다.
새를 위해서
그 다음에는 캔버스를 나무 위에 걸어 놓는다.
정원에
숲속에
혹은 산 속에
나무 뒤에 숨겨 놓는다.
아무 말도 하지 말고
움직이지 말고…

## Jacque Prevert, 1900-51

박한 인간애가 엿보인다. 《말》(1948), 《구경거리》(1951)가 대표작이다. 널리 알려진 샹송 《고엽》의 작가로 유명하다.

## Pour faire le portrait d'un oiseau

A Elsa Henrique

Peindre d'abord une cage
avec une porte ouverte
peindre ensuite
quelque chose de joli
quelque chose de simple
quelque chose de beau
quelque chose d'utile
pour l'oiseau
Placer ensuite la toile contre un arbre
dans un jardin
dans un bois
ou dans une forêt
se cacher derrière l'arbre
sans rien dire
sans bouger...

때로는 새가 빨리 오기도 하지만
여러 해가 걸릴 수도 있다.
결정하기 전에

실망해서는 안 된다.
기다려야 한다.
필요하다면 몇 년이라도 기다려야 한다.
새가 빨리 오든 늦게 오든
그림의 성공과는
아무 관계가 없다.

새가 올 때는
만일 새가 온다면
가장 깊은 침묵으로 지켜본다
새가 새장 안으로 들어가기를 기다린다
그리고 새가 들어갔을 때
붓으로 살며시 그 문을 닫는다.
그러고 나서
창살을 하나씩 하나씩 새장의 창살을 지운다.
새의 깃털 조금도 건드리지 않도록 조심하면서
그 다음에 나무의 그림을 그린다
가장 아름다운 나뭇가지를 골라서
새를 위해서
푸른 잎사귀와 신선한 바람을 그린다

Parfois l'oiseau arrive vite
mais il peut aussi bien mettre de longues années
avant de se décider

Ne pas se décourager
attendre
attendre s'il le faut pendant des années
la vitesse ou la lenteur de l'arrivée
de l'oiseau n'ayant aucun rapport
avec la réussite du tableau

Quand l'oiseau arrive
s'il arrive
observer le plus profond silence
attendre que l'oiseau entre dans la cage
et quand il est entré
fermer doucement la porte avec le pinceau
puis
effacer un à un les barreaux
et ayant soin de ne toucher aucune des plumes del'oiseau
faire ensuite le portrait de l'arbre
en choisissant la plus belle de ses branches
pour l'oiseau
peindre aussi le vert feuillage et la fraîcheur du vent

햇빛의 부스러기
그리고 여름날의 뜨거운 풀벌레들의 소리를
그러고 나서 새가 노래하기로 마음먹기를 기다린다

만약 새가 노래하지 않는다면
그건 나쁜 징조다
그림이 잘못되었다는 조짐이다
하지만 새가 노래한다면 그건 좋은 조짐이다
당신이 서명해도 좋다는 징조다.
그러면 당신은 아주 살며시
새의 깃털 하나를 뽑아서
그림의 한구석에 당신의 이름을 써도 좋다.

la poussière du soleil
et le bruit des bêtes de l'herbe dans la chaleur de l'été
et puis attendre que l'oiseau se décide à chanter

Si l'oiseau ne chante pas
c'est mauvais signe
signe que le tableau est mauvais
mais s'il chante c'est bon signe
signe que vous pouvez signer
alors vous arrachez tout doucement
une des plumes de l'oiseau
et vous écrivez votre nom dans un coin du tableau.

## 아침 식사

그는 커피를 부었다
찻잔에
그는 밀크를 부었다
커피잔에
그는 설탕을 넣었다
카페오레에
작은 스푼으로
그는 저었다
그는 카페오레를 마셨다
그리고 잔을 놓았다
내게 아무 말 없이

그는 불을 붙였다
담배에다
그는 동그라미를 만들었다
연기로
그는 재를 털었다
재떨이에다
내게 아무 말 없이
날 보지도 않고

그는 일어났다
그는 썼다
모자를 머리에

## Déjeuner du matin

Il a mis le café
Dans la tasse
Il a mis le lait
Dans la tasse de café
Il a mis le sucre
Dans le café au lait
Avec la petite cuiller
Il a tourné
Il a bu le café au lait
Et il a reposé la tasse
Sans me parler

Il a allumé
Une cigarette
Il a fait des ronds
Avec la fumée
Il a mis les cendres
Dans le cendrier
Sans me parler
Sans me regarder

Il s'est levé
Il a mis
Son chapeau sur sa tête

그는 레인코트를 입었다
비가 내리고 있었기에
그러곤 그는 떠났다
빗속으로
한마디 말도 없이
한 번도 돌아보지 않고
그래서 손에
머리를 파묻고서
나는 울었다.

Il a mis son manteau de pluie

Parce qu'ilpleuvait

Et il est parti

Sous la pluie

Sans une parole

Sans me regarder

Et moi j'ai pris

Ma tête dans ma main

Et j'ai pleuré.

## 너를 위하여 나의 사랑아

나는 새 시장에 갔지
그리고 나는 새를 샀지
너를 위해
나의 사랑아

나는 꽃 시장에 갔지
그리고 나는 꽃을 샀지
너를 위해
나의 사랑아

나는 고철 시장에 갔지
그래 나는 쇠사슬을 샀지
무거운 쇠사슬을
너를 위해
나의 사랑아

그러고 나서 나는 노예 시장에 갔지
그리고 나는 너를 찾아 헤맸지
그러나 너를 찾지 못했지
나의 사랑아

## Pour Toi Mon Amour

Je suis allé au marché aux oiseaux
Et j'ai acheté des oiseaux
Pour toi
Mon amour

Je suis allé au marché aux fleurs
Et j'ai acheté des fleurs
Pour toi
Mon amour

Je suis allé au marché à la ferraille
Et j'ai acheté des chaînes
De lourdes chaînes
Pour toi
Mon amour

Et puis je suis allé au marché aux esclaves
Et je t'ai cherchée
Mais je ne t'ai pas trouvée
Mon amour

## 쓰기공책

이에 이는 사
사에 사는 팔
팔에 팔은 십육……
다시! 선생님은 말하고
이에 이는 사
사에 사는 팔
팔에 팔은 십육……
그런데 저기 금조琴鳥가
하늘을 지나가네
아이는 새를 보고
아이는 새소리를 듣고
아이는 새를 부르네.
나를 구해 줘
나하고 놀아 줘
새야!
그러자 새가 내려와서
아이와 같이 노네
이에 이는 사……
다시! 선생님은 말하고
그리고 아이는 놀고
새는 아이와 같이 놀고……
사에 사는 팔
팔에 팔은 십육이고
그럼 십육에 십육은 얼마지?

## Page d'ecriture

Deux et deux quatre
quatre et quarte huit
huit et huit font seize……
Répétez! dit le maître
Deux et deux quatre
quatre et quatre huit
huit et huit font seize.
Mais voilà l'oiseau-lyre
qui passe dans le ciel
l'enfant le voit
l'enfant l'entend
l'enfant l'appelle:
Sauve-moi
joue avec moi
oiseau!
Alors l'oiseau descend
et joue avec l'enfant
Deux et deux quatre……
Répétez! dit le maître
et l'enfant joue
l'oiseau joue avec lui……
Quatre et quatre huit
huit et huit font seize
et seize et seize qu'est-ce qu'ils font?

십육에 십육은 아무것도 아니고
절대로 삼십이가 아니라네
어쨌든 아니고
그런 건 날아가 버리네.
아이가 새를
책상 속에 감추고
모든 아이들은
새의 노래를 듣고
모든 아이들은
새의 음악을 듣고
팔에 팔은 그 차례가 되어 사라지고
사에 사도 이에 이도
차례차례 꺼져버리고
일에 일도 이가 아니고
하나하나 똑같이 사라지네.
그리고 금조는 놀고
그리고 아이는 노래하고
그리고 선생님은 소리치네.
언제 장난질을 그만둘 거야!
그러나 모든 아이들은
음악 소리를 듣고
교실의 벽은
조용히 무너져 내리네.
유리창은 모래가 되고

Ils ne font rien seize et seize

et surtout pas trente-deux

de toute façon

et ils s'en vont.

Et l'enfant a caché l'oiseau

dans son pupitre

et tous les enfants

entendent sa chanson

et tous les enfants

entendent la musique

et huit et huit à leur tour s'en vont

et quatre et quatre et deux et deux

à leur tour fichent le camp

et un et un ne font ni une ni deux

un à un s'en vont également.

Et l'oiseau-lyre joue

et l'enfant chante

et le professeur crie:

Quand vous aurez fini de faire le pitre!

Mais tous les autres enfants

écoutent la musique

et les mur de la classe

s'écroulent tranquillement.

Et les vitres redeviennent sable

잉크는 물이 되고
책상들은 숲이 되고
분필은 절벽이 되고
펜대는 새가 되네.

l'encre redevient eau

les pupitres redeviennent arbres

la craie redevient falaise

le porte-plume redevient oiseau.

## 낙엽

오! 나는 정말 당신이 기억하기를 바랍니다
우리가 연인이었던 행복한 나날들을.
그때의 인생은 너무나 아름다웠지요,
그리고 태양은 오늘보다 더 뜨거웠지요.
낙엽들이 수북이 쌓여있어요.
당신은 아시죠, 나는 잊지 않았어요.
낙엽들이 수북이 쌓여있어요,
추억과 미련도 마찬가지로
그런데 북풍이 그것들을 날려 보내네요.
망각의 싸늘한 밤에,
당신은 아시죠, 나는 잊지 않았어요.
당신이 제게 불러주었던 그 노래를

그건 우리와 닮은 노래에요.
당신, 당신은 나를 사랑했고, 나는 당신을 사랑했어요.
그리고 우리 둘 모두 함께 살았죠.
나를 사랑했던 당신, 당신을 사랑했던 나.
그러나 인생은 사랑했던 두 사람을 갈라놓아요,
너무나 조용히, 소리도 없이
그리고 바다는 모래 위에 남겨진
헤어진 연인들의 발자국들을 지워요.

낙엽들이 수북이 쌓여있어요.
추억과 그리움도 마찬가지로.

## Les feuilles mortes

Oh! je voudrais tant que tu te souviennes
Des jours heureux où nous étions amis.
En ce temps-là la vie était plus belle,
Et le soleil plus brûlant qu'aujourd'hui.
Les feuilles mortes se ramassent à la pelle.
Tu vois, je n'ai pas oublié...
Les feuilles mortes se ramassent à la pelle,
Les souvenirs et les regrets aussi
Et le vent du nord les emporte
Dans la nuit froide de l'oubli.
Tu vois, je n'ai pas oublié
La chanson que tu me chantais.

C'est une chanson qui nous ressemble.
Toi, tu m'aimais, moi qui t'aimais
Et nous vivions tous deux ensemble,
Toi qui m'aimais, moi qui t'aimais.
Mais la vie sépare ceux qui s'aiment,
Tout doucement, sans faire de bruit
Et la mer efface sur le sable
Les pas des amants désunis.

Les feuilles mortes se ramassent à la pelle
Les souvenirs et les regrets aussi

하지만 조용하고 변함없는 나의 사랑은
언제나 미소 짓고 삶에 감사하지요.
그때의 인생은 너무나 아름다웠지요

그리고 태양은 오늘보다 더 뜨거웠지요
나는 너무 당신을 사랑했고 당신은 너무 예뻤지요
어떻게 내가 당신을 잊을 수 있을까요
당신은 나의 가장 달콤한 연인이었어요
하지만 나는 그리워만 하고 있어요
그리고 당신이 불렀던 그 노래를
나는 언제나 언제까지나 들을 거예요

그건 우리와 닮은 노래에요.
당신, 당신은 나를 사랑했고, 나는 당신을 사랑했어요.
그리고 우리 둘 모두 함께 살았죠.
나를 사랑했던 당신, 당신을 사랑했던 나.
그러나 인생은 사랑했던 두 사람을 갈라놓아요,
너무나 조용히, 소리도 없이.
그리고 바다는 모래 위에 남겨진
헤어진 연인들의 발자국들을 지워요.

Mais mon amour silencieux et fidèle
Sourit toujours et remercie la vie
En ce temps-là la vie était plus belle

Et le soleil plus brûlant qu'aujourd'hui
Je t'aimais tant tu étais si jolie
Comment veux-tu que je t'oublie
Tu étais ma plus douce amie
Mais je n'ai que faire des regrets
Et la chanson que tu chantais
Toujours toujours je l'entendrai

C'est une chanson qui nous ressemble.
Toi, tu m'aimais, moi qui t'aimais
Et nous vivions tous deux ensemble,
Toi qui m'aimais, moi qui t'aimais.
Mais la vie sépare ceux qui s'aiment,
Tout doucement, sans faire de bruit
Et la mer efface sur le sable
Les pas des amants désunis.

# 17. 르네 샤르

브르통 엘뤼아르와 함께 초현실주의의 기수로서 문단에 등장했다. 샤르의 작품은 말보다도 행위에 가깝다. 압축된 체험이 이미지에 채색된 잠언적 문장 속에 폭발하고 있다. 현대 프랑스 시에 지대한 영향을 ▶

## 마르트

이 낡은 벽들을 자기 것으로 삼지 못하는 마르트여, 내 고독한 왕국이 자신을 비추는 샘이여, 어떻게 내가 너를 잊을 수 있으랴. 내가 너를 기억할 필요가 없으니. 너는 축적되는 현재, 우린 결합되리라 서로 가까이 하지 않고서도, 사랑하는 두 양귀비꽃이 거대한 아네모네를 형성하듯 서로 상기하지도 않고.

나는 기억을 제한하려 네 가슴 속으로 들어가지 않으리라. 나는 네 입술을 가지려 하지 않으리라. 입술이 푸른 하늘로 열리도록 그리고 출발의 갈증을 막기 위해, 나는 너를 위해 밤이 발견할 수 없게 되기 전에, 언제나 문턱을 통과하는 자유와 생명의 바람이 되고 싶다.

René Char, 1907-88

끼쳤다.《부서진 시》(1947),《아침 일찍 일어나는 사람들》(1948) 등의 작품이 있다.

## Marthe

Marthe que ces vieux murs ne peuvent pas s'approprier, fontaine où se mire ma monarchie solitaire, comment pourrais-je jamais vous oublier puisque je n'ai pas à me souvenir de vous: vous êtes le présent qui s'accumule. Nous nous unirons sans avoir à nous aborder, à nous prévoir comme deux pavots font en amour une anémone géante.

Je n'entrerai pas dans votre coeur pour limiter sa mémoire. je ne retiendrai pas votre bouche pour l'empêcher de s'ouvrir sur le bleu de l'air et la soif de partir. je veux être pour vous la liberté et le vent de la vie qui passe le seuil de toujours avant que la nuit ne devienne introuvable.

## 18. 파트리스 드 라 투르 뒤 팽

시작에 탁월한 재능을 나타내 20세 때《9월의 어린이들》을 발표했다.《환희의 탐구》(1939)로 말라르메 상을 받고,《삶을 위한 투쟁》(1970)으로 가톨릭 문학상을 받는다.《우리 시대의 시편》(1974)을 ▶

### 9월의 어린이들

쥘 쉬페르비엘에게

숲은 온통 나지막한 안개로 뒤덮여 있었다,
황량하고, 비로 부풀어 있고 그리고 조용했다,
오래도록 불어치는 북풍, 그 바람 속을
야만의 어린이들은, 다른 하늘을 향하여 지나갔다,
큰 범선을 타고, 저녁에, 아주 높은 공간으로

나는 밤에 그들의 날개가 스치는 것을 느꼈다,
그들이 골짜기를 찾기 위해서 몸을 숙였을 때
그곳에서 하루 종일, 아마도, 그들은 숨어있었으리라,
새들이 날아가 버린 늪지 위에서
슬픈 야생물새들이 비탄에 잠겨 부르는 이 소리.

내 방의 해빙을 발견하고서,
새벽에 나는 숲의 경계선에 갔다,
안개 낀 호박 빛 풍성한 달을 통해
나는 흔적을 보았다, 때로는 불확실하지만,

## Patrice de La Tour du Pin, 1911-75

썼다. 주된 시풍은 성서, 아퀴나스, 단테, 몽테뉴의 사상에 원천을 둔 고전적인 흐름이다. 낙관적인 종교적 신화의 세계에 대한 시는 현세에서 초연하게 고립된 느낌이 있다.

### Enfants de septembre

à Jules Supervielle.

Les bois étaient tout recouverts de brumes basses,
Déserts, gonflés de pluie et silencieux;
Longtemps avait soufflé ce vent du Nord où passent
Les Enfants Sauvages, fuyant vers d'autres cieux,
Par grands voiliers, le soir, et très haut dans l'espace

J'avais senti siffler leurs ailes dans la nuit,
Lorsqu'ils avaient baissé pour chercher les ravines
Où tout le jour, peut-être, ils resteront enfouis;
Et cet appel inconsolé de sauvagine
Triste, sur les marais que les oiseaux ont fuis.

Après avoir surpris le dégel de ma chambre,
A l'aube, je gagnai la lisière des bois;
Par une bonne lune de brouillard et d'ambre
Je relevai la trace, incertaine parfois,

숲길의 가장자리 위에서, 9월의 한 어린이의
발자국들은 사뿐하고 부드러웠다, 그러나 흐렸었다
그것은 처음에는 바퀴자국 가운데서 교차해 있었다.
거기 어둠 속에서, 조용히 그는 물을 마시려고 했다,
너무 늦은 그의 고독놀이를 되찾으려고
축축해진 기나긴 황혼 후에.

그러고 나서 발자국은 저 멀리 너도밤나무 사이로 사라졌다
거기서 그의 발은 흙 위에 거의 표시를 남기지 않았다,
나는 생각했다. 그는 어쩌면 돌아올 거야
새벽에, 나는 그의 친구들을 찾기 위해서,
그들이 사라졌을까 봐 두려워서 벌벌 떨면서.

그는 분명히 이 근처로 오리라
동쪽에서 떠오르는 여명과 더불어,
많은 철새 떼와 더불어,

그리고 바람 속에서 불안한 사슴이
초원의 고요를 떠날 시간을 찾는다.
얼어붙은 날이 늪 위에서 밝았다,
나는 환상적인 기다림 속에서 웅크리고 있었다,
그늘 속으로 돌아오는 짐승들이 지나가는 것을 바라보면서,
물을 마시러 오는 겁이 많은 노루들.

Sur le bod du layon, d'un enfant de Septembre
Les pas étaient légers et tendres, mais brouillés.
Ils se croisaient d'abord au milieu des ornières
Où dans l'ombre, tranquille, il avait essayé
De boire, pour reprendre ses jeux solitaires
Très tard, après le long crépuscule mouillé.

Et puis, ils se perdaient plus loin parmi les hêtres
Où son pied ne marquait qu'à peine sur le sol;
Je me suis dit: il va s'en retourner peut-être
A l'aube, pour chercher ses compagnons de vol,
En tremblant de la peur qu'ils aient pu disparaître.

Il va certainement venir dans ces parages
A la demi-clarté qui monte à l'orient,
Avec les grandes bandes d'oiseaux de passage,

Et les cerfs inquiets qui cherchent dans le vent
L'heure d'abandonner le calme des gagnages.
Le jour glacial s'était levé sur les marais;
Je restais accroupi dans l'attente illusoire,
Regardant défiler la faune qui rentrait
Dans l'ombre, les chevreuils peureux qui venaient boire

그리고 숲의 꼭대기에서 울어대는 까마귀들.
나는 생각했다. 나는 9월의 어린이라고.
나야말로, 마음, 정열, 정신을 통해,
그리고 내 모든 사지의 불타는 육욕으로,
그리고 야생의 밤에 달리고 싶었다
숨 막히는 방을 떠나서,

그는 분명히 나를 형제로 대하리라,
어쩌면 나에게 그들 사이의 이름을 지어 주겠지,
나의 눈은 그를 우정의 빛으로 가득 채우리라
만일 그가 두려워하지 않고, 갑자기 나를 보면서
두 팔을 벌리고, 숲속의 빈터를 향해 달려간다면.

내성적인, 그는 상처 입은 새처럼 달아나리라,
나는 그가 간청할 때까지 그를 안아주리라,
지쳐서 하늘 한가운데서 멈출 때까지,
죽을 때까지 쫓기고, 패배당하고, 날개를 늘어뜨리고,
그리고 눈이 죽음을 각오하고 감길 때까지.
그때, 나는 잠든 그를, 나의 팔로 안아주리라,
나는 날개의 경사를 따라 그를 애무해 주리라,
그리고 나는 그의 작은 시체를 데려가리라,
갈대 사이로, 비현실적인 것을 꿈꾸며,
항상 나의 미소 짓는 우정으로 따뜻하게 해서

Et les corbeaux criards, aux cimes des forêts.
Et je me dis: je suis un enfant de Septembre,
Moi-même par le cœur, la fièvre et l'esprit,
Et la brûlnte volupté de tous mes membres,
Et le désr que j'ai de courir dans la nuit
Sauvag, ayant quitté l'étouffement des chambres.

Il va certainement me traiter comme un frère,
Peut-être me donner un nom parmi les siens;
Mes yeux le combleraient d'amicales lumières
S'il ne prenait pas peur, en me voyant soudain
Les bras ouverts, courir vers lui dans la clairière.

Farouche, il s'enfuira comme un oiseau blessé,
Je le suivrai jusqu'à ce qu'il demande grâce,
Jusqu'à ce qu'il s'arrête en plein ciel, épuisé,
Traqué jusqu'à la mort, vaincu, les ailes basses,
Et les yeux résignés à mourir, abaissés.
Alors, je le prendrai dans mes bras, endormi,
Je le careserai sur la pente des ailes,
Et je ramnerai son petit corps, parmi
Les roseux, rêvant à des choses irréelles,
Réchaufé tout le temps par mon sourire ami...

그러나 숲은 온통 나지막한 안개로 뒤덮여 있었다.
그리고 바람은 북쪽으로 불기 시작했다,
날개가 지친 자 모두를, 길 잃은 자 모두를
그리고 죽은 자 모두를 버리면서,
같은 공간에서 다른 길로 가는 자들을!

그리고 나는 생각했다. 이 황막한 땅이 아니다
9월의 어린이들이 멈추는 곳은,
그의 무리에서 떨어져 나왔을 단 한 사람
어느 날 저녁, 그는 알았을까
전설도 없는 이 황막한 늪의 잔인함을?

Mais les bois étaient recouverts de brumes basses
Et le vent commençait à remonter au Nord,
Abandonnant tous ceux dont les ailes sont lasses,
Tous ceux qui sont perdus et tous ceux qui sont morts,
Qui vont par d'autres voies en de mêmes espaces!

Et je me suis dit: Ce n'est pas dans ces pauvres landes
Que les enfants de Septembre vont s'arrêter;
Un seul qui se serait écarté de sa bande
Aurait-il, en un soir, compris l'atrocité
De ces marais déserts et privés de légende?

# 19. 피에르 에마뉘엘

강 태생. 철학과 수학을 공부하였으나 신앙과 인간성의 문제로 고민했다. 제2차 세계대전 때 레지스탕스에 가담. 그는 선과 악 사이에 찢긴 불가능한 통일을 구하는 인간상을 추구한다. 발레리의《젊은 날의 파르크》에서 시에 눈을 떴다. 독일의 낭만주의와 영국의 작가들과도 친숙했다. 1937년에 만난 주브의 작품이 그에게 결정적인 영향을 미쳤는데 주브는 무의식의 여러 가지 층을 그에게 계시했다. 무의식적 ▶

## 오직 미친 사람들만이 안다

피 속에 든 사랑의 한 온스
영혼 속의 진리의 한 알
참새가 12월의 날에서
생존하기 위해 필요로 하는 좁쌀

너는 믿는가 가장 위대한 성인들이
더 무거울 거라고?

왜 푸른가 영원은?
여전히 닫혀진
오 괴로운 말할 수 없는 고사리여…
자기 내부에서 나무들의 첫 잎사귀가
우는 것을 느끼지 못하는 자는

Pierre Emmanuel, 1916-84

인 것, 영성, 파국의 세 기본 개념이 압도적으로 받아들여졌다. 《오르페우스의 무덤》(1941), 《분노의 날》(1942) 등의 시집이 있다. 1968년 아카데미 프랑세스 회원에 선출되었다.

## Seuls comprennent les fous

Une once d'amour dans le sang
Un grain de vérité dans l'âme
Ce qu'il faut de mil au moineau
Pour survivre un jour de décembre

Crois-tu que pèsent davantage
Les plus grands saints?

Pourquoi verte, l'éternité?
O douloureuse, ô ineffable
Fougère encore repliée...
Qui n'a senti en lui crier
Les premières feuilles des arbres

영원을 모른다.

오 밤이여
너는 내 혀에 닿은 빵의 맛
너는 내 몸속 망각의 서늘함
너는 내 침묵의 결코 마르지 않는 원천
그리고 매일 저녁이 나의 죽음의 새벽이다
어째서 너에 대해 노래할까 보냐
어째서 네게 기도할까 보냐
단 한 방울의 눈물이
너를 완전히 담을 수 있는데
오 밤이여

Ne sait rien de l'éternité.

O Nuit
Tu es la saveur du pain sur ma langue
Tu es la fraîcheur de l'oubli sur mon silence
Tu es la source jamais tarie de mon silence
Et chaque soir l'aurore de ma Mort
A quoi bon te chanter
A quoi bon te prier
Puisqu'une seule larme
Te contient toute
O nuit

# 20. 이브 본느푸아

투르 태생, 푸와티에 대학과 소르본느 대학에서 수학과 철학을 공부했다. 1945년에 초현실주의자와 교유했으나 그만의 새로운 시를 썼다. 그의 어휘는 간결하고 명확하다. 수많은 시집 및 산문집, 문예 비평집을 내고 셰익스피어의 극을 번역, 유럽과 미국의 대학에서 문학을 강의했다. 첫 시집《두브의 움직임과 부동성에 대해》(1953),《있음직하지 않은 것》(1959), 대표적인 작가론《랭보》(1962),《저 너머 ▶

## 미완성이 정상頂上이다

부수고 또 부수고 또 부서뜨려야 했었다.
구원이란 이 보상으로만 얻어졌었다.

대리석 안에 떠오르는 나체의 얼굴을 파괴하는 일.
모든 형태 모든 아름다움을 망치로 부수는 일.

완성을 사랑하는 것은 문턱에 있기 때문이다
그러나 일단 알려지면 부정하고, 죽으면 이를 잊어버린다,

미완성이 정상이다.

Yves Bonnefoy, 1923-2016

의 나라》(1972) 등을 발표했다.《빛 없이 있던 것》(1987)은 그의 시학이 분명하게 드러난 걸작으로 평가되고 있다. 1987년 공쿠르 상, 2007년 프란츠 카프카 상을 받았다.

## L'imperfection est la cime (1958)

Il y avait qu'il fallait détruire et détruire et détruire.
Il y avait que le salut n'est qu'à ce prix.

Ruiner la face nue qui monte dans le marbre.
Marteler toute forme toute beauté.

Aimer la perfection parce qu'elle est le seuil
Mais la nier sitôt connue, l'oublier morte,

L'imperfection est la cime.

## 시법

첫 나뭇가지들에서 분리된 절단된 얼굴
나지막한 하늘 아래 두려움으로 만들어진 미

어느 난로에다 너의 얼굴의 불을 놓을 수 있을까?
오
머리를 아래로 던진 채로 포로가 된 메나드여.

## Art poétique

Visage séparé de ses branches premières,
Beauté loute d'alarme par ciel bas,

En quel âtre dresser le feu de ton visage
O
Ménade saisie jetée la tête en bas?

## 21. 장 마리 귀스타브 르 클레지오

니스 출생. 일곱 살 무렵부터 글을 썼다. 영국의 브리스톨 대학과 니스의 문학 전문학교에서 공부했다. 1963년 첫 번째 소설인《조서》로 르노도상을 수상하며 화려하게 데뷔했다.《열병》(1965),《홍수》(1970),《전쟁》(1970),《저편으로의 여행》(1975),《지상의 마지막 인간》(1978) 등의 작품이 있다. 전 세계 여러 대학에서 학생들을 가 ▶

### 운주사, 가을비 2001.10.22

부드럽게 날리는 물의 먼지 아래에 누운
꿈꾸는 눈으로 명상에 잠겨
하늘을 향하고 있는 와불.
이야기로는, 원래는 세 분이었으나 한 분이
일어나서 절벽 쪽으로 걸어갔다고 한다.
돌부처 두 분만이 아직도 땅에 등을 대고 누운 채로
언젠가는 그들 차례가 되어 일어날 날을 기다리고 있다.
새로운 세상이 도래할 날을.
서울 거리에선
선남선녀들이
시간을 서로 떼밀고 순간을 잡아챈다.
사고 팔고
창조하고 발명하고 찾아내고 있다.

## Jean-Marie Gustave Le Clézio, 1940-현재

르쳤는데 2007~2008년 이화여자대학교 통역대학원에서 프랑스어를 가르쳤다. 2008년에 노벨 문학상을 수상했다. 2016년 저자 민희식의 초청으로 한국에 와 강연을 했다.

## Unjusa, Pluie D'Automne

Couchés sous la poussière d'eau douce
les dormeurs contemplatifs aux yeux rêveurs
tournés vers le ciel
On raconte qu'ils étaient trois et que l'un d'eux s'est levé
a marché jusqu'au bord de la falaise;
les deux Bouddha ont leur dos encore soudés à la pierre
un jour ils se léveront à leur tour
et naîtra le monde nouveau.
Dans les rues de Seoul
les jeunes gens, les filles
bousculent le temps arrachent des secondes.
Acheter vendre
créer inventer chercher.

아직도 생각이나 하고 있을까
산 위에 있는 두 분 와불
운주사에서
구름 기둥
가을 단풍 한가운데 서서

찾아보고 달려가고
움켜쥐고 가져간다.
돌부처들은
로아의 얼굴을 하고
마법의 영혼들의 모습으로
때로 불면으로 몽상에 잠길까,
동대문 시장의 큰 백화점에서
숲의 가지들만큼 수많은
네온 간판에서

세상의 저 끝에서
바다의 저 끝에서
부러진 나라
눈이 먼 나라
두려움에 상처입어

사고 팔고
구경을 하고

Qui pense encore aux deux Bouddha
rêveurs sur la montagne
à Unjusa
Pilier des nuages
debout au milieu des feuilles rouges de l'automne?

Chercher courir
saisir emporter
Les Bouddha de pierre
aux visages des Loas
aux visions des esprits des charmans
rêvent-ils parfois dans leur insomnie,
aux grands magasins du marché Dongdae Mun
aux letters de neon aussi nombreuses
que les branches de la forêt?

A l'autre bout du monde
a l'autre bout de la mer
un pays fracassé
un pays aveuglé
griffé par la peur

Acheter vendre
voir

예언을 하고
밤거리를 돌아다닌다.
서울이 배처럼 불을 밝힐 때

그리고 아침은 너무나 조용하고
평온하다 인사동에서
예술인의 거리 광주에서
미화원들은 거리에 널린 판지들을 모으고
아직도 열려있는 카페에서 두 연인은 손을 잡고 있다.

살고, 움직이고
맛보고 버려두고 감각을 미끄러져 들게 한다.
번데기 익는 냄새
김치
국수에 미역국
고사리나물
얼얼한 해파리냉채
바다 깊은 곳에서 솟아오른 이 땅은
에테르 맛이 난다.

바라고 꿈꾸고 살고
글을 쓴다.

세상의 다른 한쪽 끝에서

deviner
zigzaguer la nuit
quand Soeul s'illumine comme un navire

Et les matins sont si calmes
doux à Insadong
à Gwangju rue des Artistes
les balayeurs ramassent les cartons
dans un café encore ouvert deux amoureux se tiennent par la main.

Vivre, agir
goûter laisser glisser les sens
l'odeur des fritures de vers à soie
le kimchi
la soupe aux nouilles les algues
les fougères
les fils poivrés des méduses
cette terre jaille des profondeurs
de la mer au gout d'éther

Vouloir rêver vivre
écrire

A l'autre extremité du monde

사막의 끝에서
번쩍 하고 터진 조명탄은 막 시작한 밤을 밝혀주고 있다.
갈망하고 표류하고
추월한다.
간판 글씨들이 불을 밝힌다
숲의 부러진 가지들처럼
여기서 나는 몰아치는 바람을 생각한다.
죽음 속에 회색 아이들을 눕히는 바람.
사막의 씁쓸한 관 위에

기다리고 웃고 희망을 품고
사랑하고 사랑한다.
서울의 고궁의 정원에서
신들처럼 아이들은 통통하고
그들 눈은 붓끝으로 찍은 것 같다.

기다리고 늙어가고 비는 오고.
운주사에 부드럽게 내리는 비는
가을 단풍잎 위로 미끄러져
긴 팔과 손가락을 뻗어 바다로 합쳐지고
본래의 심연으로 되돌아간다.
두 와불의 얼굴은 이 비로 씻기고
그 눈은 하늘을 본다.

au bout du désert

les bombes à fragmentation à phosphore éclairent la nuit qui vient de commencer.

Désirer déraper

dépasser

les lettres s'allument

comme les branches brisées de la forêt

ici je pense au vent qui tord

au vent qui couche les enfants gris dans la mort

sur l'âcre cercueil du désert

Attendre rire espérer

aimer aimer

au jardin du palais de Seoul

les enfants sont ronds comme des dieux

leurs yeux ont été peints à la pointe des pinceaux

Attendre vieillir pleuvoir

sous la pluie qui tombe doucement à Unjusa

glisse sur les feuilles rouges de l'automne

joint ses doigts en longs bras vers la mer

retour vers les profondeurs natales.

Les visages des deux Bouddha couchés sont usés par cette pluie

leurs yeux voient le ciel

한 세기가 지나가는 것은 구름 하나가 지나가는 것.
부처들은 또 다른 시간과 또 다른 공간을 꿈꾸고 있다.
부처들은 눈을 뜨고 잔다.
세상이 전율하기 시작했다.

chaque siècle qui passe est un nuage qui passe
ils rêvent d'un autre temps d'un autre lieu
ils dorment leurs yeux ouverts
le monde a commencé à trembler.

# 부록

프랑스의 시인과 시

현대의 시인들

프랑스 시의 역사

프랑스 시 연표

책에서 가려 뽑은, 영혼을 뒤흔드는 매혹적인 시구들

참고문헌

# 프랑스의 시인과 시

| 중세시 | 작품명 |
| --- | --- |
| 1. 뤼트베프 | 1. 성녀 엘리자벨 전 |
| 2. 외스타슈 데샹 | 2. 비를레<br>3. 발라드(전쟁에 반대하는) |
| 3. 기욤 드 로리스 & 장 드 묑 | 4. 장미 이야기 |
| 4. 크리스틴 드 피장 | 5. 발라드 |
| 5. 알랭 샤르티에 | 6. 평화의 단시 |
| 6. 장 메시노 | 7. 이성 결여의 발라드 |
| 7. 샤를 도를레앙 | 8. 내 사랑은… |
| 8. 프랑수와 비용 | 9. 비용의 묘비명<br>10. 발라드(사소한 잔소리의 발라드) |
| 9. 장 모리네 | 11. 진실 |
| 10. 장 르 메르 드 벨주 | 12. 양치기 딸 갈라테의 노래 |

| 르네상스 시대 | 작품명 |
| --- | --- |
| 1. 클레망 마로 | 13. 파리에서 |
| 2. 페르네트 뒤 귀에 | 14. 에피그램 |
| 3. 모리스 세브 | 15. 델리, 가장 높은 덕의 대상 |
| 4. 퐁튀스 드 티아르 | 16. 첫 자태에서 알아보았네 |
| 5. 루이즈 라베 | 17. 소네트 |
| 6. 조아심 뒤 벨레 | 18. 프랑스<br>19. 아름다운 여행 |
| 7. 피에르 드 롱사르 | 20. 마리 일어나요, 나의 게으름뱅이 아가씨 |

| | |
|---|---|
| | 21. 내 손이 꽃다발을 그대에게 바칩니다 |
| 8. 레미 벨로 | 22. 앵두 |
| 9. 에티엔느 드 라 보에티 | 23. 소네트 |
| 10. 장 앙투완 드 바이프 | 24. 장미 |
| 11. 에티엔 조델 | 25. 소네트 |
| 12. 필립 데포르트 | 26. 소네트 |
| 13. 기욤 드 살뤼스트 뒤 바르타스 | 27. 제1일 |
| 14. 테오도르 아그리파 도비네 | 28. 스탠스 I |
| 15. 마르크 파피용 드 라스프리스 | 29. 노에미에 대한 열정 |

| 고전주의 | 작품명 |
|---|---|
| 1. 프랑수아 드 말레르브 | 30. 스텐스 |
| 2. 프랑수아 메나르 | 31. 에피그램 |
| 3. 테오필 드 비오 | 32. 4행시 |
| 4. 오노라 드 비에유 드 라캉 | 33. 봄이 오다 |
| 5. 뱅상 부와튀르 | 34. 샹송 |
| 6. 트리스탄 레르미트 | 35. 두 연인의 산책 길, |
| 7. 폴 스카론 | 36. 소네트 |
| 8. 장 드 라 퐁텐 | 37. 이리와 양 |
| | 38. 곳간에 들어간 족제 |
| | 39. 사람과 뱀 |
| | 40. 도토리와 호박 |
| | 41. 곰과 정원 애호가 |
| | 42. 구두장이와 은행가 |
| | 43. 죽음의 신과 나무꾼 |
| 9. 샤를 페로 | 44. 신데렐라 (발췌) |
| 10. 니콜라 부알로 | 45. 기꺼이 질투도 하지 않고 |
| 11. 알렉시스 피롱 | 46. 나의 묘비명 |
| 12. 니콜라 레스티프 드 라 브르톤 | 47. 아름다운 빵 굽는 아가씨 |

| | |
|---|---|
| 13. 니콜라 질베르 | 48. 몇 개의 시편을 모방한 송가 |
| 14. 앙드레 셰니에 | 49. 타렌툼의 처녀 |

| 낭만주의 | 작품명 |
|---|---|
| 1. 마르스린 데보르드 발모르 | 50. 사아디의 장미 |
| 2. 알퐁스 드 라마르틴 | 51. 나비<br>52. 호수<br>53. 가을 |
| 3. 알프레드 드 비니 | 54. 들판을 가로질러<br>55. 이리의 죽음 |
| 4. 빅토르 위고 | 56. 오세요, 보이지 않는 피리가<br>57. 씨 뿌리는 계절, 저녁 때<br>58. 왔노라, 보았노라, 이겼노라<br>59. 깨어진 항아리 |
| 5. 알로이쥐스 베르트랑 | 60. 다섯 손가락 |
| 6. 제라르 드 네르발 | 61. 엘 데스디차도<br>62. 환상 |
| 7. 패트뤼스 보렐 | 63. 운명에 저항하는 자 |
| 8. 알프레드 드 뮈세 | 64. 임종의 시간<br>65. 슬픔<br>66. 이웃 여인의 커튼<br>67. 창백한 저녁 별<br>68. 잘 있거라 쉬종 |
| 9. 오귀스트 바르비에 | 69. 미켈란젤로 |

| 고답파 | 작품명 |
|---|---|
| 1. 테오필 고티에 | 70. 비둘기들<br>71. 예술<br>72. 바닷가에서 |

| | 73. 지는 해 |
|---|---|
| 2. 샤를 르콩트 드 릴 | 74. 태양의 죽음 |
| 3. 테오도르 방빌 | 75. 루이 왕의 과수원<br>76. 조각가여<br>77. 차 |
| 4. 쉴리 프리돔 | 78. 금이 간 꽃병 |
| 5. 프랑수아 코페 | 79. 새들의 죽음 |
| 6. 샤를 크로 | 80. 자유 |
| 7. 조제 마리아 드 에레디아 | 81. 바다의 미풍 |

| 상징주의 | 작품명 |
|---|---|
| 1. 샤를 보들레르 | 82. 교감<br>83. 여행에의 초대<br>84. 전생<br>85. 호기심 많은 남자의 꿈<br>86. 가난한 자들의 죽음<br>87. 한낮의 끝<br>88. 애인들의 죽음<br>89. 독자에게<br>90. 키테라로의 여행<br>91. 일곱 명의 노인<br>92. 인간과 바다<br>93. 알바트로스 |
| 2. 폴 베를렌 | 94. 시법<br>95. 자주 꾸는 꿈<br>96. 가을의 노래<br>97. 내 마음에 눈물 흐른다<br>98. 하늘은 지붕 너머<br>99. 하얀 달 |

| 3. 아르튀르 랭보 | 100. 감각<br>101. 취한 배<br>102. 나의 방랑<br>103. 골짜기에 잠든 사람<br>104. 오, 계절이여, 오, 성이여<br>105. 7살의 시인들<br>106. 서시 지옥의 계절<br>107. 모음들<br>108. 소설 |
|---|---|
| 4. 프레데릭 미스트랄 | 109. 미레이유 |
| 5. 로트레아몽 백작 | 110. 에르마프로디트 |
| 6. 스테판 말라르메 | 111. 순결하며 발랄하며 아름다운 오늘이<br>112. 에드가 포우의 무덤<br>113. 말라르메 양의 부채<br>114. 바다의 미풍<br>115. 파이프<br>116. 창<br>117. 목신의 오후 |
| 7. 생 폴 루 | 118. 양들의 저녁 |
| 8. 모리스 메테르링크 | 119. 어느 날 그이가 다시 돌아온다면 |
| 9. 쥘 라포르그 | 120. 피에로들의 말<br>121. 미학<br>122. 제발 한 마디만<br>123. 월광<br>124. 밤중에<br>125. 희롱 |
| 10. 샤를 반 레르베르게 | 126. 얼마나 많은 금빛 시간을 |
| 11. 알베르 사맹 | 127. 저녁<br>128. 저녁 3, 하늘은 황금빛 호수처럼 |

| | |
|---|---|
| | 129. 수상 음악 |
| 12. 앙리 드 레니에 | 130. 오들레트 |
| 13. 폴 발레리 | 131. 해변의 묘지<br>132. 잠든 여인<br>133. 시<br>134. 나르시스는 말한다<br>135. 석류<br>136. 잃어버린 포도주<br>137. 꿀벌<br>138. 바람의 요정 |

| 모데르니슴 1<br>(모데르니슴, 자연주의, 신고전파) | 작품명 |
|---|---|
| 1. 트리스탄 코르비에르 | 139. 두꺼비 |
| 2. 조리 카를 위스망 | 140. 황홀 |
| 3. 에밀 베르하렌 | 141. 당신은 내게 말했지, 그 저녁, 너무도 아름다운 말을<br>142. 어느 저녁 |
| 4. 레미 드 구르몽 | 143. 눈<br>144. 낙엽 |
| 5. 네레 보슈맹 | 145. 빈집 |
| 6. 프랑시스 잠 | 146. 당나귀들과 함께 천국에 가기 위한 기도<br>147. 집은 장미로 가득하리라<br>148. 며칠 후엔 눈이 오리라 |
| 7. 폴 클로델 | 149. 닫힌 집 |
| 8. 앙드레 지드 | 150. 욕망의 론도 |
| 9. 마르셀 프루스트 | 151. 쇼팽 |
| 10. 피에르 루이 | 152. 머리카락<br>153. 목신의 피리 |

| | |
|---|---|
| 11. 폴 포르 | 154. 론도 |
| 12. 샤를 패기 | 155. 제 2 미덕의 신비한 현관 |
| 13. 아나 드 노아유 | 156. 놀람<br>157. 과수원 |
| 14. 기욤 아폴리네르 | 158. 미라보 다리<br>159. 비가 내린다<br>160. 상테 감옥에서<br>161. 미래<br>162. 병든 가을 |
| 15. 마리 로랑생 | 163. 진정제 |
| 16. 장 콕도 | 164. 꿈속에 날아 다녀요<br>165. 잠든 아가씨<br>166. 나의 시풍이 |

| 모데르니슴 2 (초현실주의, 입체파, 전후시) | 작품명 |
|---|---|
| 1. 앙드레 브르통 | 167. 자유로운 결합 |
| 2. 루이 아라공 | 168. 엘자의 눈<br>169. (40년대의) 리처드왕 |
| 3. 폴 에뤼아르 | 170. 연인<br>171. 아무도 나를 알 수 없다<br>172. 자유<br>173. 올바른 정의 |
| 4. 제르맹 누보 | 174. 사랑 |
| 5. 막스 자콥 | 175. 라비냥 거리<br>176. 헤아릴 수 없는 회한 |
| 6. 쥘 수페르비엘 | 177. 어느 시인 |
| 7. 오스카르 우라디스라스 드 뤼비츠 밀로스 | 178. 죽은 자들은 모두 취해 있다 |
| 8. 에밀 넬리강 | 179. 누가 침묵 속에서 울고있다 |

| 9. 블레즈 상드라르스 | 180. 섬들 |
|---|---|
| 10. 피에르 장 주브 | 181. 엘렌 |
| 11. 피에르 르베르디 | 182. 곡예사들 |
| 12. 생 존 페르스 | 183. 눈<br>184. 망명 |
| 13. 앙리 미쇼 | 185. 바다<br>186. 빙산 |
| 14. 프랑시스 퐁쥬 | 187. 촛불 |
| 15. 로베르 데스노스 | 188. 신비로운 여인에게<br>189. 내일 |
| 16. 자크 프레베르 | 190. 새의 초상화를 그리기 위해서는<br>191. 아침 식사<br>192. 너를 위하여 나의 사랑아<br>193. 쓰기 공책<br>194. 낙엽 |
| 17. 르네 샤르 | 195. 마르트 |
| 18. 파트리스 드 라 투르 뒤 팽 | 196. 9월의 어린이들 |
| 19. 피에르 에마뉘엘 | 197. 오직 미친 사람들만이 안다. |
| 20. 이브 본느푸아 | 198. 미완성이 정상이다<br>199. 시학 |
| 21. 르 클레지오 | 200. 운주사 |

## 현대의 시인들

### 1. 빅토르 세가렌 Victor Segalen, 1878-1919

브르타뉴 브레스트 생. 의사, 문화인류학자, 소설가, 시인. 고갱이 죽은 지 5개월 후 타히티에 가서 민속학에 관심을 갖고 소설《태고인》(1907)을 쓴다. 1908년 만주의 페스트를 치료하기 위해 중국으로 건너갔으며, 1909년부터 17년까지 북경에 유학하여 고고학 발굴을 한다. 시집《비석》(1912)을 썼다.

### 2. 프랑시스 피카비아 Francis Picabia, 1879-1953

파리 태생. 화가, 디자이너, 작가로 활동했다. 알프레드 시슬리의 영향을 받았다. 뉴욕에서 활동하며《391》지를 발간한다. 파리의 다다에 참가했고 후에 초현실주의에 접근한다. 작품으로는《어머니 없이 태어난 자》(1918),《사기꾼 예수 크리스트》(1920, 다다지 가을 호)가 있다. 르네 클레르의 영화《막간》(1924)의 시나리오를 썼다.

3. 죠르쥬 리브몽 데세뉴George Ribemont-Dessaignes, 1884-1974

몽펠리에 태생. 작가, 시인, 극작가, 화가로 활동했다. 다다이즘의 중심적 존재로 다다선언을 하여 다다의 시를 발표하고 브르통과 대립한다. 1919년 창간한 '문학'지에서 브르통과 수포, 아라공과 다시 연결된다. 그 후 초현실주의에 가담했으며《비퓌르》(1930)를 발간하고 독자적 길을 걷는다. 생계를 위해서 고전 문학작품의 서문(스탕달, 1954. 톨스토이, 1956. 디드로, 1962)을 썼다. 소설《무슈 장 또는 절대적 사랑》(1934)으로 '되마고' 상을 받는다. 작품으로는 소설《아리안》(1925), 시《그림자》(1942)가 있다.

4. 필립 수포Philippe Soupault, 1897-1990

샤빌 태생. 시인, 작가, 저널리스트. 1919년 친구인 브르통, 아라공과 다다의 모험에 참여한다. 이어서 초현실주의로 방향을 돌리고 브르통와 함께 초현실주의의 주요 창설자가 된다. '문학' 지 발간. 이듬해 브르통과 공저로 자동기술법의 최초의 성과인《자장》(1920)을 출판했다. 파리의 다다와 초현실주의 모든 활동에 참여했다. 후에 초현실주의에서 멀어져 서정적이고 대담하면서도 소박한 시풍으로 바뀌었다.그의 시의 특색은 씁쓸한 빈정거림이다.《전시집》(1917-37),《샹송》(1949) 등의 시집과 다수의 소설과 평론이 있다.

5. 자크 오디베르티Jacques Audiverti, 1899-1965

남프랑스 앙티브 출생. 건강 때문에 학업을 중단하고《시라노 드 벨르쥬락》의 작가 에드몽 로스탕에게 시를 보내고 그에게 격려를 받는다. 일찍 초현실주의에 가담하고 위고의 웅변과 말라르메의 투명성을 지닌 독자적 환상세계를 그렸다.《제국과 수도원》(1930),《인간족》(1937),《언제나》(1944) 등의 작품이 있다. 1938년 말라르메 아카데미의 시상을 받았다.

### 6. 미셸 레리스 Michel Leiris, 1901-90

파리 태생. 작가, 시인, 민족학자. 그의 가족들은 그가 화학을 공부하기를 원했으나 그는 예술과 글쓰기에 끌렸다. 막스 자콥에 이끌려 시를 쓰며 마송, 피카소와 친교를 맺고 초현실주의운동에 가담한다. 1929년 브르통과의 사이가 틀어져 안티 브르통 팸플릿 '카다브르(시체)'지에 기고한다. 정신분석에 관심을 품고 민족학자가 되어 인류 박물관에서 일한다. 자전적 이야기인《인간의 나이》(1939)를 쓰고, 시《간질》(1943), 소설《오로라》(1946) 발표 후 꿈을 기록한《밤이 없는 밤과 낮이 없는 몇 개의 낮》(1961)을 발표.

### 7. 장 폴랭 Jean Follain, 1903-71

카니시 태생. 유마니즘[휴머니즘] 계통의 구상적 시인, 작가. 1913년부터 그의 아버지가 자연 과학 교수로 있는 생로 학교에 다닌다. 파리에서 법을 공부하고 변호사가 되었다. 르베르디, 파르그와 친교를 맺고 첫 시집《5개의 시》(1933)를 낸다. 1939년 말라르메 상, 1941년 브뤼망탈 상을 받았다. 1951년 파리지방법원의 사법관이 되기 위해 변호사 생활을 포기했다. 팬클럽 회원 자격으로 일본, 태국, 후에 브라질, 패루, 미국 등지를 여행했다. 실재하는 사물, 순간 현실의 명확성을 추구하는 시인으로 모든 운동과 역사를 그렸는데 그 작품은 동판화를 연상케 한다. 그가 그리는 사물 세계는 사실적인 것이 아니고 현실과 신비가 교차하는 독특한 세계이다. 시집으로《존재하는 모든 것》(1947)《순간순간의 공간》(1971) 등이 있다. 1970년 아카데미 프랑세스 상을 받았다.

## 8 레이몽 크노 Raymond Queneau, 1903-78

르 아브르 태생의 소설가, 시인, 극작가. 소르본에서 철학을 공부했다. 은행, 가정교사, 번역가, 칼럼니스트 등의 일을 했다. 많은 시간을 갈리마르 출판사에서 일했다. 앙드레 브르통에 반대하는 '카다브르' 팸플릿에 참여한다. 초현실주의로 출발하였으나 풍자, 블랙유머, 신어나 조어, 언어유희를 구사하는 실험가로서의 독자적 길을 걷는다. 제 1시집《떡갈나무와 개》(1937)이래《눈물에 젖은 눈les ziaux('눈les yeux'과 '물les eaux'의 합성어)》(1943) 와 같이 그는 합성어의 시집을 많이 썼다. 앙티로망의 선구자의 한 사람으로 극작가로도 뛰어나《지하철의 자지》(1959 소설, 1960 영화)라는 영화로도 큰 성공을 거둔다. 1951년 공쿠르 아카데미에 선출되고 1955~57년에는 칸영화제의 심사위원으로 활약했다.

## 9. 장 타르디유 Jean Tardieu, 1903-95

생 제르멩 드 주에서 화가 빅토르 타르디유의 아들로 태어남. 작가, 시인, 발명가. 젊었을 때는 음악과 미술을 공부했다. 1939년 제1시집《악센트》를 발표. 2차 대전 후 프랑스 극이나 시평을 쓰고 스스로 새로운 연극과 시의 저작을 발표한다. 독특한 지적 서정시인으로 평가받고, 주요 시집으로는 익살을 담은 시《무슈, 무슈》(1951),《보는 시》(1986)가 있다. 아카데미 프랑세즈상을 받았다.

10. 레이몽 라디게Reymond Radiget, 1903-23

파리교외의 생모르 데포세 출생. 파리의 리세에서 공부했다. 초현실파 시인들과 친교를 맺고 특히 장 콕토의 사랑을 받으며 소설《육체의 악마》(1923),《도르젤 백작의 무도회》(1924) 를 발표했다. 이는 심리소설의 걸작으로 라파예트 부인, 스탕달과 더불어 심리분석 소설의 맥을 잇고 있다. 조숙한 천재로 14세부터 시작을 하고 20세에 장티푸스로 요절했다. 시집으로《타오르는 빰》(1920),《휴가의 숙제》(1921)가 유명하다.

11. 레오폴드 세다르 상고르Leopold Sedar Senghor, 1906-2001

세네갈 생. 신학교에서 어린 시절을 보냈으나 사제의 길을 포기한다. 1928년 파리에 유학하여  루이 르 그랑 중등학교와 소르본에서 장학생으로 수학한다. 이 시기에 현대 회화, 조각, 음악 등 예술의 세계를 접하고 아프리카의 잠재성에 대한 믿음이 생긴다. 1935년 아프리카인 최초로 프랑스어 교수 자격을 따고 투르에서 프랑스어를 가르쳤다. 2년 후 국립 중등학교에서 아프리카 언어와 문화를 가르쳤다. 1939년 징집되고 나치의 포로가 되어 2년을 수용소에서 보내며 후에 명작이 된 몇 편의 시를 집필했다. 세네갈의 독립과 동시에 대통령으로 선출되었다. 그는 현실정치에 관심을 두었다. 그는 프랑스 시의 전통을 연구하여 아프리카의 대지와 밤의 깊이를 연결시켜 자기 조상들의 언어에 현대적 보편적 차원을 부여했다. 클로델이나 생 종 페르스의 영향이 짙은 그의 시는 풍부한 여러 이미지에 빛나고 시《토템》에는 아프리카의 악기 코다나 팔라폰으로 연주된 민족 사랑의 순수함이 깃들어 있다. 1984년 흑인 최초로 아카데미 프랑세즈의 회원이 되었다. '흑인 아프리카 세계의 문화적 유대의 총화'라고 정의된 네그리튜드negritude 운동의 선구자였으며, 그의 문학 작품과 정치적 업적이 인정되어 4개 대학에서 명예박사학위를 받았다.

12. 앙드레 프레노André Frénaud, 1907-93

브르고뉴 태생. 디종에서 중등학교를 마친 후 파리에 가서 철학과 법률을 공부했다. 러시아, 스페인, 이탈리아를 여행했다. 1937년 출판국에 들어가 1967년까지 일했다. 1938년 벵자멩 펠리스라는 가명으로 시작을 시작한다. 1939년 제2차 대전에서 독일군의 포로가 되어 브랑드부르에서 2년간 지내고, 이때《동방 3박사》(1943)를 써 시인으로 데뷔한다. 해방되자 프랑스에 돌아와 엘뤼아르와 더불어 레지스탕스 운동을 전개한 전후로 시작을 계속하고 있다. 시집으로《브랑드부르》(1947),《가난한 어린이들》(1957),《천국은 없다》(1962)가 있다. 1973년 아카데미 프랑세즈의 상을 받는다.

13. 르네 도말 Rene Daumal, 1908-44

20세 때 로제, 바이양과《거대한 거래》지를 발간. 자동기술법을 시도하여 초현실주의에 접근하나 동양적 신비주의의 경향이 브르통의 비평을 받고 계속 인도연구에 매진한다.《네 개의 기본 시절les quatre temps cardinaux》(1952)에는 존재를 둘러싼 형이상학적 사유와 죽음의 환상이 그려져 있다.

### 14. 앙드레 피에르 드 망디아르그 Andre Pieyre de Mandiargue, 1909-91

초현실주의를 계승한 시인. 인상주의의 회화 수집가 폴 베라르의 손자. 독일 낭만파. 빛과 암흑, 바로크, 독일 낭만주의 암흑소설, 초현실주의의 영향을 받았으며 자기 독자의 세계를 때로는 음탕하고 폭력적이면서도 명확한 완성도가 높은 표현을 구사하였다. 그 밖의 시집으로는《아스테아나크스》(1956),《나의 현시점》(1964) 등이 있다. 그의《장엄한 외설》은 유명하다. 1967년 공쿠르 상을 받았다.

### 15. 장 쥬네 Jean Genet, 1910-86

누보 테아트르 극작가. 시인. 고아원에서 농가에 맡겨져 10살 때 무실의 죄로 감화원에 가 방랑. 동성애, 도적질 생활로 투옥된다. 1942년에 옥중에서 쓴 최초의 시가 인정되어 사르트르의 추천으로 사회활동을 한다. 시집으로는《사형수》(1942),《장송행진곡》(1948)이 유명하다.

### 16. 에메 세제르 Aime Cesaire, 1913-2008

마르티니크 섬 출신으로 1930년 파리에서 브르통을 만나 초현실주의에 접근한다. 생고르와 함께 네그리튜드 운동을 하고 반유색인종의 투쟁에 헌신했다. 마르티니크의 국회의원, 1945-2001년까지 포르 드 프랑스의 시장을 역임했다.《잃어버린 시체》(1950),《나, 라미나리아》(1982) 등의 작품이 있다.

### 17. 루이 르네 데 포레Louis Rene des Forêts, 1918-2000

파리 태생 2차 대전 때 레지스탕스 운동에 참가. 인생에 대한 여러 가지 문제를 제기하는 그의 시풍은 현대의 젊은 시인에게 영향을 주고 있다. 대표작《바다의 메가이라Les mégère de la Mer》(1967)는 본래 소설 형태로 텍스트의 단편의 시로 되어 있다.

### 18. 보리스 비앙 Boris Vian, 1920–59

을생 제르망 데 프레에서 트럼펫를 불며 지방순회를 하면서 시를 읊어 말썽을 일으킨다. 뮤지컬, 코메디, 오페라를 창작. 폐종양으로 39세에 사망. 그는 구노의 영향을 받고 항상 언어와 희롱하며 인생의 잔인성, 어리석음을 폭로했다. 대표시집은《붉은 인생La vie en Rouge》이다.

### 19. 죠르쥬 브라상스Georges Brassens, 1921-81

지중해변 소도시 세트 출신. 1939년 파리에 가 시를 쓰고 노래를 공부한다. 1953년 상송계의 대가 바타슈에게 발탁되어 자기가 쓴 시를 기타로 반주하여 폭발적인 성공을 거두었다. 금융? 음유 시인을 상기케 하는 시의 형식으로 통념의 도덕이나 풍속을 비판하는 시를 쓰고 인간의 인정미 있는 세계를 독특한 관찰력으로 그려낸다.《나쁜 소문》은 길거리의 시인이 길가에서 때로는 나쁜 소문을 내며 사는 모습을 그려내고 있다.

### 20. 앙드레 뒤 부셰Andre du Bouchet, 1924-2001

쟈코 메리의 데생을 둘러싸고 쓰여진《우리 쪽을 향하고 있지 않는 것》, 시집《공기》등으로 대성공을 거두었다. 과묵한 언어와 페이지의 긴장된 공백으로 그의 시는 시가 태어나는 순간은 아직 표현되지 않은 이미 지난 시간을 시 속에 그려내고 있다. 현대 프랑스 시의 대표적인 인물로 젊은이에게 큰 영향을 주고 있다.

### 21. 앙리 피셰트Henri Pichette, 1924-2000

샤토루에서 출생. 1944년 마르세유의 해방운동에 참여했다. 초현실주의 계보에 속하는 마르크스주의 시인이며 극작가이다. 엘뤼아르, 푸셰 등을 만나 시 출판의 도움을 받는다. 그는 의식과 이의 신청의 시인이다.《아 포엠À poèm》(1947)은 폭발적 서정시이며《청구》(1959)는 전투적인 시이다. 그는 시대에 참가하는 증인이 되기를 바라는 천성의 시인이다.

### 22. 쟉크 듀팽 Jaque Dupin, 1927-2012

부친의 사망으로 리옹에서 공증인인 조부의 손에 자랐다. 파리에서 르네 샤르를 만나고 듀팽의 첫 시집《여행의 재떨이》(1950)에 서문을 써주었다. 그의 시에서 우리가 부딪치는 것은 광물질의 단단함을 꿰뚫고 넘쳐 나오는 빛이다. 태어나는 순간의 빛이 시간을 없앤다. 사라진 시간 곁에서 언어는 풀잎 첨단처럼 하늘거리는 느낌을 준다. 시《나에게는 금지되어 있다》에는 길을 가다 보이는 것, 보며 꿈꾸며 이야기하며 자기가 말하는 것은 보는 것이 금지되어 있다.

### 23. 에두아르 글리상 Eduard Glissant, 1928-2011

인도 출신. 프랑스 철학, 민족학을 연구. 에메 세제르를 본받아서 초현실주의의 흐름에 열정을 쏟았다. 1946년 고향을 떠나 바슐라르와 파리의 소르본에서 철학을 공부했다. 1953년에《인도》를 출판. 그의 인종과 민족 간에 맺게 되는 새로운 관계를 '주문'이나 서사시적 리듬을 통해 전하고 있다. 콜럼버스의 모험을 통한 미국의 미래의 드라마, 모험가들의 부당한 요구, 통상과 노예의 공포를 노래하였다. 그의 시는 민족, 역사, 전설 속에 깊이 뿌리박고 있다.

### 24. 미셸 드기 Michel Deguy, 1930-현재

파리 태생. 파리 대학 문학 교수. 1977년 잡지 Po&sie(포에지)를 창간했다. 언어공간을 통한 시의 새로운 면의 탐구. 그의 시어는 새로운 질서, 새로운 전체상을 추구하려는 열의가 불타고 있다. 작품《입구》가 있다. 1962년에 막스 자콥상, 1998년에 나시오날 드 포에지 상, 2004년에 아카데미 프랑세즈 시 대상을 받았다.

### 25. 장 피에르 듀프레 Jean-Pierre Duprey, 1930-57

화가. 19세 때 출판한 시집《그의 분신의 배후에》가 브르통에게 절찬을 받고 회화와 조각을 연구. 자기 분신에 억메여 있다는 강박관념과 죽음의 측면에서 벗어나지 못하고 29세에 자살했다.

1970년에 앙드레 브르통의 서문과 함께《불경의 숲》이 발간되었다. 마지막 시《목적과 방법》에는 몸이 짓이기는 듯한 언어기억의 표현으로 구성되어 있다.

### 26. 크리스티앙 프리장 Christian Prigent, 1945-현재

1968년 5월 혁명의 여운이 남아있던 시기에 TXT지를 창간하였다. 그 목적은 당시의 신초현실주의식 시나 전통적 앙가주망의 시나 텔켈Tel Quel 식의 형식주의적 시와는 다른 시적 언어의 활동의 장소를 만들기 위해서였다. 그에게 있어 시라는 것은 어쩔 수 없는 시대에 뒤떨어진 산물이다. 그가 말하는《시적 언어》란 주체, 작가가 제도를 억압하는 언어 코드와의 대립을 각오하고 새로운 것을 추구하고자 한다. 시작품으로는《좋은 날》(1969),《엘레지》(1983),《근대적 생》(2012),《치노의 연인들》(2016),《치노는 스포츠를 좋아한다》(2017) 등이 있다.

# 프랑스 시의 역사

프랑스를 지배해온 로마는 3세기 중엽부터 여러 이민족에 의해 침략을 받아왔다. 결국 게르만 족의 일파인 프랑크 족이 여러 게르만인과 이민족을 무찌르고 이 침략을 마무리 짓게 되어 메로빙거 왕조가 성립하게 된다. 6세기 초에 클로비스가 주위의 여러 나라를 제압하고 골 지방에 기독교 국가를 세웠는데 그는 랭스의 사교 레미에게 영세를 받고 기독교인으로 귀의했고 동시에 3천 명의 프랑크 족이 영세를 받았다.

메로빙거 왕정의 군인 샤를 마르텔은 이 왕조의 초기에 무능한 왕족을 물리치고 20년 이상 기독교 포교에 힘쓰고 수도원을 세우고 새로운 문화를 이룩하는데 큰 공을 세웠다. 그러나 그 후 회교도의 침략에 시달리고 그들을 물리치는 데 성공하였으나 그 비용이 어마어마하여 결국 군비를 충당하기 위해서 교회의 재산을 몰수한다. 그 때문에 수도원의 권위도 무너지고 퇴폐의 시대를 맞이하게 되지만 이 시기에 라틴 문화와 프랑스 문화가 일어났다.

### 카롤링거 왕조의 형성(750-850)

샤를 마르텔은 페펭 르 브레프(714-768)와 더불어 당시 분리된 프랑스의 여러 주를 통합하고 732년 푸아티아에서 아랍인 슬라브인 게르만족을 격퇴하고 교황의 지지를 받게 된다. 그리고 브르타뉴에서 로마에 이르는 거대한 판도 뒤에 중앙집권이 확립된 통일 국가가 이루어진다.

왕은 승려계급을 개혁하고 학교의 발전에 공헌했다. 고전의 필사가 시작되어 궁중학사원에서는 문인들의 고전에 대한 논쟁이 활발해졌다. 라틴어는 우아한 언어가 되고 문학도 그 주제는 기독교적이지만 (찬미가, 교회적 저서, 주제) 그 형식은 비르기우스에 의해 로마의 영향을 받고 고전교육 방법이 부활되고 문법, 수사학, 변증법이 발달하였다. 이로써 기독교와 이교도의 문화를 융화하는데 성공을 거두게 된다. 당시의 문학으로는 교회의 주해서, 성자전, 연대기 역사가 성하게 된다.

카롤링거 제국은 샤를마뉴 대제의 아들 드 피유의 대를 거쳐 그 아들 로타르 1세, 루이 드 제르마니크, 샤를 르 쇼브가 쟁탈전을 벌여 삼형제의 베를린 조약에 의해 프랑크 왕국은 셋으로 분할된다. 라인 강 동쪽은 동프랑크 왕국(현 독일)은 루이가, 서프랑크 왕국(현 프랑스)는 샤를이, 중부 프랑크(현 이탈리아)를 로타르가 갖게 된다. 이처럼 분열된 제국의 내부권력은 불안정해지고 이를 계기로 영토제도(봉건제도의 원리)도 발전하여 847년 메르상의 칙령에 의해 모든 백성은 각기 자기의 군주를 선택할 수 있게 되어 영주를 선택하는 칙령이 라틴어를 기본으로 발표된다. 정치적으로는 교황권이 진전되고 교황청이 왕권을 감시하게 된다.

888년에 이르는 동안 세 번에 걸친 세속제를 선거전으로 고쳐 왕이 된 로베르 르 포르의 자손은 카롤링거 왕조와 교대 대립하여 프랑스를 지배하고 마침내 카롤링거 왕조의 최후의 자손을 누르고 황제에 올라 987년에 카페 왕조가 탄생한다. 그들은 지배를 강건히 하기 위해 제후들을 분열시키고 새로운 습관을 실행하여 국내의 정세는 매우 혼란해진다. 라틴어 문학이 일어났지만 큰 성공을 거두지는 못하고 그보다 교화를 위한 저서, 성서주해, 성자전이 성행한다.

840년 이후 최초의 프랑스어 텍스트가 나타난다. 그 대표적인 것이 《스트라스부르의 선서》(842), 《성녀 윌라리의 속창》(881)이다. 《성녀 윌라리 속창》은 프랑스어에 의한 최초의 문학적 문헌으로, 작가는 발랑시 근처의 성 다망 승원의 승려로 이름은 알려지지 않았다.

## 1. 중세기

### 프랑스의 서정시

프랑스에 의한 최초의 시편은 9세기 말에 쓰여졌지만 당시의 프랑스는 통일된 독립국가가 아니었다. 칼 대제(샤를마뉴) 시대로 이 프랑크 왕은 카롤링거 르네상스의 추진자로 고대 라틴어를 장려하고 고대문화의 부흥에 힘썼다. 당시 기독교가 엄격하게 연결된 라틴 문화는 프랑크 왕국에 침투되었다. 그러나 이 라틴 문화는 지식인 사이에서만 쓰이고 민중은 이해하지 못하였다. 813년에 투르에서 열린 기독교공회의에서는 속어인 로망어(고대 프랑스어)와 게르만어에 의한 포교가 인정되었다.

10세기에는《요나에 대한 성서 강화》,《기독교의 수난》,《성례 제전》이 탄생하고 11세기에는《성 알렉시스 전》이 나오게 된다. 11~12세기에 걸쳐 생산력이 상승하고 인구의 비약적 증가로 유럽은 정치 경제 사회 문화에 큰 변화가 일어난다. 농업기술이나 식생활이 개선되었고 영지 안에서의 물물교환의 경제가 유통경제로 변하고 상업이 일어나 도시가 발달하게 되었다.

한편 카롤링거 왕조를 이어온 카페 왕조는 봉건제도 체제를 이용함으로써 11세기 후반에는 봉토가 생기고 영주들과 주종관계를 맺게 되고 왕권이 번영해 간다. 이러한 변화 속에서 사회의 신분 구조는 그때까지의《부자, 가난한 자》,《성직자, 속세인》의 양극 구조가 새로운 기사 계급을 포함한《기도하는 자, 싸우는 자, 일하는 자》의 삼극 구조로 바뀌게 된다.

문화면에서는 국왕이나 성직자 상대인《연대기》와《성자전》대신 신흥세력인 봉건 제후나 기사 계급을 대상으로 하는 무훈시가 나타나게 된다. 11세기 말에 쓰인《롤랑의 노래》는 무훈시의 최고의 작품으로 이《왕제와 봉건제 파노라마》에서는 윤리적인 기독교적 이상, 충성을 최고의 덕으로 삼는 기사도적 이상, 초기 십자군의 원정을 배경으로 한 애국적 이상 등 세 가지의 노래가 대두된다.《롤랑의 노래》를 정점으로 하여 《샤를마뉴의 순례》에 이르는 여러 무훈시는 카롤링거 왕조의 왕후나 봉건 영주의 업적을 찬양한 서정시로 현악기(비엘-비올라의 전신)에 맞추어 종글뢰르라는 직업적 이야기꾼에 의해 길거리에서 그리고 휴일에 시장에서 낭송하게 된 구비문학이다. 종글뢰르가 서민을 위한 음악가였다면 민스트렐은 봉건 제후의 궁정을 섬기는 직업음악가였다. 그들의 신분은 낮았지만 특정 귀족에게 고용되어 있다는 점에서 종글뢰르와는 구별된다.

11세기 말에서 12세기 중엽에 걸쳐 북프랑스의 방언으로 쓰인 기독교적 윤리감에 바탕을 둔 무훈시는 프랑스 시의 기원이 된다. 중세 프랑스의 국어인 라틴어는 8세기 이래 문어 라틴어와 분리되어 지방과 차이가 심한 로망어가 성립된다. 그 중 남프랑스에서는 오크어가 북프랑스에서는 오일어라고 불리는 방언군이 존재하게 된다. 기사 계급을 신흥세력으로 하는 남프랑스에서는 무훈시와는 별도의 문학이 나온다. 카롤링거 왕조가 오일어를 사용하였다면 온화한 기후인 남프랑스에서는 독자적 언어인 오크어를 써서 평화롭고 자유로운 궁정문학이 나오게 된다. 이 시기는 여성의 지위가 차츰 높아져 가고 있었다.

1071년 아키텐 공으로 태어난 기욤 9세(1127년 사망)는 방탕했지만 오늘날 트루바두르라고 부르는 시의 최고의 인물이다. 트루바두르란 작시 작곡가, 가수를 말한다. 기욤 9세의 시는 사랑하는 여인에 대해 굴종을 하면서 그 가치를 찬양하고 상대방의 사랑을 구하게 된다. 단테의 베아트리체에 대한 사랑, 페트라르카에서 기인하는 수많은 르네상스의 시, 영국의 낭만주의적 시는 이상화의 점에서 신비롭게 결합되건 안 되건 트루바두르의 궁정적 연애의 개념으로 소급해서 보아야 한다.

기욤 9세로 시작되는 트루바두르가 노래한 서정시는 이러한 노래로 시작되었다. 결국 서정시는 노래에서 시작되고 서정의 뜻이 현금(lyre)인 점으로 보아 선율을 동반한 노래가 되지 않는 한 서정시는 존재하지 않았다. 이렇게 트루바두르들은 천년 이상《사랑》을 주제로 노래하고 아르비주아 십자군에 의해 프로방스 문화가 멸망한 후에도 그들의 노래는 저항시로 남게 되고 1270년에는 사라지지만 그 혁신적인 사랑의 테마는 계승되어왔다.

1137년 기욤 9세의 손녀 엘레오노르 다키텐(1122?-1204)은 북프랑스 왕 루이 7세와 결혼하여 트루바두르는 북프랑스로 퍼져나갔다. 그녀는 영국 왕 헨리 2세와의 두 번째 결혼을 하였고 그녀의 영향으로 트루바두르는 영국으로 옮겨지게 된다. 이 시기에 북 프랑스의 정신 풍토 속 새로운 사회관이나 도덕관에 의해《궁정식 작법=크르투와지》이 창조된다.

궁정식 연애의 여러 가지 모습과 고대부터 내려온 문학가의 기법인 우의(알레고리)와 완전히 융화된《장미 이야기》는 기욤 드 로리스에 의해 1225-1230년 경 쓰였다. 그가 죽은 후 장 드 라 묑에 의해 18,000행이 덧붙여졌지만 내용은 완전히 달라져 궁정 연애는 자연적 연애관으로 바뀌었다. 그 영향이 중세 말기에 르네상스를 일으키게 된다. 파리의 소르본 신학교를 창설(1254)하여 학문을 일으킨 성 루이의 죽음으로 13세기는 종말을 고하게 한다.

13세기 최대의 시인 뤼트뵈프(1230~1285)는 성 루이 왕과 동시대 인물이다. 그는 빈곤, 굶주림, 악, 노인, 죽음과 같은 중세의 일반적인 주제를 다루고 그의 서정은 2세기 후에 비용의 작품 속에서 꽃피우게 된다. 1339년에 시작된 백년전쟁과 당시 창궐한 페스트와 기근은 봉건 제후나 궁전의 경제적 기반을 파괴하고 시민계급의 생활도 극도로 비참했다. 중세 후기의 시가는 형식을 주제로 한 서정시였기 때문에 발라드, 루와이얄, 롱도, 비레느 등 정형시의 가치는 유지되었다.

14세기 시인 가운데 그러한 정형시를 완성시킨 자가 기욤 드 마쇼(1300?-1377)이다. 마쇼의 후계자는 외스타슈 데샹(1346?-1404), 크리스틴 드 피장(1364-1430) 그리고《연대기》의 작가인 프루아사르(1337-1400?)이다. 데샹은 발라드만 해도 천 편 이상 써서 대압운파의 거점을 이루었다. 크리스틴은 마쇼의 영향을 받고 사랑의 감정을 섬세하게 노래한 기교적인 정형시를 많이 남겼다.

15세기에는 알렌 샤르티에가 오래된 시의 형식을 다시 정리한다.

프랑수아 비용1431-63

백년전쟁 후의 무질서, 죽음의 공포 속에 강렬한 개성을 몇 편의 시 속에 그려낸 비용은 파리에서 태어났다. 보호자의 덕으로 학자가 되었으나 살인, 도둑질로 투옥되고 교수형을 선고받고 추방당한 뒤 자취를 감추어 버렸다. 그가 파리를 떠날 때 사랑의 상처를 잊기 위해 쓴 것이《유물의 노래》(1456)이다.

4년간의 방랑 생활과 감옥살이의 괴로움을 맛본 후 파리에 돌아와《유언 시집》(1462)을 쓴다. 발라드, 롱드, 샹송으로 이루어진 8행시 186편 속에는 냉소와 풍자가 섞여있는, 중세의 종말을 고하는 영혼의 유언을 읊고 있다. 이 시는 쾌락에 대한 아련한 동경, 쾌락 추구에서 생겨난 죄와 고뇌에 넘친 반생에 대해 반성하고 진실로 구원을 청하는 모습을 동시에 볼 수 있다. 이것은 고뇌에 신음하는 영혼의 고백으로, 시인은 중세 사회가 우리에게 남긴 인간상에 대한 증인이라 할 수 있다.

샤를 도를레앙1394-1465

아쟁쿠르의 패전으로 중상을 입고 포로가 되어 25년간 영국에 유폐되어 있던 샤를 6세의 조카로 고국에 돌아와 브루아의 성에 묻혀 자연의 아름다움과 인생의 헛됨을 읊고 있다. 이 체념의 시인은 우의를 자유로 구사하여 섬세한 기법으로 그의 시가 고전이 되게 한 최초의 프랑스인이다.

## 2. 르네상스의 시인들

샤를 8세에 의한 로마 점령(1494)에서 루이 12세, 프랑수아 1세의 시대는 이탈리아와 전쟁을 하던 시기였다. 이 전쟁으로 프랑스는 이탈리아의 문물에 눈뜨게 되고 이탈리아 여러 도시에 발달한 새로운 문화를 수입하게 된다. 세련된 우아한 풍속을 자기들의 생활양식으로 받아들여 이탈리아식의 화려한 연회, 무도회를 즐겼다. 여기에 13세기 이래 여성을 찬미하는 페트라르키즘의 풍토가 생겨, 이탈리아를 통하여 희랍 로마의 문화가 재평가되고 에라스므스(1466? -1536) 같은 고전의 문헌적 연구에 전념하는 인문 학자가 배출되었다.

1470년 독일의 인쇄술의 수입으로 그때까지 특권 계층의 전유물이었던 학문과 지식이 시민계급에까지 스며들게 되었다. 시의 철저한 혁신은 롱사르(1524-85)를 우두머리로 한 플레이야드의 시인들에 의해 이루어지고 클레망 마로(1496-1544)는 대압운파와 플레이야드 파의 옹호로 프랑수아 1세 시대의 최대의 시인으로 활약했다. 마로는 시의 형, 발라드, 롱도 등 많은 시를 남겼으며 그의 진수는 에스프리(기지)에 넘치는 에피그람이나 서간시에서 발휘되었다. 아리스토텔레스의 철학이 지배적이었던 중세에는 플라톤은 읽히지 않았으나 15세기 말에 피렌체의 지식인에 의해 부활되었다. 이것은 기독교와 연결되어 지상의 사랑이 신의 사랑에 의해 완전해진다는 사랑의 이상이 되었다.

페트라르키즘이 들어온 입구는 리옹이다. 손 강과 론 강의 합류 지점에 위치하고 프랑스와 이탈리아, 스위스, 독일을 연결하는 교통의 요지인 리옹은 16세기 전반에 크게 번영하여 그 경제적, 문화적 활력은 파리를 능가할 정도였다. 모리스 세브(1501-64)는 이곳의 부유한 가정의 외아들로 태어나 페트라르카의 연인 라우라의 무덤을 발견하여 큰 평판을 얻게 된다.

그는 1536년 클레망 마로가 주재한 콩쿠르에서 '브라종, 찬양의 노래'(여성의 신체의 각 부분의 아름다운 점을 노래한 시)로 유명해지고 1544년《델리, 가장 높은 덕의 대상》으로 크게 명성을 떨쳤다. 이 델리에서 노래한 이상의 여성이 세브의 애인인 여류 시인, 페르네트 뒤 기예(1520- 45)이다. 이 두 연인은 관능적인 관계라기보다 플라토닉한 사제관계였다. 루이스 라베(1524-66) 또한 리옹파의 여류시인이다. 롱사르의 제자로 연하의 시인 올리비에 드 마니를 사랑하고 세 편의 애가와 24편의 소네로 구성된《루이스 라베 작품집》(1555)으로 큰 주목을 받았다.

휴머니스트들은 그리스어, 문학 교육을 위한 학교를 설립하고 시민, 귀족 출신 엘리트의 지적 형성의 기반을 이루었다. 새로운 세대는 고대 문학의 모방 흡수를 위해 애썼다. 그들의 목적은 불어를 풍부하게 하는데 있었고 앙리 에티엔 2세는《불어의 우수성》(1597)을 통하여 불어가 모든 학문의 표현에 적합하다는 것을 주장하고 있다. 이러한 불어 옹호의 배경에는 이탈리아의 문예 부흥과 경쟁하는 국민의식을 볼 수 있는데 1539년 비레르 코트레 칙령에 의거하여 모든 판결, 소송을 불어로 기록하도록 명하여 왕권의 언어 통일 정책과 일치한다.

한편 파리에서는 인문학자인 피에르 드 롱사르를 중심으로 한 일곱 명의 젊은 야심적 시인이 '부대'를 결성하고 '조국의 시'의 혁신에 나섰다. 롱사르와 뒤 벨레(1522-60)는 파리에 와서 그리스 학자 도라(1508-88)를 찾아가 호메로스, 호라티우스, 비르기르스의 고대시를 탐독하고 그 형식의 아름다움, 우주관에 놀라 이를 극복하려 애썼다. 롱사르의 주위에 모인 시인들은 후에 "플레이야드 파"(칠성 시인)으로 불렸으며 시대의 변천에 따라 구성원에는 다소 변화가 생겼다. 플레이야드 파의 이름으로 알려진 내용은《프랑스어의 옹호와 현양》(1549)에 자세하게 나타나 있다. 롱사르는 시인이 시를 탁마해야 한다는 시인의 예술가 의식을 강조했다.

뒤 벨레는 로마에 머물며《로마의 고적》(1558),《회한집》(1558)을 써 개성을 발휘하였지만 일찍 죽어서 롱사르만이 시재를 발휘하게 되었다.

그의 《연애 시집》(1552)에는 신화, 신어, 비유가 넘쳐 주석이 필요했지만, 《속 연애 시집》(1555)에서는 허식을 버리고 소박한 시를 썼다. 롱사르는 마로 파에게 승리하여 프랑스 왕실 고문으로 임명되어(1559) 《찬가집》과 《속 찬가집》(1555-56)을 내고 이교 사상의 우주관, 도덕관을 피력했다. 이는 후에 종교개혁파의 공격의 대상이 되기도 했지만 롱사르는 신학적이라기보다 소박한 시를 썼다고 할 수 있다.

마로의 친구인 보나방튀르 데 페리에(1500-44)는 《웃음거리 이야기》(1558)와 《세계의 종소리》(1537)의 작가이다. 전자는 민간 설화와 자기의 경험에서 얻은 재료를 사용하여 민중 생활을 사실적으로 뛰어나게 묘사했고 후자는 네 개의 대화로 된 우의적 작품으로 합리적 무신론 또는 신비주의적 복음설이라는 상반된 평가를 받고 있다.

르네상스 개화기(1534-60)가 미사와 교황청을 비판한 '격문 사건'과 시기가 같지만 르네상스 성숙기(1560-1610)는 종교 전쟁과 때를 같이 한다. 처참한 내전은 원숙한 르네상스 문화를 시들게 한 원인이 되었으나 시인들도 각자의 신념에 따라 종교전쟁에 참여하였다. 롱사르는 가톨릭교도의 입장에 서고, 기욤 드 살뤼스트 뒤 바르타스(1544-90)와 아그리파 도비네(1552-1630)는 신교도로 활약했다. 신교도 시인 도비네는 전투적인 유파의 병사였다. 뒤 바르타스나 도비네는 롱사르의 숭배자였지만 시대는 변하였다. 낭트 칙령(1598)으로 인해 종교전쟁도 종지부가 찍히고 전투적 계시적 서사시도 다소 완화되었다. 평화를 맞이한 사람들은 혈기에 불탄 투사의 노기가 가라앉고 강한 리얼리즘의 거친 율동에 눈을 돌린다.

### 3. 고전주의와 18세기

이 시대는 프랑수아 드 말레르브(1555-1628)의 주장이 권위와 영향력을 가지고 나타나게 되는 니콜라 부알로(1636-1711)의 준비 기간이었다. 부알로는《시법》(1674)에서 말레르브의 출현을 환영하고 있다. 말레르브와 그 제자들(메나르, 라캉)의 힘으로 프랑스어는 라틴어 대신 유럽의 공통어가 된 것을 환영한다. 그는 외래어는 배제하고 정확하고 순수한 프랑스어의 사용을 주장한다. 알기 쉬운 평범한 일상어가 존중되나 비속어는 기피한다. 바로크 문체의 기괴함을 거부한 그는 롱사르나 뒤 바르타스를 거부한다. 모음충돌이나 구를 뛰어넘는 것, 불완전한 압운도 금하고 명확한 시상과 엄밀한 작시법을 요구한다. 이리하여 고전주의의 기초가 확립되고 동시에 롱사르를 선두로 한 르네상스의 시는 낭만파의 시대가 올 때까지 계속되었다. 데포르트(1661-1743)의 조카인 레니에(1573-1613)는 풍자 시인인 휴머니스트로 말레르브 일파가 기피한 속어를 애용한다.

테오필 드 비오(1590~1626?)도 말레르브의 엄격한 면과 대립하는 자유사상가이다. 방종한 풍자 시집《사티리크 시화집》에 이름이 실려 그 때문에 투옥되어(1623) 화형을 선고받고 2년 후 풀려났으나 바로 사망하여 자유사상가 탄압의 희생자의 한 사람이 된다.

콩트와 우화로 알려진 라퐁텐(1621-95)은 세련된 쾌락을 즐기고 귀족의 저택을 돌아다니며 기식 생활을 한 자유주의자로, 살롱에서 인기가 있었던 것은 마드리갈, 빌라네르, 소네, 롱드, 발라드, 엘레지, 에피그램 같은 형식을 구사하였기 때문이고 당시 매우 중요한 인물로 활약한다.

루이 태양왕(루이 14세)의 위대한 세기를 대표해온 시인은 장 라신(1639-99)과 라퐁텐 두 사람이다. 라신은 이 시대의 가장 위대한 극작가였으며 동시에 프랑스 종교 시인으로 그의 사상과 음악, 명상과 감정의 완전한 융합은 그 후에 네르발이나 보들레르와 같은 시인의 도래를 예견하고 있다.

라퐁텐의 명성이 라신이나 코르네유(1606~84)와 맞먹는 것은 그의 우화시 덕분이다. 고전주의의 중심인물로는 시 평론가 니콜라 부알로를 들 수 있다. 시인으로서의 부알로는《풍자시》(1666-1716),《서간시》(1670-98)가 있고 '신구파 논쟁' 때는 풍자시로 페로(1628-1703)와 같은 근대파에 대항하였다. 그가 후세에 남긴 것은《시법》(1674)으로 시가의 원칙이나 규칙을 명쾌하게 제시하여 고전주의의 법전이 된 걸작이다. 라신, 라퐁텐을 사랑하고 옹호하고 비용, 롱사르를 비판한 그는 말레르브의 유산의 정통적 상속인이 된 셈이다.

19세기말 상징파 시인 베를렌(1844-96)도《시법》을 썼다. 이것은 낭만파와 고답파의 시론이지만 부알로를 의식한 작품이다. 그 후 고전주의의 정신이 되살아나게 되어 20세기의 지성파 시인인 발레리(1871-1945)에게 계승된다. 고전주의는 단순한 시의 역사상의 하나의 주장만이 아니고 불문학 전체의 중심적인 흐름이었다.

18세기는 '광명의 시대'로 유물론자, 계몽사상가, 과학자의 시대이다. 고전주의 시대의 인간의 이상형은 교양 있는 신사(오네트 옴 honnet homme)이었으나 18세기는 철학자도 이성에 의해 사물의 진위를 검토하는 자유사상가이고 합리적 과학의 탐구자이다. 이 시대의 시는 산문에 압도된 볼테르(1694-1778), 루소(1712-78), 디드로(1713-84)의 세기이다. 철학자들은 이성의 인간, '광명의 인간'이지만 인간의 감정이나 본능은 결코 무시하지 않았고 감정의 인간임을 자부하였다.

어머니가 희랍계인 것을 자랑으로 여기는 셰니에(1762-94)는 폼페이에 매몰되어 있는 고대 로마의 작은 도시 헤르크라네움의 발굴에 자극된 신고전주의의 인물이다. 새로운 사상은 오래된 시를 바탕으로 이루어져야 한다는 것이 셰니에의 모토로서《비가》,《목가, 전원시》에는 희랍 예술을 모범으로 삼는 우아한 서정적 아름다움을 구현하였다. 이 감성은 낭만파의 청년들에게 열광적으로 환영받고 라마르틴(1790-1869)이나 뷔리(1915-95)도 적지 않은 영향을 받는다. 셰니에의 조형미와 음악성을 사랑한 고답파의 시인 조제 마리아 에르디아(1826-90)는 19세기 말에 나온 시집《전승비》에서 셰니에의 시상을 더듬었다. 처음에는 대혁명에 열광한 셰니에도 공포정치의 지나침에 진력이 나 로베스피에르(1758-94)를 비판하였기 때문에 단두대의 이슬로 사라졌다.

## 4. 낭만주의

### 외래문화의 도입과 영향

19세기는 16세기와 마찬가지로 시의 시대였다. 절대왕정을 타도한 전 세기말의 프랑스 대혁명에 이어서 프랑스는 7월 혁명(1830), 8월 혁명(1848), 파리 코뮌(1971)으로 정치적 사회적 격동이 되풀이되면서 시민 사회를 형성해 나갔다. 이 시대의 특징을 구체적으로 표현한 것이 발작(1799-1850)의 소설《인간 희극》(1842)이지만 시도 낭만주의의 출현으로 17세기 이래 상실한 서정시를 부활시킨다. 19세기 초에 프랑스는 외부에서 많은 영향을 받았다. 특히 독일문학에서 영향을 크게 받았다. 모럴리스트 정신만을 고집하던 프랑스 문학에 변화가 일어나게 되었다. 원래 프랑스 문학의 특징은 인간의 심리 분석이므로 그들에게 낭만이 있을 리 없었다.

### 독문학이 프랑스 문학에 미친 영향

독일문학의 영향으로 이성적이었던 프랑스 문학에 낭만주의가 스며들기 시작했다. 먼저 클롭슈토크(1724-1803)를 들 수 있다. 그는《메시아드》(1748)라는 서사시를 통해서 이제까지와는 다른 아름다움을 그의 시에 표현했다. 스탈 부인(1766-1817)은 그의 영향을 받아 독일인의 서정적인 아름다운 기질을 높이 평가한다.

괴테(1749-1832)의 영향도 지대하여 그의《파우스트》(1831)는 문학뿐 아니라 미술, 음악(구노의 경우)에도 미쳤으며, 중세기로 돌아가려는 운동에도 영향을 주었다. 발자크나 플로베르(1821~80)는 그러한 영향을 받은 작가들이다. 프랑스문학은 그 바탕이 인간 연구지만 괴테는 인간뿐 아니라 우주까지 연구해야 한다고 말한다. 즉 인간을 연구하는 것은 자연 연구와 동일화되어야 한다는 것이다. 그는 '낭만주의는 인간만으로는 이루어질 수 없고 우주의 움직임과 인간의 내부 세계가 일치되는 것이다.'라고 낭만주의를 정의했다. 독일문학의 영향을 말하자면

한 마디로 프랑스의 전통적인 모럴리스트의 사상만으로는 해결할 수 없는 고민 때문이었다.

루소는《인간 불평등 기원론》(1755)이나《사회계약론》(1762)에서 자연 상태에서 선량하고 행복했던 인간이 사회 속에서 타락하고 불행하게 된다는 것을 주장했기 때문에 혁명적 사상에 큰 영향을 미친다. 그의 일관된 근본사상은 '자연은 인간을 선량하고 자유롭고 행복하게 해주었지만 사회는 인간을 사악하고 노예상태로 불행하게 만들었다'는 것이다.

### 영문학이 프랑스 문학에 미친 영향

18세기부터 프랑스 내부에서는 다른 문학의 흐름과 사상이 싹트고 있었다. 지나친 인간의 심리 분석과 내부의 갈등 묘사 때문에 프랑스인들은 차차로 외국의 다른 문학에 눈을 돌렸다. 느끼고 생각하고 즐기기보다는 분석에만 급급했던 그들은 19세기라는 시대적 배경 때문에 더욱 자극을 받아 다른 사상을 추구하게 되었다. 윌리엄 셰익스피어(1564-1616)의 작품이 프랑스에 들어온 것은 루이 15세 때의 일인데, 루이 15세는 이 책을 간직하고는 있었으나 읽지는 않았다.《마농 레스코》(1731)의 저자 아베 프레보(1697-1763)가 처음으로 이 작품의 가치를 인식하였고, 프레보, 몽테스키외(1689-1755)가 이 작품에 매우 감명을 받았다.

볼테르는 영국에 머무르는 동안 영국의 회의 제도와 셰익스피어의 극에 감탄하고 부러워했다. 또 디드로는 유명한《백과사전》(1751-72)을 출판하면서 셰익스피어의 가치를 처음으로 알렸다. 그는 프랑스의 고전 작가들이 그보다 열등함을 인정하고 그를 따르려 했다.

스탕달(1783-1842)도 셰익스피어의 위대함을 인정해서《라신과 셰익스피어》(1823-25)를 쓰고 라신, 코르네유 등의 고전주의 작가만을 모방하지 말고 새로운 방향을 모색하기를 권하였다. 위고는 셰익스피어의 전 작품을 평생 번역하면서 그를 본받으려 애썼다. 그는 셰익스피어의 거의 모든 사상을 취했다. 알프레드 드 비니(1797-1863)는 그의 위업을 따라 당시 프랑스의 유일한 특징을 지닌 시인이 되었다.

윌리엄 워즈워드(1770-1850)는 처음에는 장 자크 루소, 윌리엄 고드윈(1756-1836) 등의 프랑스 혁명의 열정에서 영향을 받아 영국 초기의 낭만주의의 선구자로서 서정적인 발라드에 대한 서문에서 고요한 생활의 기쁨이란 사상을 표현하였다. 이 내적인 낭만주의라는 사상이 다시 프랑스에 도입되어 프랑스 문학에 크게 영향을 주었다.

영문학의 도입으로, 프랑스문학의 낭만주의는 모럴리스트적인 문학에 대한 반동으로 일어난 것이었다. 프랑스에 낭만주의가 들어오고 그 후 여러 가지 프랑스문학의 주류를 이루는 사상이 들어오게 된 것은 영문학의 영향이 크다고 할 수 있다.

## 5. 19세기 프랑스 문학의 흐름

19세기 초기에는 서정시와 극작품이 성했는데 그것은 자아의 해방, 억제된 감정, 관능의 해방이란 측면에서 당연한 일이다. 연극은 인간과 인간의 대립, 비교를 뚜렷하게 보여주는데 알맞은 형식이기 때문에 새로운 관점에서 본 인간의 모습을 연극이라는 형식으로 표현한 것은 당연한 일이었다.

19세기 중엽에 이르자 낭만주의의 여러 가지 특징인 지방색, 자연 묘사의 발견, 지나친 내심 토로에 대한 반발로써 인간 묘사의 방법이 사회 안에서의 인간에 대한 현실적 관찰, 묘사 중심의 방향으로 나간다. 사회를 자세히 관찰하고 그 속에 사는 인간을 그리려는 욕망에서 사실주의가 시작되는데 이런 시의 유파를 고답파라고 부른다.

사회문제가 시끄러운 시대와 병행해서 실증주의 사상이 활발해진다.

그 결과 사실주의 문학이 과학에 근거를 두려는 시도가 생겨났다. 이것이 자연주의 문학이다. 즉 개인 생활, 공적 생활에 있어서의 인간의 여러 가지 모습이나 인간과 사회와의 관계나 생물로서의 인간의 존재 양식을 규명하고자 하는 것이 자연주의 문학이다. 그 때문에 지금까지 소홀히 여겼던 인간의 생태가 더 폭로적으로 묘사되었다.

인상주의라는 유파는 자연주의, 사실주의의 한 부분으로 볼 수 있다. 19세기에 발생해서 현대까지 큰 영향을 준 사상으로 상징주의를 들 수 있다. 상징주의는 사실주의 시대의 고답파의 흐름을 이은 시의 유파로 새로운 각도에서 인간 정신을 보고 표현 방법과 기술에 있어서 종래의 테두리를 크게 확대했다. 직접적인 묘사를 버리고 암시에 의해서 환기시키는 것을 주장한 유파이다.

마담 드 스탈1766-1817

스탈 부인이 프랑스문학에 끼친 영향을 요약하면

① 부왈로의 문학이론을 깨뜨리고 취미의 상대성을 도입함으로써 비평의 새로운 경지를 만들었다

② 각국 문학의 상호 교류를 촉진하고 18세기 이래 문제시되었던 세계주의를 실현했다.

③ 기존의 모든 법칙을 배제하고 창조적인 개성과 감수성을 존중하였다.

## 6. 낭만주의 전성기

### 세기말병

세기말병이란 18세기말~20세기 전반에 걸쳐서 청년들을 사로잡은 불안과 공허의 감정을 가리킨다. 유럽을 풍미했던 이 감정은 프랑스혁명 전후의 동요가 몰고 온 하나의 시대적 정신질환이며 프랑스에서는

다음과 같은 경향 아래서 파급되었다.

혁명과 제정의 영향 – 프랑스 혁명의 붕괴, 제정의 재립기에 열광한 청년들은 나폴레옹의 몰락과 더불어 냉혹한 현실에 이끌려서 과거와 미래의 꿈을 잃고 공허에 빠졌다. 뮈세(1810- 1857)의《세기아의 고백》(1836)이 묘사하는 고뇌와 환멸의 병이다. 세기말병은 세 가지 형태의 고독의 감정으로 표현된다.

첫째, 낭만파의 공통되는 자존심이나 오만에서 오는 사회의 사람들로부터의 고립이고, 둘째는 인간의 괴로움에 냉담한 자연에 대한 고립, 셋째는 어떻게 해서라도 만족할 수 없는 스스로의 혼, 거기에서 나오는 고독감이다. 낭만주의 문학작품의 특색인 이 세기병적 심리상태는 일련의 심리소설, 전기《르네》를 비롯해서 세낭쿠르(1770-1846)의《오베르망》(1804), 콩스탕(1767-1830)의《아돌프》(1816), 뮈세의 전기 작품, 라마르틴과 비니의 시 속에 여러 형태로 표현된다.

알베르 티보데(1874-1936)는 그의《프랑스 문학사 – 1789년에서 현대까지》에서 1820년에서 1830년까지의 시, 희극, 소설, 철학, 역사를 전통적으로 절연한 혁명의 사상을 내걸고 등장한 것으로 문학에서의 낭만주의는 정치에서의 프랑스 혁명과 맞먹는다고 쓰고 있다.

대혁명의 여파로 일어난 이 격심한 변동기는 섬세한 젊은이들의 마음속에 환멸, 불안, 초조, 절망, 염세감, 고독 등 소위 세기병의 여러 가지 요소를 심어주어 정치에서 혁명과 유사한 낭만주의는 새로운 길을 모색하는 젊은 시인들의 혈기와 정열을 통합하여 폭발하였다. 그것은 위고의《에르나니》(1830년 초연)의 전투로 시작되었다.

라마르틴, 위고, 비니, 뮈세와 같은 시인을 '대 로망파', 이에 반해 생전에 이름도 남기지 못하고 죽은 시인들을 '소 로망파' 라고 불렀다. 소 로망파 시인들은 19세기 후반부터 재평가되어 다다이즘, 초현실주의 운동(앙드레 브르통)의 작품들을 발표하였다. 만년의 비니는 '상아탑'

에 머물며 철학시를 썼다. 그는 죽은 후 11편의 작품이 있는 시집《운명 64》와 개인적 감상을 모은《시인의 일기 67》을 써 고답파와 상징파의 규범이 되었다.

라마르틴Lamartine, 1790-1869

귀족으로 태어나 청년 시대를 전원에서 몽상과 독서로 보내며 1820년에《명상 시집》을 발표하여 일약 유명해졌다. 그는 외교관, 정치가로서 활약하여《지롱드 당의 역사》(1847)를 써서 민중에 호소했다. 명상 시집은 24편의 시로 되어 있으며 인간 영혼의 밑바닥에서 솟아오르는 외침을 표현한 점에서 가치를 지니고 있다. 주요 작품으로는《조슬랭》(1836),《천사의 추락》(1838), 산문에는《라파엘》(1849),《그라지엘라》(1852), 역사적 저술《혁명사》(1849),《왕정 복고사》(1851-1853) 등이 있다.

그의 작품은 가정과 연애, 자연과 죽음을 주로 다룬다.《신 명상 시집》의《서곡》(1822),《시적 종교적 조화 시집》중의《밀리 일명 고향》,《고백》(1849)의 제4권 제 5~6장에 나타난다. 샤를 부인과의 비련은《명상 시집》을 낳게 되었고《호수》,《불멸》,《사원》,《십자가》,《고독》,《절망》,《신앙》등은 샤를 부인에게 바쳐진 시이다.

라마르틴은 산이나 숲, 호수 등 자연 속에서 명상에 잠겨 감각과 감정을 주로 노래했으나 안개에 덮인 풍경이 그 명상을 둘러싸고 있다. 낡은 생각에 권태를 느낀 사람들은 라마르틴의 시 속에서 새로운 숨결을 느끼고 열광했고 서정시가 유행하게 된다.

알프레드 드 비니1797-1863

군인으로 출세하려던 그의 야망이 좌절당한 뒤, 살롱의 권유로 문단에 데뷔하여 조금씩 성공을 얻었다. 만년에는 위고와의 불화, 아내의 병약함, 불행한 연애 등에서 불행하고 환멸에 찬 인생을 보냈다. 프랑스혁명에 의해 몰락한 귀족의 울분이 그의 운명을 지배했고 천성적으로 철학적 사색가로서의 지적인 우월감을 가지고 있어 인간의 어떤 것과도 타협할 수 없는 결백성이 엿보인다.《운명 시집》(1864)에는 그의 철학적 사고가 상징적 수법으로 심화되어 있다.

그의 시에 나타난 사상은

• 인간의 고독 – 지적으로 탁월하여 선택받은 인간이 당연히 직면하는 인간으로서의 고독을 말하고 있다. 여호와 신으로부터의 중대한 사명을 띤 모세의 고민을 소재로 한 이 시는《근고 시집》(1822)에 수록되어 있고 천재 내지는 시인이 사회에서 대중에게 이해받지 못하고 공허와 허무를 느끼는 모습을 표현하고 있다.

• 인간의 조건 – 철학시라는 부제가 붙은《운명 시집》은 인간의 운명이라는 문제를 제시하고, 인간에게 한계와 조건을 부여하고 있는 운명, 즉 죽음과 직면하고 있는 인간의 숙명을 그려내고 있다. 인간의 반항, 투쟁, 의지는 구원이나 자유를 기대할 수 없지만 자기의 긍지를 잃지 않는다.

• 자연관 –《목인의 집》(1840-44)은 인생에서 상처 입은 시인의 비관론 속에서도 굴하지 않고 해결을 모색하고 있다. 이기적인 상아탑으로의 도피가 아니라 자연 속의 은거에서 거룩한 고독을 통해 사상을 심오하게 발전시켜 인간을 행복으로 인도하려 한다. 그는 무관심한 자연이나 여인의 변덕에서 벗어나 사색을 통해 위로받는다.

• 스토이즘 –《이리의 죽음》 여기에서는 운명에 불평하지 않고 죽음 앞에서 침묵을 지키는 이리를 묘사함으로써 고도의 스토이시즘을 보여준다. 이것은 비관주의와 숙명론을 가미한 독특한 사상이다.

• 사랑에 대한 신념 –《바다에 던져진 병》(1853)은 젊은 시인들에 대한 사명감으로 쓴 시이다. 난파선의 선장이 그의 지식을 병에 넣어 전달하듯 시인은 과학의 발전과 이상적인 사상을 믿는 철학자로서 얻은 지식을 전달해야 할 의무가 있다.

빅토르 위고1802-85

《에르나니 싸움》에서 연극계를 제압한 빅토르 위고는 시인, 소설가,

극작가로서 한 세기 전체에 걸쳐 군림하고 후대의 시인에게 지대한 영향을 준 위대한 국민시인이다. 위고의 살롱은 생트 뵈브, 비니, 뮈세, 발자크, 화가 들라크루아가 모인 낭만주의 문학의 발산지였다.

1822년 처녀시집으로 데뷔하고《동방 시집》(1829),《가을의 나뭇잎》(1831),《내심의 소리》(1837),《빛과 그늘》(1840) 등 계속하여 명작을 남겼다. 1827년 희극《크롬웰》에 긴 서문을 붙였는데 위고는 문학의 역사를 세의 시대로 구분했다. 즉 창세기는 서정시의 시대, 그리고 호머의 서사시 시대, 현대는 기독교 정신에 알맞은 시의 시대로 보고 있다. 삼단일 법칙의 폐지와 표현의 자유를 주장한다.

그의 작품은 가요집, 서정 시집, 풍자시, 서사시, 소설의 분야로 크게 나뉜다.《동방 시집》(1829)은 가요집으로 한 번도 동양을 여행하지 않은 위고가 풍부한 상상력, 찬란한 말, 힘찬 음률, 기법으로 야성적인 동방의 꿈을 그려내고 있다.《가을의 나뭇잎》(1832),《황혼의 소리》(1835),《내면의 소리》(1837),《빛과 그늘》(1840)은 서정시집으로 이국취미에서 가정생활, 인도주의, 무상감을 주제로 한 서정시인으로서의 지위를 확립하였다. 그의 서정의 근원은 가정, 어린이, 연민과 박애, 연애, 자연, 신화적 인물 나폴레옹의 초인적 이미지 등이다.

루이 나폴레옹(나폴레옹 3세)의 독재에 반대해서 1851년부터 19년간의 긴 망명생활을 하게 된다. 이 시기에 그는 나폴레옹 3세를 풍자한《징벌 시집》(1853)을 썼다.《정관 시집》(1856)은 딸이 죽은 1843년 전후 10년간의 시를 모은 것으로 그의 대표적 시집 중 하나이다.《여러 세기의 전설》(1859)은 서사시로 모든 시대에서 재료를 구해서 쓴 철학적, 역사적 대작이다. 소설《파리의 노트르담》(1831),《레미제라블》(1874)로도 명성을 떨쳤다. 그의 시의 일관된 사상은 낙관적인 선, 미래에 대한 신뢰이며, 시대가 진보함에 따라 발전하고 인류가 암흑에서 이상을 향해 나아가는 모습을 노래했다. 1885년 그가 죽자 성대한 국장이 치러지고 그의 유해는 팡테옹에 묻혔다.

알프레드 뮈세Alfred Musset, 1810-57

20세 때 처녀시집《스페인과 이탈리아 여행기》(1830)를 냈다. 위고와 노디에의 살롱에 드나들며 청춘 시인으로서의 명성을 얻었다. 그는 1833년 여름 여류작가 상드와 사귀고 둘이서 베니스로 사랑의 도피 여행을 했다. 뮈세는 그녀의 강한 사랑을 견디지 못해 35년 4월에 헤어졌지만 이 기간 동안에 수많은 시와 희극의 명작을 남겼다.

그의 시 작품은《제1시집》(1820-35)과 신시집(1835-52)에 나뉘어 수록되어 있다. 제1시집에는《스페인과 이탈리아 이야기》(1830),《버들》(1830),《안락의자에서 보는 연극》(1833) 등이 있는데 그는 격렬하고 기상천외한 감정으로 괴상하고 비극적인 주제들을 노래했다. 신시집에는《5월의 밤》(1835),《12월의 밤》(1835),《라마르틴에게》(1836) 등이 수록되어 있다. 상드와의 사랑의 묘비록으로 생명을 걸고 쓴 유일한 장편소설《세기아의 고백》(1836)은 당시의 청년들을 사로잡은 우울, 권태, 절망감, 즉 세기병의 진단서이기도 하다.

생트 뵈브Charles-Augustin Sainte-Beuve, 1804-69

시인으로 출발하여 소설가 후에 비평가로 명성을 얻는다. 1827년 위고의 시에 관한 비평을 실은 인연으로 위고와 교유하게 되고 낭만파 시인 그룹에 들어간다. 3권의 시집을 냈으나 당시의 낭만파 시인들의 시에 비길 수 없음을 알고 비평에 전념한다. 1837년 스위스 로잔 대학에서 한 강의를 기초로 한《포르 루아얄》(1840-59)은 명저로 남아있다. 1844년 아카데미 프랑세즈에 들어갔다. 1849년부터 '콩스티튜시오넬'지, 1852년부터 '모니퇴르'지, 1869년부터 '루탕'지에서 매주 월요일 비평을 연재했다. 이것은《월요비평》및《속 월요비평》(1863-70)으로 간행되어 전 28권의 방대한 비평 논집을 형성하게 되었다. 그의 비평은 인간 정신의 깊은 통찰과 분석을 보이는 대표작으로 시의 위고, 소설의 발작과 같은 지위를 차지하고 있다.

근대 비평의 확립자이고 추진자이며 인상 비평과 과학적 비평의 양자의 특징을 겸비하고 인간의 생활환경, 교육, 교우, 기질, 성격 등의 객관적 조건을 검토하여 인간의 정신적 초상을 그리고, 식물을 과나 속으로 분류하는 것처럼 이를 분류함으로써 정신의 박물관을 형성하고자 노력했다. 특히 인간정신의 분석이나 섬세한 심리적 관찰에 뛰어난 재능을 가져 몽테뉴의 흐름을 이어받는 모럴리스트로서의 이름을 남기고 있다.

그는 고전주의 작가는 인간의 정신을 풍부하게 하여 인간정신의 부를 증대시키고 전진시켜 애매하지 않은 영원한 정신적 진리를 발견해야 한다고 주장한다. 그는 인간의 정신에 대해 과학적 적용이 언젠가는 완성되리라고 믿고 있었다.

네르발Gerard de Nerval, 1808-55

그는 신비주의 작가로 1827년 괴테의《파우스트》를 번역하여 문단에 데뷔했다. 괴테는 '독일어로는 이제 파우스트를 읽을 생각이 나지 않지만 프랑스어로 번역된 파우스트에서는 모든 것이 참신하고 활기 있는 인상을 다시 자아내고 있다.'라고 칭찬했다.

1841년 첫 번째의 정신이상 발작이 왔을 때, 꿈이 그의 현실 속으로 흘러들어와 많은 걸작을 쓰게 되었다. 그는 독일문학 연구가로서 호프만(1776-1822)이나 클롭슈토크, 하이네(1797-1856) 등과 사귀며 신비주의 문학에 파고들었고 저널리스트로서도 활약하여, 독일 시인이나 플레이아드 파 시인을 소개도 하고, 또는 연극평론, 기행, 괴기소설 등, 여러 장르에 걸쳐서 활동했다.

《불의 딸》(1854)의 부록으로 나온《환상 시집》은 상징주의의 선구적 작품으로 화려하고 난해한 시풍은 후에 초현실주의자들에게 크게 주목받았다. 네르발은 프루스트적 수법인 무의지적 회상에 의한 내면적 시간을 논리적 질서가 아닌 방법으로 그려내는 것을 시도한 선구적 작가로 재평가받고 있다.《실비》(1853)는 그가 두 번째 발작을 일으켰을 때 쓴 몽환적 작품으로 프루스트의《잃어버린 시간을 되찾아서》(1913~27)에 결정적인 영향을 주었다.

그의 작품에서 구상력의 전개의 중심을 이루는 관념은 중세적인 영원의 여성에 대한 생각이며, 유년기에 단 한번 만나 깊이 감명받은 여성 아드리엔을 그의 작품에서 환상적으로 그려내고 있다. 네르발은 일상적인 현실생활의 어리석음으로부터 극도의 추상적 세계를 만들고 그 속에 사랑과 욕망, 종교와 예술의 이상, 신과 인간의 관계를 환상의 교향곡으로 묘사한다.

그가 길을 가다가 가제를 파는 것을 보고 그 가제가 자기의 옛날 애인이라고 생각하고 끈으로 매어 끌고 다녔다는 일화는 너무나 유명하다. 1851년 이후에는 발작이 자주 일어났다. 1854년에 독일 여행을 시도했으나, 1855년 1월 영하 18도의 추위 속에서 파리의 비에이유 랑테르느가에서 목을 매어 생애를 마감했다. 그의 삶은 거의 한 평생 정신병에 시달리며 고생을 했지만 그의 병은 오히려 그를 환상의 세계로 이끌었고 그것은 문학으로 표출되었다. 당대에는 이해받지 못했지만 그의 작가로서의 가치는 현대에 이르러 재평가되고 있다.

## 7. 고답파의 이론

고답파 운동은 낭만파에 대한 반동으로 몰개성이나 감동하지 않는 것을 시인의 태도로 삼는 시인들의 일파이다. 이론의 출발점은 고티에의 《모팽 양》(1835)의 서문에 나타난 예술을 위한 예술의 이론에서 볼 수 있는데, 주관적인 감동이나 사회적 사명감에 사로잡히지 않고 사건이 가지는 객관적인 미를 철저하게 추구하기를 강조한다.

이 이론을 발전시킨 시인은 르콩트 드 릴(1818-94)이다. 34세의 무명 시인이었던 그는 비평가 생트뵈브를 찾아가《대낮》이라는 32행의 시를 낭독했는데 생트 뵈브는 눈물을 흘리며 시인을 축복했다. 그보다 10년 먼저 세상에 나온 테오도르 방빌(1823-91)도 잊을 수 없는 시인으로 그는 보들레르(1821~67)의 친구이며 연적이었다. 그는 매우 익숙하게 발라드나 롱도 같은 낡은 시형을 현대에 부활시켰다.

그 외에 쉴리 프리돔(1839-1907), 프랑수아 코페(1842-1908), 카튜르 망데스(1841-1909)가 고답파의 대표적인 시인들이지만 가장 큰 특징을 보인 것은 조지 마리아 드 에레디아(1826~90)이다. 그의 시의 대부분은《전승비》(1893)에 나타나 있으며 완벽하고 정확한 회화적 기법으로 그리스, 로마, 르네상스 같은 과거의 유산이나 동양에의 동경을 노래하고 있다. 그는 미묘한 어구로 고티에가 주장하는 예술을 위한 예술을 구현한 시인이다.

테오필 고티에Theophile Gautier, 1811-72

처음에는 화가를 지망했으나 시작으로 방향을 전환한다. 그의 세대는 스탕달, 위고, 비니 등 낭만주의를 정립한 세대와 플로베르, 보들레르 세대의 중간에 위치한다. 그는 네르발과 같은 세대이나 낭만주의와 사실주의 중간에 위치하며 낭만파에서 고답파의 다리 역할을 한다. 초기 낭만주의에서 19세기 말의 탐미주의와 자연주의로 바뀌던 시기에 강력한 영향력을 발휘했다. 에르나니 투쟁에도 활약하고 과격한 낭만주의로 출발했으나 고답파 사실주의의 조류를 타며 소설, 시, 평론을 쓴다. 잡지 '아르티스트'의 편집을 맡아 예술 지상주의의 문화운동을 전개했다. 이는 예술을 위한 예술, 탐미주의적 문학론의 신조이다.

고티에의 시는 1830년부터 발표되었고《알베르튀스》(1832)에서 낭만주의의 신조에 등을 돌리고 예술을 위한 예술(예술지상주의)의 선구자가 되어 조형적, 비개인적 예술을 주장했다. 그의 최초의 걸작은《모팽 양》(1834)이다. 이 책의 서문에서 그는 예술의 모든 사회적 효용을 부정하고 예술의 자율성을 주장한다. 그의 대표적 시집은《장뇌와 칠보》(1852)로 낭만주의가 지닌 감상성, 도덕성, 철학적 관념성을 배제하고 시구의 회화적, 조형적, 기술적 완성만을 목표로 무감각한 동물을 이상으로 하는 고답파의 미학에 도달한다. 시를 비롯한 거의 모든 작품에는 낭만주의의 장점과 단점이 함께 담겨 있다.

고티에는 자신의 생활 형편을 한탄하곤 했는데, 언론활동 때문에 시를 위한 창조적 에너지가 낭비되고 있다고 생각했다. 그리스 여행은 고전시대의 예술 형태를 숭배하는 그의 예술론을 더욱 강화해주었는데《에나멜과 카메오》(1852)에 발표된 이 시들은 가장 훌륭한 작품으로 테오도르 드 방빌과 르콩트 드 릴과 같은 작가들에게 자극을 주었다. 샤를 보들레르는 고티에에게《악의 꽃》(1857 초판)의 헌사를 바쳐서 그에 대한 경의를 표했다. 정치를 싫어하고 기성도덕과 인연을 끊고 귀족 취미로 예술창조에만 몰두한다. 독자에게도 기대하지 않고 오직 작품의 형식면의 완성에 정열을 바쳤다.

르콩트 드 릴Charles Leconte de Lisle, 1818-94

처음에는 사회주의에 끌렸으나 1851년 이후 루이 나폴레옹의 독재에 실망하여 작시에만 몰두한다. 최초의 시집《고대 시》(1852)에는 그리스와 인도 사상의 영향이 짙게 나타난다. 제2의 시집《야만의 시》(1862)에서는 이국취미와 절망적 염세관이 나타나 있다. 제 3의 시집《비참의 시》(1884)는 염세 사상 속에 인도 사상에 대한 공명이 엿보인다. 그는 낭만주의를 배척하고 몰개성과 무감각을 그의 시에 표방했다. 예술과 과학이 연결되어야 한다고 주장하고 플로베르가 소설에서 구한 것을 시에서 구했다. 그의 객관적인 시는 회화적 조형미를 이루게 된다.

### 현대 고답파 시집의 시인들

7월 혁명(1830)과 2월 혁명(1848)의 패배에서 제2제정으로 옮겨가는 정치적 변화 속에서 사회는 환멸과 허무주의로 충만했고 고티에를 중심으로 '예술을 위한 예술'을 주장한다.

1850년 이후는 과학만능의 실증주의의 시대로, 에밀 졸라(1840-1902)의《실험 소설론》(1880)을 지주로 한 자연주의는 1880년대의 산문을 지배하였다. 시의 분야에 있어서도 쉴리 프뤼돔 같은 시인은 '과학의 놀라운 성과를 시의 영역에 도입하는 일'을 시도하여 과학과 진보의 시대 풍조를 연결하는 작품이 평가를 받았다.

고답파라는 명칭은 시인 리카르(1843-1909)의 아이디어와 망데스(1843-1909)의 협력으로 출판된 제1차《현대 고답파시집》(1866)에 기원을 두고 있다. 여기에 기고한 시인은 고티에, 르콩트 드 릴, 방빌, 보들레르를 중심으로, 에레디아(1842-1905), 쉴리 프뤼돔, 코페(1842-1902)가 있다. 베를렌, 말라르메도 여기에 참여하였지만 그들은 이미 다른 길을 택한다. 말라르메의 시《에로다야드》는 고답파와 이별하게 된다.

테오도르 방빌Théodore de Banville, 1823-91

어려서부터 문학에 끌려 위고, 고티에 등 로망파와 고답파에 심취하였다.《여인상》(1842)으로 문학에 입문하고, 제2시집《종유석》(1846)에서 성공을 거두었다.《기괴한 오드》(1857)는 생트뵈브도 칭찬을 아끼지 않았다. 가장 뛰어난 작품은《추방자들》(1857)이다. 그의 낙관주의는 드 릴의 비관주의와는 대립된다. 방빌은 로망파의 최후의 작가일 뿐만 아니라 가장 읽기 즐거운 작가이기도 하다. 그의 작품은 때로 말의 기교에 지나치게 흘러서 감정이나 이념이 결여된 면이 있다. 그러나 그 유창한 운율을 맛보는 것만으로도 시로서의 존재 이유가 있다고 할 수 있다. 그의 성공은 오래된 소설에 새로운 형식을 주거나 형태가 다른 오드의 형식으로 소생시킨 데 있다.

## 8. 상징주의

상징주의는 19세기 중엽에 프랑스에서 나타나 그 세기에 사명을 마친 하나의 유파이다. 그 이론은 고전주의의 논리와 규칙을 파괴하고 낭만파의 열광과 고답파의 객관성에 대한 반동으로 생겨난 것으로 독자적인 미학을 이룩하였다. 상징파는 1886년 모레아스(1856-1910)가《피가로》지의 문예란에 한통의 서간을 발표한 것이 최초의 상징주의 선언으로 간주되었다. 그는 그 문장에서 새로운 시의 구상을 제시하고 보들레르를 선구자로 인정한다. 말라르메가 거기에 신비감을 주고, 베를렌은 시구에 낀 가혹한 굴레를 파괴했다는 이유로 세 사람을 스승으로 삼고 있다.

상징주의 시작詩作의 방법 이론을 처음 확립한 사람은 르네 길(1862-1925)이다. 그는 그의 《시론》(1886)에서 대담하게도 상징주의에 대한 과학적 근거에 대한 증명을 시도했다. 길의 이론의 제 1원리는 진화의 관념이다. 그는 시 작품이란 '세계의 전 존재를 그와 똑같은 율동에 따라 진화하면서 정리하고 결합하는 법칙을 암시하는 데 있다.'라고 말하고 시는 우주의 전체적 법칙의 특수한 성과이며 그 본질적인 법칙은 율동으로 보고 있다.

기악은 끝없이 되풀이되는 감정의 변전을 표현하는데 가장 적합한 예술이므로 시는 그것을 모방해야 한다. 르네 길은 말의 기악곡 편성법을 만들어서 언어의 음성 가치를 회복하고자 한다. 그 방법으로 르네 길은 자음과 모음에 의해서 환기되는 것의 유사점에 의해서 자음과 모음의 분류를 나타내고 있다. 예를 들면 [a] [ai] [e] 음은 색채로서 적색에 대응하고, 자음 [h] [r] [s] [v]은 악기로서 색소폰의 고음부, 또 감정으로서 소동, 영광, 갈채, 파괴와 정부의 본능, 욕망 활동에 대응한다. 이처럼 여러 가지 음성의 작용 속에 무수한 조합이 이루어진다. 르네 길은 그 《방법론》에서 형이상학적인 사고 융합과 음성학상의 문제를 섞으려고 한다. 이 시도에는 베를렌의 작시법이나 말라르메의 상징과 음악을 토대로 한 철학의 지적 논리적 기저를 찾으려는 노력을 엿볼 수 있다. 결국 상징주의는 폴 클로델과 발레리에 이르러 하나의 작시법으로서의 완성의 과정을 이루게 된다.

보들레르Charles Baudelaire, 1821-67

대학 입학자격시험에 합격 후 시인, 예술가와 교제하며 자유분방한 생활을 보내며 시작을 시작한다. 그의 계부는 증오와 반항심만 키워주었다. 아버지의 유산을 상속받아 생 루이 섬에 살면서 방빌, 고티에와 교유하며 방탕한 미적 생활을 보낸다. 모친이 준금치산 소송을 일으켜 부자유스러운 생활을 보내게 된다. 최초의 미술평론《1845년의 살롱》을 발표했으나 자살을 시도한다. 그 후《1846년의 살롱》을 발표하여 호평을 얻는다. 1847년 애드가 앨런 포의 존재와 작품을 알게 되어 그의 시론이나 사상에 공명하여 작품을 소개한다.

《악의 꽃》은 친구인 출판업자 브레마다시에 의해 간행되었으나 풍속문란으로 기소되어 벌금과 6편의 시의 삭제를 명받는다. 그 후《인공낙원》,《악의 꽃》제2판을 내고《리처드 와그너와 탄호이저》,《현대작가론》을 썼으나 건강상태와 경제상태가 나빠져 자살을 기도한다. 베를렌, 말라르메 등의 신진 시인이 그를 스승으로 받들어 예찬의 논문을 썼지만 그 자신은 그렇게 문제 삼지 않았다. 1868년 전집의 제1권으로 고티에의 서문이 달린《악의 꽃》제3판이 나온다. 보들레르는《악의 꽃》의 시인으로서 중요하지만 문예평론가, 미술평론가로서도 탁월한 면을 보이며 특히 '드라크루아 론'에서는 선명한 근대미의 특질이 기술되어 있다.

《악의 꽃》1권은 근대시의 근원이며 상징주의, 초현실주의 시인들에게 지대한 영향을 미쳤다. 작시법으로 보면 독창성, 조화 등이 부족하지만, 이 시집의 우수함은 시적 내용에 있고 우수, 고뇌, 인공에의 동경, 심연의 유혹, 악의 의식, 지적 정신, 관능적 도취, 죽음의 통찰 등에 의해서 새로운 시적 세계와 근대미를 구축한 데 있다. 표현에 있어서도 스스로의 감정을 드러내거나 언어의 수사법에 치우치지 않고 내적 경험을 나타내고 있다.

그는 인습적이고 상투적인 주제를 취하지 않는다. 시인에게는 길거리의 창녀, 주정뱅이, 시체 등도 그의 내적 심상을 연결하는 계기에 불과하다. 그가 속해있는 부르주아 사회의 도덕과 습관에 증오와 경멸을 나타내고, 위선, 허위, 악덕을 캐내고 스스로는 고독에 빠지고 조롱을 당한다. 고대사회를 동경하지만 그 미와 이상을 실현하려 하지도 않고 교훈적인 시를 만들지도 않으며, 인간의 고뇌나 비애를 그려냄으로써 스스로의 불운, 우수, 고민을 발견한다. 그의 시대와 파리 그 자체에서 저승을 찾아내고 고민하고 노래한 시인이었다.

베를렌Paul Marie Verlaine, 1844-96

베를렌은 일생을 술과 여자와 남색으로 보내고 그 혼은 악과 한탄과 반역에 흔들리면서 시신詩神을 따랐다. 그는 스스로를 고답파의 투사로 보고 첫 시집《토성인의 노래》(1866)를《현대 고답파 시집》에 기고하여 간행하게 되었다. 제 2시집《화려한 축제》(1869),《좋은 노래》(1872)를 발표했다.

그러나 랭보의 출현으로 베를렌의 가정은 엉망이 되었다. 랭보가 보낸 편지 속의 시를 보고 베를렌은 그에게 오라고 회답했다. 그는 랭보에 의해 '무엇보다도 음악'을 중시하는 시법에 촉발되었다. 이 시집은 '상징파의 선언'이 된다. 그들은 동성애 관계가 되어 영국과 벨기에를 돌아다녔다. 그러나 그들의 여행은 베를렌이 랭보에게 총을 발사해 부상을 일으키는 뜻하지 않은 사건으로 마감된다(1873. 7). 랭보가 후에 고소를 취하했으나 베를렌은 투옥되고 마틸드와는 이혼하게 되었다. 그의 생활은 파괴되었지만 시혼이 눈뜨게 되고 그의 시법 이론이 확립되었다.

베를렌의《시법》은 보들레르의《교감》이나 랭보의《모음》과 더불어 상징파의 경전이 된다. 음악성을 강조하는 베를렌은 프랑스 시에 알맞던 8음절, 10음절, 12음절의 '우수각'의 시구를 배제하고 '기수각'을 선택했다. 제3차《현대 고답시집》은 1876년에 편집되었지만 그의 원고는 말라르메의 시와 함께 거절되었다. 이리하여 고답파와 상징파가 결정적으로 분리하게 되었다. 만년에도《헌사 시집》(1890),《행복》(1891),《내심의 기도의 노래》(1892) 등을 썼으나 프랑스 시의 전통적인 형식을 해체하는 것으로 그의 역할을 다하였다.

**랭보** Jean Nicolas Arthur Rimbaud, 1854-91

가톨릭 신자인 어머니 손에 키워졌으나 학업을 중단하고 방랑한다. 1871년 베를렌의 부름으로 파리에 가서 그와 살다가 함께 런던, 벨기에를 방황하고 베를렌의 권총 발사 사건으로 그들의 관계는 종지부를 찍는다. 그는 조숙한 천재로 현실적인 것에 대해 반발하면서도 모든 것을 쏟아부어 시를 쓴 후 시를 버리고 침묵을 지킨다. 15세에《감각》(1869),《오펠리》(1869)를 쓰고 17세 때 파리에 나가(1871) 파리 코뮌에 참가했다. 시집《삽화 시집》(1872)을 발표하고 그의 생의 총결산인 산문시《지옥의 계절》(1873)을 쓴 후 시작을 중단하여 16세에서 19세까지 짧은 시인으로서의 생활은 끝이 난다. 그리고 그는 시를 버리고 아랍으로 떠나버린다. 이후 20년간은 유럽 각지, 알렉산드리아, 키프로스, 에티오피아 등지를 방랑했다. 1891년 관절염으로 마르세유 병원에 입원했지만 죽을 때까지 동방의 나라를 방황했다.

그의 시는 수많은 영상의 충돌과 감각의 착란 속에 불꽃이 일어나고 현실이 초자연적 시선의 번쩍임 속에서 타오르는 듯하다. 말의 연금술의 조작으로 명료하게 여러 환상을 본다. 그의 환상 속에는 환각이나 영상 이외에 생명과 사물에 어린이처럼 공감하고 절대자로서 합치하고자 하는 의지가 들어있다. 그는 주체와 객체의 완전한 일치 속에 진리를 소유하기를 바랐다. 그의 시와 시형은 전통에 반대했고 그는 근대 자유시의 효시가 되었다. 대부분의 비평가들은 랭보를 견자(voyant, 보는 사람)로 보고 있다.

**순수시**

순수한 시적요소에 의해서만 시를 쓰는 것을 말한다. 티보데는《스테판 말라르메의 시》(1912) 속에서 순수시라는 말을 사용했다. 그러나 이 개념을 적극적으로 일반에게 알린 사람은 발레리로서 그의 논문에서 보들레르 이후 상징파 시인의 노력을 순수시의 노력으로 대치했다. 이 논문은 큰 반향을 일으켰고 이에 자극되어 1925년에 앙리 브르통이 아카데미 프랑세즈에서 '순수시'라는 강연으로 문제를 발전시켰다. 순수시란 진공을 만드는 것이 불가능한 것과 같이 도달 불가능한, 그러나 도달을 바라는 하나의 요청적인 개념이다.

말라르메Stephane Malarme, 1842-98

오랫동안 영어교사 생활을 하고 베를렌과 랭보에 비하면 혼란을 겪지 않았다. 파리에서 청년 예술가들로부터 '로마 거리의 시성'으로 존경받았다. 생활상의 물질적 곤란, 지적 고립, 건강상의 위기를 극복하면서 '새로운 시법'의 발명으로 23세 때부터 썼으나 미완으로 끝난《에로디아드》(1871), 제3차《현대고답파 시집》에서 연재가 거부된《목신의 오후》(1876),《주사위 던지기》(1897),《이지튀르》(1925) 등 온갖 어려움을 겪었다.

그는 보들레르적인 근대시를 순화하여 극단까지 밀고 갔다. 시인이란, 사람들이 이념이라고 부르는 것을 구체적인 언어로 표현할 사명이 있으므로 표현의 대상 그 자체가 소멸하는 것을 예상하고 있어야 한다. 그는 언어 자체가 본질로 환원되어 사물보다 언어에 주도권이 있는 순수한 시적 어법의 세계를 세우려 했다. 시의 출발점은 시인의 몽상 속에 침묵과도 같은 중얼거림 속에서 솟아 나온다. 이 우연의 요소는 사물이 놓인 상황에서 사라져버린다. 말라르메의 시는 그 이전이나 동시대의 어느 시인의 작품과도 유사한 점을 찾아볼 수 없다. 그는 소박하고 단순한 사물에 절대적 존재와 공의 개념을 새겨 넣음으로써 본질적인 신비성을 실현했다.

범용한 독자를 거부한 말라르메는 난해한 시의 작가로 비난을 받았으나 그는 죽을 때까지 인내를 가지고 버티어 갔다. 그는 일반에게 이해되지 않았지만 베를렌의《저주받은 시인들》(1884)과 위스망의 시가 간행된 1884년경부터 상징파의 거장으로 존경받고 1877년에 시작한 문학 살롱 '화요회'는 번영하였다. 그러므로 상징주의는 19세기 후반부터 20세기 전반에 일어난 문학사상임을 알 수 있다.

《목신의 오후》는 그의 감성 세계의 극치를 이루고 있는 작품으로 고답파의 이론과 대립된다 하여 제 3차《현대 고답파 시집》의 게재가 거부된 작품이다. 그는 이 작품을 호화판으로 자비로 출판했다.《목신의 오후》에는 요정의 장밋빛 육체를 꿈도 현실도 아닌 상태 속에서 영원히 생각하는 목신의 관능적 세계가 그려져 있다. 이것이 육욕을 상징하는 것인지 또 이 육감도 한 가닥의 꿈에 불과하다는 무의 사상의 표현인가는 독자의 상상력에 맡길 수밖에 없다.

레미 드 구르몽Remy de Gourmont, 1858-1915

국립 도서관 사서로 있다가 후에 상징주의의 대기관지인《메르퀴르 드 프랑스》의 비평가가 되었다. 그는 직접 상징파에 참여하고, 시와 소설을 쓴 비평가이다. 그는 광범하고 명석한 정신의 소유자로, 모든 것에 호기심을 가졌고 동시에 모든 것에 환멸을 느끼고 있었다. 그는 반종교주의자, 반합리주의자, 무도덕자, 회의주의자, 무정부주의자였다. 그는 매우 넓은 교양을 가진 사람으로, 퇴폐기의 라틴어, 신비적인 라틴 어, 민속학 등과 같은, 아주 진귀한 교양을 갖추고 있었다. 26세 때 결핵의 일종인 낭창에 걸려 얼굴이 추하게 되자, 문밖 출입을 하지 않고 고독한 생애를 보냈다. 그는 자유로운 입장에서 시, 소설, 평론을 썼다. 그의 대표적인 상징시는《낙엽》(1892)으로 전 세계에서 널리 읽혀지고 있는 아름다운 시이다. 주요 작품으로《사상의 교양》(1901),《벨벳의 길》(1902),《문체의 문제》(1902),《문학산책》(1904-23),《철학산책》(1905-09),《프랑스어의 미학》(1995) 등이 있다.

## 9. 20세기의 새로운 사조

20세기의 새로운 사조는 반자연주의 운동의 형태로 출발되었고 여기에 방향을 제기한 것은 베르그송(1859-1941)의 철학이다. 그는 직관만이 의식, 생명의 현상을 파악한다고 주장하며 직관 속에서 인간의 내적 생명의 실체, 즉 유동 변화하는 생성, 연속적 창조인 순수 지속을 발견했다. 그는 이 참된 시간을 수학적 분석의 시간과 구분하고 내적 지속의 세계에 자유의 관념을 부흥시켜 정신을 결정론의 이론에서 해방하기 위해 노력했다. 그의 지속의 철학은 페기, 티보데에게 영향을 주었다. 그러나 그의 반지성주의는 1912년 방다, 1913년 마리텡에 의해 공격당하고, 1921년 프로이트 사상이 유행되어 프랑스 문학에는 정신분석이 새로운 통로가 된다. 소설에서는 프랑스, 바레스, 로맹 롤랑, 프루스트, 지드, 시에서는 상징파에서 출발한 클로델, 잠, 발레리 등의 시인이 있다.

제1차 세계대전 이후에는 다다이즘, 초현실주의가 일어나고 많은 작가들이 새로운 휴머니즘인 인간 탐구를 시작했다. 독자적인 관념, 감각, 기법이 콕도, 라디게, 모랑, 지로두, 몽테를랑, 코레트 등의 작가를 배출했다. 한편 내면으로 향한 작가는 모리악, 그린, 라크르텔, 샤르돈 등이 있다. 모루아는 연애의 문제를 상식으로 다루고 전기 작가로서 그의 진가를 발휘했다. 비평에서는 티보데가, 학자로서는 랑송이 큰 업적을 남겼다.

제2차 세계대전은 독일에 대한 저항으로 많은 작가를 배출했는데 사르트르, 카뮈 같은 대가가 나타났다. 초현실주의의 아라공, 행동주의자 말로, 가톨릭의 마리텡 등의 작가를 중심으로 끝없는 논쟁이 되풀이 되었지만 이들 모두의 공통점은 인간의 입장을 잠시도 잊지 않고 있다는 점이다. 시에서는 생 존 페르스, 앙리 미쇼, 이브 본느푸아 등 수많은 시인들이 각자의 독특한 시의 세계를 전개하고 있다. 한편 가스통 바슐라르, 장 피에르 리샤르 등이 새 각도에서 비평을 시도한다.

### 20세기의 시

상징주의의 문학 운동은 오래 지속되지 않았다. 1886년의 '상징주의 선언'을 외친 장 모레아스는 시집《정력적 순례》(1891)를 쓴 후 독자의 길을 열어《로망어파》라는 일파를 일으켰다. 1870년부터 심리학은 의학에 접근하여 샤르코, 쟈네 등이 논리학 또는 병리학분야에서 객관적인 관찰을 시도했다. 이것은 19세기 이후 융성한 과학주의가 인간을 유물론적 결정론의 세계로 이끈 고독감에서 생긴 반동이다.

20세기 초반에 시단에 등장한 시인들에게 상징주의의 밀실적인 세계와의 이별이 큰 문제였다. 1898년 프랑시스 잠(1868-1938)은 무구한 시인의 혼을 구가하는 '잠이즘'을 설명한다. 1898년에는 폴 포르가 중세 이래의 발라드와 샹송의 형식을 활용한《프랑스의 발라드》제1권을 간행했다. 1898년 생 폴 루는 플라톤적 이상주의와 현실주의를 결합한《이데오레아리즘》에 의해서 앙드레 브르통과 친교를 맺고 초현실주의의 진영으로 가게 된다. 또 프랑시스 카르코(1886-1958), 폴장 툴레(1867-1920) 등의 환상파는 낭만주의적 색채가 짙은 환상과 해학으로 새로운 시대를 열었다. 반면 이 시대에 상징주의의 개인적 반동도 강하여 에밀 베르하렌(1855-1916)의 흐름을 따르는 생명주의도 나왔다. 1906년 마르느 강변에서 공동생활을 한 시인, 화가들은 그곳이 이전에 승원이었기에 '아베이'파라고 주장하였다. 뒤아멜(1884-1966), 빌드라크(1882-1971)가 여기에 모이고 J. 로맹(1885-1972)의《일체 생활》(1908)은 인간의 상호 연대를 강조하는《위나니미즘》을 부르짖었다.

그러나 20세기 초반의 위대한 시인은 말라르메의 문하생이었던 폴 발레리(1871-1945)와 폴 클로델(1868-1955), 샤를 페기(1873-1914)였다. 발레리는《레오나르도 다빈치의 방법서설》(1895),《테스트 씨와의 하룻밤》(1896)을 발표하고 그 후에는 침묵을 지켰다. 20년간의 침묵 후 그는《젊은 파르크》를 발표하였다. 이어서《해변의 묘지》를 포함한《매혹》(1922)이 간행된다. 이 두 권의 시집은 발레리를 문학으로 복귀시키고 시인으로서의 명성과 지위를 주었다. 특히《해변의 묘지》는 근대시가 거의 돌아보지 않는 10음절 시구를 활용한 완전한 서정시로 바다와 태양의 지중해적 이미지, 생과 사의 지적인 명상이 라마르틴의《명상 시집》이래 한 세기에 걸친 시의 최고봉으로 힘차고 아름답게 전개되어 있다.

클로델도 '화요회'의 상주 멤버이지만 1886년 6월의《일루미나시옹, 삽화 시집》에 의한 정신적 충격과 가톨릭에의 회심으로 문학에 눈떠, 이 두 가지가 그의 시와 연구의 원점이 되었다. 그는 프랑스 시의 가장 창조적인 부분은 라신보다 라블레, 발작 등의 산문에 있다고 단언하고 있다. 클로델은 시는 호흡률을 구사해 우주의 여러 사상(事象)의 인식과 그러한 여러 사상과 더불어 자기를 인식하는 기쁨을 노래해야 한다고 말한다. 그는 작시법이나 시론보다 시간의 인식이나 '세계에 있어서의 공생'을 논한 사상을 중시한다. 외교관으로 중국, 일본, 미국을 접함으로써 그의 시관과 평생 그가 추구한 '보편성'을 폭넓은 것으로 만들었다.

그 외에도 지적인 서정시인 장 타르디유, 비평가 가에탄 피공, 등 개성적 시인이 많다. 그 중에서 전후를 대표하는 시인을 들자면 앙리 미쇼, 르네 샤르, 프랑시스 퐁쥬, 자크 프레베르를 들 수 있다.

샤를 페기Charles Peguy, 1873-1914

제1차 세계대전에 참전하여 1914년 6월 마르느 전투에서 전사하였다. 무신론적 사회주의자였으나 1908년 가톨릭으로 개종하였다. 그는 행동적 사상가, 시인으로 '반월수첩'의 주재자였다. 사회주의자 뤼시엥 에르(1864-1926), 장 조레스(1859-1914)의 영향을 받는다. 1897년에《사회주의적 도시에 대해서》와《잔 다르크》를 발표했다. 드레퓌스 사건(1894)에 적극적으로 관여하고 그의 옹호를 위해 활동했다.

《장 코스트에 대해서》(1902),《우리들의 조국》(1902)에서 그의 정신적, 문화적 과정은 정치에서 신비로 옮겨가게 된다. 1908년 가톨릭으로 회심을 표명하고 그의 문학적 개화가 시작되었다. 1910년《잔 다르크의 애덕의 성사극》이후 그의 사상은 회의와 고뇌로서 예수의 탁신의 비의와 잔 다르크를 통해 유지된 인간구제의 정신적 상징이 빛을 발한다.《우리들의 청춘은》(1910),《제2의 덕의 신비의 문》(1911),《돈》(1913),《에브》(1913),《베르그송 씨와 베르그송 철학 각서》(1914) 등의 작품을 남겼다. 만년의 작품은《성 주느비에브와 잔 다르크》(1912)와《애바》

(1913)로 은총과 자연, 영과 육의 조화를 시도했다. 은총의 계시와 넘쳐 흐르는 시상에 따라 자유시, 정형시를 썼지만 그의 시는 구술적이고 반복적이며 삽입구의 절묘한 사용과 독특한 스타일은 중세적 기도형식을 상기시킨다. 그의 인식의 기원은 영원성과 현세성, 구약의 현세성과 신약의 영원성, 육체와 자연과의 합일 즉 현세적으로 영원한 것이다. 물질주의에 대항하여 인간정신의 고귀함을 인식시키고 무엇보다 가톨리시즘의 재생에 크게 기여했다.

발레리Paul Valery, 1871-1945

부친의 퇴직 후 몽펠리에로 이사하여 리세와 대학을 다녔다. 1890년 5월 몽펠리에 대학기념제의 밤에 파리에서 온 피에르 루이스와 만나 친구가 되었다. 그를 통해 무명의 청년 발레리는 문학적 생애를 열게 되었다. 지드와도 친교를 맺고 후에 말라르메의 문하로 들어가 '화요회'의 단골손님이 된다. 1892년 8월의 어느 날 밤 발레리는 잊을 수 없는 정신의 일대 전기를 체험하고 정신의 순수화를 위해 살아가기로 결심한다. 이 본질적인 사색의 결과물로《레오나르도 다빈치의 방법서설》(1895)과《테스트씨와의 하룻밤》(1896)이라는 산문을 내놓게 된다.

발레리는 1895년부터 육군성에 근무하고 있었고 결혼을 한 1900년부터는 아바스 통신의 사장 에두아르 르베의 개인비서로 일했다. 이 직업은 그에게 충분한 생활비와 넉넉한 시간을 보장해 주었으므로 그는 독서와 사색에 매진할 수 있었다. 이른 새벽에 일어나 모든 것을 기록해 두는 습관은 그가 죽을 때까지 계속되어 그 기록은 270권이나 되는 "수첩"으로 남아있다.

1912년 지드의 요구로 4년 반의 각고의 노력 끝에 512행에 이르는 세기의 걸작《젊은 파르크》(1917)가 나온다. 시집《매혹》(1922) 중에서《해변의 묘지》(1920)는 발레리의 대표작이 되었다. 1922년 르베의 사망으로 발레리는 문학활동을 시작하고 곧 프랑스를 대표하는 문인이 되어 아카데미 프랑세즈에 들어간다. 1931년 옥스퍼드의 명예박사학위를 받고, 1937년 콜레쥬 드 프랑스의 시학 교수가 되었다. 시학 강의는 그가 죽던 해까지 계속되었고 그가 쓴 수많은 문장은 대부분《바리에테》5권에 수록되었다. 1922년 발표된《유파리노스》,《혼과 무도》는 그의 심미 사상을 대화체로 논한 중요한 작품이다. 최후의 작품은 그의 사후 발표된 희곡 형식인 미완의《나의 파우스트》(1946)로《뤼스트》와《고독자》로 나뉘어져 있다.

문학사적으로 보면 발레리는 보들레르, 말라르메를 이어 상징주의의 정점에 선 시인이었으나 동시에 근대 부르주아 사회의 특징인 지적 분석과 개인주의적 심미주의의 철저한 재현자였다. 그는 프루스트와 더불어 제 3공화제의 정신을 대표하는 문인으로 제2차 세계대전 이후의 문인들은 상상 이상의 영향을 받고 있다.

바슐라르1884-1962

파리로 이주하여 우체국직원으로 일하면서 대학을 다녔다. 소르본에서 문학박사 학위를 취득하고 문학, 철학, 과학 등 다방면에 걸친 저작활동으로 저명한 사상가가 되었다. 그의 최초의 저술은 논문《근사적 인식에 대한 시론》(1929)이다. 그 외에《순간의 직관》(1932),《지속의 변증법》(1936),《과학 정신의 형성》(1938)등이 있고, 4원소에 대한 분석으로 (1940),《불의 정신분석》(1938),《물과 꿈》(1943),《공기와 꿈》(1943),《대지와 의지의 몽상》(1948),《대지와 휴식의 몽상》(1948)이 있다. 바슐라르는 시는 과학과는 다른 방법으로 순간을 극복하며 단조로운 수평적 사고에 대한 수직적인 시간을 주장한다. 시는 황홀한 순간을 정지시키는 것이 아니라 순간이 소멸함으로써 새로운 것이 창조되는 것을 말한다. 따라서 심리학이나 정신분석을 넘어선 심상의 존재론을 설하고 있다. 참된 심상은 창조적이며 네 가지 원소(물, 불, 공기, 흙)의 물질 경험 속에 뿌리박고 있는 비물질적 운동이 인간의 내부 생활 속에서 시의 본질적인 역할을 하고 있다.

1953-57년까지 침묵을 지키던 바슐라르는《공간의 시학》(1957년

완성)을 발표하고《촛불》(1961),《몽상의 시학》(1961)을 내놓는다.《몽상의 시학》에서 그는 이미지의 원인을 전달해야 한다고 주장하고 있다. 새로운 시적 이미지와 무의식 속의 원형은 인과관계로 연결되지 않는다. 바슐라르는 그것을 공명의 관계로 파악하고 있다. 인간 내부에 있는 남성적 요소인 '아니므스', 여성적 요소인 '아니마'를 축으로 영상을 잡는다. 바슐라르는 시의 특질을 통해서 과학의 특질을 발견하고 과학의 원리를 시와 철학과 과학의 종합으로 시도한 사상적 거장이다.

폴 클로델Paul-Louis-Charles-Marie Claudel, 1868-1955

파리의 리세 루이 르 그랑에 들어갔을 때부터 신앙을 잃고 크게 고민했다. 텐과 르낭 등의 영향으로 세기말적인 흐름에 빠져있었지만 1886년 랭보의《일뤼미나시옹》을 읽고 형이상학의 세계에 눈 뜨고, 같은 해 크리스마스 때 노트르담에서의 신비한 체험으로 신의 존재에 대한 확신을 얻었다. 시적인 영감을 받아《황금의 머리》(1889 초고),《도시》(1890 초고),《소녀 비오렌》(1892 초고) 등의 작품을 썼다. 1887년부터 말라르메의 '화요회'에 출입하고, 지드 등과 'N.R.F.' 지에 협력했다. 1890년 외교관 시험에 합격하여 미국, 중국, 독일 등지를 거쳐 주일대사(1921), 주미대사(1927)를 지냈다. 1933년 주일대사가 된 것을 마지막으로 1935년 퇴임하여 도피네의 브랑그에서 은퇴생활을 보낸다. 1939년 교황 피우스 12세의 대관식에 대사로 파견되고 리세의 동창인 로망과 자주 접촉했다.

클로델의 사상의 특징은 보편성이다. 외교관의 경험이 녹아들어 있는 그의 발자취는 지상의 모든 학식, 교양이 동서고금에 뻗쳐 성서, 아리스토텔레스, 성 토마스, 노자, 장자에 이르고 있으며, 신학과 철학에 대해서 세밀하고, 그리스 극(특히 아이스큐로스: 번역은 그의 초기 극작《수목》에 수록되어 있다)과 셰익스피어(학생시절에 전 작품을 번역했다고 한다)에 심취하고, 중세극, 동양의 극, 일본의 노와 가부키를 가미해서 독특한 상징극을 창조했다. 그가 중국에 있을 때《시법》(1903-04)을 쓰고 "시는 만상의 계속적인 무진장의 시사로 형성된 공생을 신과 함께 조화된 리듬으로 노래하는 것"이라는 방법론을 확립했다.

시 가운데 중요한 것은《망명의 시》(1895),《5대 찬가》(1900-08),《세 목소리의 송가》(1911),《저 편의 미사》(1917),《성도 송가 집》(1925), 산문 시집《동방 소관》(1895-1905) 등이 있고 산문에는《해 뜰 무렵의 검은 새》(1927),《논제와 명제》(상 1928, 하 1934),《시인 십자가를 보다》(1938),《현존과 예언》(1942), 미술론 집《눈은 듣는다》(1946) 등 다수의 작품이 있다. 만년에는 주로 성서의 시적 해석에 주력하여 구약성서를 주해한《소피의 모험》(1937)과 같은 작품을 남기기도 했다. 그의 희곡은 1940년 이후 장 루이 바로 극단이 상연했고, 그는 현대 프랑스의 대표적인 시인, 극작가로 평가되고 1946년 아카데미 프랑세즈의 회원이 되었다.

### 20세기 초반 - 양차 대전 사이의 시

1920년대에서 30년대의 소위 '양차 대전 사이의 시'는 초현실주의를 중심으로 전개되었으나 독자적 세계를 이룬 작가도 있다.

쥘 쉬페르비엘(1884-1960)은 우루과이 몬테비데오 태생으로 같은 고장의 선배 라포르그(1860-87)의 영향 하에 시를 쓰고 랭보, 릴케를 좋아했다. 어느 누구의 영향도 받지 않고 독자적인 시적 세계를 그렸다. 남미의 초원 목동 이미지, 범신론적인 환상, 일상의 사물 속에 신비를 통찰하는 투시력에 힘입어 독특한 시집을 냈으며 그의 세계는 지구와 세계를 포함한 우주적 웅대함에 도달하였다.《선창》(1922)으로 주목받고《중력》(1925),《불행한 프랑스의 시》(1941),《밤에 바친다》(1947),《비극적인 육체》(1959) 등의 시 외에도 콩트, 희곡을 발표했다. 발레리가 죽은 후 프랑스 시단에서 명성을 얻고 1960년에 노벨상을 받았다.

피에르 장 주브(1887-1976)는 '아베이'파의 영향 아래 시인으로 출발하여 제1차 대전에서 반전 운동을 하고 1924년에 들어서는 그때까지의 작품을 포기했다. 시집《결혼》(1931),《피의 땀》(1933)은 성과 죽음을 테마로 했으나 그 본질은 가톨릭의 교의와 프로이트의 정신분석의 결합으로 인간 존재의 신비를 통해 신의 모습을 보고자 했다. 클로델과 주브는 젊은 가톨릭 세대의 스승이었다.

제2차 세계대전이 끝나 전후의 시대를 맞이하게 된 시인들은 각자의 방향을 찾아 다양한 세계를 전개한다. 레지스탕스 운동에 관여한 아라공(1897-1982), 엘뤼아르(1895-1952), 르네 등이 있고 초현실주의 계보에는《아포엠 비시 비어》의 앙리 피셰트(1924-2000), 민속학자인 미셸 레리스(1901-90)가 있다. 보통 20세기의 프랑스 문학의 출발점으로 1913년을 보고 있다. 이 해에 마르셀 프루스트(1871-1922)의《스완의 집 쪽으로》, 알렝 푸르니에(1886-1914)의《위대한 몬느》, 라르보(1881-1957)의《바르나브전집》, 아폴리네르(1880-1918)의《알코올》, 상드라르스(1887-1961)의《시베리아 철도와 프랑스 소녀》(1913),《잔느의 산문》등 새로운 문학 운동의 모태가 되는 작품이 발표되었기 때문이다.

이러한 새로운 기운은 미술계에 있어서는 야수파에 이어 입체파의 시대를 맞이하게 된다. 시에 있어서는 앙드레 살몽(1881-1969), 막스 자콥(1876-1944), 피에르 르베르디(1889-1960)도 중요하다. 이러한 시인들은 비평가 앙드레 비의 말을 빌려 일괄하면《현대파》가 된다.《현대파》란 1900년에서 1905년 사이에 청년기를 맞이하고 상징파의 영향을 받았지만 거기에서 이탈하여 새로운 정신 '에스프리 누보'의 구현자가 된 전위시인들이다. 그 대표가 기욤 아폴리네르이다. 그는 입체주의, 흑인예술, 초현실주의를 내놓아 현대예술의 발전에 지대한 영향을 미친 선구자였다. 앙드레 브르통(1896-1966)은 시집《칼리그람》(1918)의 모험을 찬양하고 미셸 뷔토르(1926-2016)는 시집《창》,《칼리그람》에 나타난 실험적인 유희에 주목했다.

상드라르스도 아시아, 근동, 러시아, 미국 등 전 세계를 방랑하고 아폴리네르와 마찬가지로 불꽃의 이미지에 살아온 격한 전위파이다. 아폴리네르와 더불어 현대시의 창조에 기여한 그의 역할은 대단하다. 아폴리네르의 주위에는 수많은 시인들과 화가들이 끌려 들어왔다. 피카소(1881-1973년)의 《세탁선》*의 시대로 반상징주의 시인과 반인상주의 화가는 '새로운 현실'을 추구하여 서로 영향을 주고받았다. 1920년 파리에 나타난 르베르디는 자신의 시를 '조형적인 시'라고 부르고 입체파 시인의 대표자가 되었다. 아폴리네르와 르베르디는 그룹을 만들었다.

콕도(1889-1963)는 혼자 단독으로 지내면서 시대를 이끌어갔다. 미래파적 형식《희망봉》(1919), 콕도어를 범람시킨 '용어집'의 시인은 현대파의 기수로 꿈과 무의식을 배회하는 초현실주의자이기도 하다. 콕도의 참모습은 파악하기 어렵지만, 그 화려한 배후에 떠도는 고독감이나 허무나 죽음의 이미지를 보아야 한다.

제1차 세계대전 중인 1916년 초에 중립국 스위스에서 다다이즘이 창립되었다. 다다이즘의 정신은 1913년부터 1918년까지 그리 오래 계속되지는 않았으나 젊은 시인들을 강렬하게 자극하였고 초현실주의의 기반이 되었다. 창시자는 루마니아 태생의 유대인 트리스탕 차라와 그를 중심으로 위고 발, 마르셀 양코, 리샤르 휘르젠베크, 장 아르프라는 젊은 시인, 예술가들이다. 이 운동의 목적은 오직 기성의 질서와 미학에 반항하여 반사회적, 반문학적, 반미학적으로 살고 '부정적 대사업'을 완성하는 데 있었다.

문학사적 의미에서의 초현실주의의 출발은 1924년에 발표된 "초현실주의 선언=통상 제1선언"으로 1936년에 제 2선언이 나온다. 이 말을 최초로 쓴 것은 아폴리네르로 발레-《파라드》 공연의 프로그램 지면에 발표된 것이다. 그러나 브르통이 말하는 초현실주의는 그가 말하듯이 네르발(1808-1855)이《불의 딸》(1854)의 헌사에 사용한 "초자연주의"

* 센 강을 오가는 세탁선(Bateau-Lavoir)을 닮았다고 시인 막스 자콥이 명명했다. 1900년대 초 가난한 예술가들이 몽마르트르로 몰려들었다. 다양한 사람들이 모여 사는 무질서한 환경이 오히려 예술가들에게 자유롭고 새로운 예술의 창조력을 키우는 토양이 되었다.

와 유사하다. 그는 "제1선언"에서 초현실주의는 "마음의 순수한 자동현상"이라고 정의 내리고, 그 '반논리', '반이성'의 세계를 '자동기술법'으로 개척했다. 제1시집《자비의 산》(1919)과 필립 수포와의 공저《자장》(1920)은 자동기술의 실험 작품이었다. 1930년경까지 초현실주의는 이론투쟁의 시대였으나 당시 파시즘의 대두 등 정치문제가 얽혀 동란기에 접어들었다.

아라공과 엘뤼아르는 브르통과 헤어져 공산당에 들어가고 잡지《문학》을 창간한 수포는 정치에 비판적 이어서 제명되었다. 브르통은 1935년《초현실주의의 정치적 위기》를 발표하여 공산당과 절연하고 "절대적 자유"와 인간의 전면적 해방을 획득하고자 하는 의지를 강조했다. 인간의 사상의 자유야말로 무엇보다도 지켜야 할 것으로 인간의 사상의 근원을 이루기 때문이다. 초현실주의는 단순히 문학운동일 뿐만 아니라 하나의 사상으로 다른 예술 분야에 자극을 주어 국제적으로 보급되었다. 사드, 네르발, 로트레아몽 등 소로망파의 시인들을 발견하게 된 공헌도 크다. 제2차 세계대전 후 초현실주의의 태평가가 일어나 전후 시인으로 이 운동의 영향을 받지 않은 자는 없다.

### 저항 문학

아라공Louis Aragon, 1897-1982

제1차 세계대전에 군의관으로 출전하였으나, 전후인 1919년 브르통, 수포 등과 함께 전위적인 잡지《문학》을 창간하여 다다이즘운동에 참가하였다. 처녀시집《축화》(1920), 소설《아니세 또는 파노라마》(1921)를 발표하고 브르통이 초현실주의 운동을 시작하자 그에 가담했다. 그는 자기의 사상과 초현실주의 교의와의 모순에 번민하여 1928년 여름에는 자살을 시도할 정도로 절박감을 느끼고 있었다. 그러나 그해 가을에 러시아의 시인 마야콥스키를 만나고 트리올레를 알게 되어 역경에서 벗어날 수 있었다. 그녀와 결혼한 후 1930년 소련으로 가서 공산주의에 빠졌다.

귀국한 후에는 초현실주의에서 빠져나와 좌경작가로 전향하여 평론《사회주의 리얼리즘을 위하여》(1935)를 썼다. 제2차 세계대전 중에는 레지스탕스운동에 참여하고《단장》(1941)《엘자의 눈》(1942)《프랑스의 기상나팔》(1945) 등의 뛰어난 시를 발표했다. 해방 후 프랑스 공산당은 피카소, 엘뤼아르, 아라공과 같은 쟁쟁한 저항작가들을 전형으로 하여 지식인 단체를 구성한다. 엘뤼아르와 아라공은 전후 자유의 선구자가 되었고, 지도력이 뛰어난 아라공은 여러 조직체의 지도자가 되었다. 전후에도《레 코뮈니스트》(1949-51),《성주간》(1958), 소설《파리의 농부》(1926), 평론《문체론》등의 걸작을 썼다.

### 모데르니슴

1920년대 문학의 경향으로 대두되는 모데르니슴은 프랑시스 잠(Francis Jammes, 1886-1938), 샤를 페기 등이 대표가 된다. 이들 이외에도 도시, 공장지대, 비행지 등을 그려낸 상드라르스(Cendras, 1887-1961), 아폴리네르(1880-1919), 라르보 등이 나타나고, 노동자나 산업도시의 역동적인 아름다움을 노래한 에밀 베르하렌(Emil Verhaeren, 1855-1961), 레옹 폴 파르그(Leon Paul Fargue, 1876-1947)와 조아셍 코르비에르(Edouard Joachim Corbière, 1845-75)는 파리와 지방생활 속의 신비로운 초현실성을 노래한다. 쥘 로맹은 위나니미슴을 주장하여 개인은 사회라는 집단 의지의 일부에 불과하다고 말하고 있다. 근대시는 상징주의의 정신과 모데르니슴의 현실성을 종합하여 전체성, 즉 현실초월의 면을 추구해야 한다. 페기는 지상에 보여지는 평범한 외관이 끊임없이 성스러운 우주와 일체가 되어야 한다고 주장하고《잔 다르크》,《에바》등에서 지상의 여러 사건을 신의 섭리와 관련시켜 방향을 제시한다.

아폴리네르Guillaume Apollinaire, 1880-1919

로마 출생. 본명은 빌헬름 아폴리나리스 드 코스트로비츠키. 시인, 소설가, 평론가로 활동했다. 이탈리아 귀족이며 퇴역 장교인 아버지와 폴란드 망명 왕녀인 어머니 사이에서 사생아로 태어나 파란만장한 생을 보냈다. 어린 시절은 주로 모나코에서 지내고 1899년 19세 때 파리로 나와 유럽 여러 곳을 여행하였다. 그의 문학 생활은 이때부터 시작되고 초기 작품에는 여행의 인상과 이국적인 주제가 많이 들어있다. 상징주의 작품에 일찍부터 친숙해 오면서 드레퓌스 사건에 관심을 가졌고, 제2차 세계대전까지 그의 작품의 반복된 주제는 자유로운 생을 향한 의식의 탈출의 시도와 금전에 지배되고 있는 문명사회의 구제 문제였다.

1908년경부터 자콥, 사몽, 피카소, 브라크 등과 친교를 맺고 새로운 예술운동을 시작하여 입체파의 이론적 지도자로 활약한다. 그는 새로운 예술운동의 중심에 자리 잡고 있었고 그의 시는 논리적 색채를 띠고 있다. 자신의 의식의 흐름을 충실히 시에 정착시키기 위해 오토마티즘, 귀속법의 폐지, 칼리그람(Calligrams) 등 일련의 기법상의 혁명을 시도한다.

제1차 세계대전 때 지원병으로 출정했다가 머리에 부상을 입고 귀환했으나 부상의 회복이 순조롭지 않은 와중에 스페인 감기가 원인이 되어 사망했다. 전쟁터에서는 생사를 초월한 아름다운 시를 많이 썼지만 귀환 후에는 심신의 쇠약 탓인지 그리 뛰어난 작품을 남기지는 못했다.

새로운 예술과 정신의 심취자이고 실행자인 아폴리네르는 상징주의와 초현실주의의 중간에서 양자의 징검다리 역할을 완수한 시인, 큐비즘과 초현실주의의 옹호자, 모더니즘 예술의 발족에 큰 영향을 끼친 작가였다. 그가 제시한 문학상의 문제는 오늘날 문제시 되는 것이 많기는 하지만 현대시의 시조로서의 위치를 차지하고 있는 것은 분명하며, 비평가로서의 위치 역시 간과할 수 없다.

1913년 일체의 구두점을 배제한 시집《알코올》(1913)로 당시의 혁신적인 회화를 옹호한 입체파의 화가들에 의해 새로운 시대의 개척자가 되었다. 시집《알코올》은 1898년부터 1913년에 이르는 50편의 시를 모은 것으로 그 내용이 매우 다양하다. 그 외에《동물 시집》(1911),

《칼리그람》(1918)의 대표 시집이 있고, 소설《썩어가는 요술사》(1909), 《이교의 교조와 그의 일파》(1910),《학살당한 시인》(1916)에서는 중세 취미 및 괴기한 취미와 기교적인 화술을 볼 수 있고 희곡으로는《티레지아의 젖가슴》(1918)이 있다. 비평가로서의 위치도 간과할 수 없는데《입체파 화가》(1913)《새로운 정신》(1918) 등에서 시와 예술의 새로운 미래관을 예견하고 있다.

### 다다

제1차 세계대전 중인 1915-16년경부터 1922년경에 걸쳐서 유럽과 미국을 중심으로 일어난 전위예술운동으로 기성 질서, 기성 미학의 전면적인 부정, 파괴를 목표로 전개되었다. 다다란 프랑스어로 어린이들이 타고 노는 목마를 가리키는 말로 '무의미함'을 나타내고 있다.

1916년 2월 독일의 작가 겸 연출가인 H. 발(1886-1927)이 카바레 볼테르를 개점하여 근거지로 활동하기 시작했다. 루마니아의 시인인 T. 차라(1896-1963), 알자스의 화가이며 조각가인 아르프(1886-1966) 등의 망명객이 중심인물이다. 같은 해에 카바레 볼테르에서 시위 집회가 있었고 다음 해에는 피카소, 아르프, 칸딘스키(1866-1944), 키리코(1888-1978) 등의 전람회가 개최되어 기관지《다다》가 창간되고 동지 제3호에 차라의 선언이 게재되었다. '볼테르 운동'은, 시를 읊고 즉흥적으로 노래를 부르던 문학단체에서 전시하의 새로운 윤리관, 정신적인 힘, 철학을 요구하며 반전운동까지 하게 된다. 이 '볼테르 운동'의 정신적 지주인 차라와 장코는 1916년 볼테르에서 "이제는 말할 때다… 동시에 사회의 조직성을 파괴하고 싶다. …새로운 우리의 갈 길은 무의미한 예술을 지향하는 것이 아니고 의미가 결핍된 예술을 지향하는 것이다."라고 말한다. 중립을 선언하고 스위스에 모인 망명자들은 종래의 예술작품이 외적 폭력에 대해 얼마나 무력했는가를 전쟁 체험을 통하여 느끼고 있었다. 잡지《다다》가 발간되고 자유분방한 오브제(objet)와 같은 직접적인 표현도 채택하고, 콜라주와 같은 새로운 기법, 추상시, 음향시가 발표되는 등 이 취리히 다다는 1920년까지 계속되었다.

파리의 다다이즘은 아폴리네르, 사티 등이 이 운동을 대표하고 있었고 자살한 23세의 시인 J. 바셰를 위시해 브르통, 엘뤼아르, 페레, 아라공 등이 참여하고 있었다. 1918년 차라는 파리로 이주하여 브르통 등의 잡지《문학》의 클럽과 합류한다. 파리에 들어온 다다(차라?)는 1920년부터 활발한 운동을 시작하여 각종 시위, 집회, 전람회 등을 개최하고, 잡지《문학》의 지상에《선언》을 발표했으나 1922년 '파리 회의'의 주체 위원회(브르통, 돌로네, 레제 등)에 의해 결렬되고 이후 다다는 쇠락의 길을 걷는다. 엘뤼아르, 아르프, 데세뉴 등은 차라를 옹호하고 브르통 등의 예술지상주의와 대립한다.

다다의 이론적 내용을 개괄하면

1. 의식은 모든 사회에 대한 반항 또는 반대의 표현이기 이전에 새로운 것을 만들기 위한 현상이다.
2. 이들의 운동은 형이상학적 정신적 운동이다
3. 다다는 인간을 바꾸자는 것이므로 세상을 변화시키고자 하는 마르크시즘과는 근본적인 차이가 있다.
4. 상대가 없는 대화, 자문자답의 대화가 다다의 기본이다.
5. 다다의 표현은 인간 자신의 모순을 노출시키는 표현이다.
6. 다다는 과거의 모든 예술에 반발한다.
7. 다다는 반예술인 동시에 반인과관계적 표현이다.
8. 마르셀 뒤샹은 이런 현상을 시대적 인간의 비극이라고 한다.
9. 결론적으로 다다의 창작적 운동의 근간은 "예술의 창작은 모순에서 생긴다. 모순에서 예술의 창작성도 가능하다."이다.

**초현실주의**

프로이트의 정신분석의 영향을 받아, 무의식의 세계 내지는 꿈의 세계의 표현을 지향하는 20세기의 문학, 예술사조로 쉬르레알리슴이라고도 한다. 제1차 세계대전 후 다다의 파괴적 태도에 만족할 수 없었던 브르통, 아라공, 엘뤼아르, 수포, 데스노스(1900-45) 등이《초현실주의 혁명》(1924-29)을 간행함으로써 출발했다. 초현실주의라는 말은 1917년 시인 기욤 아폴리네르에 의해 만들어졌다. 초현실주의가 분명하게 모습을 갖추게 된 것은 1924년 앙드레 브르통의 '쉬르레알리슴 선언'과 기관지 창간 후였고 1925년에는 이 운동의 첫 종합전이 파리에서 개최되었다. 초현실주의 운동은 20세기 프랑스 문학에 큰 변혁을 가져왔다. 이 운동은 꿈이 지니고 있는 다양한 힘을 찬양하고, 자동기술에 대한 깊은 신뢰를 바탕으로, 초현실적 사실의 탐구와 사회생활이 개인에게 강제하는 모든 것을 혁명을 통해 여러 제약과 종교적, 정치적 신화를 타도하고 해방된 개인의 승리를 이루고자 했다.

초현실주의 운동은 문학, 예술에 한정되지 않고 윤리나 종교, 그리고 정치의 면에 있어서도 종래의 관념에 대해 변화와 수정을 가하는 하나의 주의로서 형성되어 1924년 이후의 수년 동안 이 운동의 불길은 최고조에 다다랐다. 이 운동의 실험적인 문학작품으로 혁혁한 성공을 거둔 것은 아라공의《파리의 농민》(1926),《문체론》(1928), 엘뤼아르의《고뇌의 수도》(1926), 브르통의《나자》(1928) 등이다. 이어 새로운 기관지《혁명에 봉사하는 쉬르레알리슴》(1930-33)이 창간되고, 초현실주의와 초합리주의가 일체를 이루는 브르통과 엘뤼아르의 공동작《처녀수태》(1930), 브르통의 대표시집《자유로운 결합》(1931)이 간행되었다. 그러나 초현실주의와 공산주의 이론의 일치를 시도하지만 실패하고 초현실주의는 분열하기 시작한다. 아라공은 1930년 국제 혁명작가회의에서 '적색 선전'을 발표하고 공산당에 대한 무조건적인 복종을 택했기 때문에 초현실주의파에서 제명되고 초현실주의 운동의 위기가 시작되어 분열되고 새로운 정치적 동요기에 들어가게 된다.

1930년대에는 브르통의《새벽》(1934), 엘뤼아르의《민중의 장미》(1934), 위네(1906-74)의《초현실주의 소시선》(1934), 화가인 달리의 논문《비합리의 정복》(1935) 등이 문학, 회화 양면에 있어 새로운 단계로의 진전을 나타내고 있다. 이 무렵부터 1935년 초현실주의는 해외의 국제선전운동으로 나타나, 그 이론은 브르통의《초현실주의의 정치적 위기》(1935)에 집약되었다. 1936년에는 런던에서, 1938년에는 파리에서 브르통, 엘뤼아르가 주축이 되어 '국제 초현실주의 전'이 열리는 동안, 브르통의《광적인 사랑》, 엘뤼아르 시집, 로트레아몽(1846-1870)의《전집》이 출판되는 등 성과를 올렸으나, 브르통은 공산당에 접근하기 시작한 엘뤼아르와 결별한다.

제2차 대전 중에 브르통, 베레, 화가 달리(1904-89) 등은 미국으로 건너가 해외에서 초현실주의의 선전을 계속하였다. 1947년 귀국한 브르통이 파리에서 '국제초현실주의 전'을 열고 공산당과 실존주의자들에 대한 집단 선언서《즉시 결렬》(1947)을 발표하고 1935년의 세계혁명과 생의 개혁의 원칙에 대한 재확인과 새로운 신화창조의 의지를 표명했다. 이 방향에서 전후의 대표적 작품은 브르통의 시집《샤를 푸리에에게 주는 오드》(1947)가 있다. 유파로서의 초현실주의는 이론적인 면에서는 그 역할을 다했다고 볼 수 있으며, 제기된 문제에 대한 해답이 없다 하더라도 미적인 면에서의 영향은 여전히 크다고 할 수 있다.

폴 엘뤼아르Paul Éluard, 1895-1952

젊었을 때 폐병으로 학업을 중단하고 1911-13년 스위스에서 요양생활을 하며 보들레르, 아폴리네르, 휘트먼 등의 시인들에 자극받아 시를 쓰기 시작했다. 1915년 간호병으로 제1차 세계대전에 종군하였으며, 가스중독 사고로 기관지 이상이 생겨 그의 고질병이 된다. 전쟁의 경험에서 얻어진 평화주의적 사상은 최초의 시집《의무와 불안》(1917)에 강하게 나타나 있다. 전후 브르통, 아라공, 수포(1897-1990) 등과 알게 되고 차라의 파리 이주 때는 가장 활동적인 다다 조직자가 되었다. 초현실주의의 대표적인 시인으로, 초현실주의의 원리가 된 꿈과 무의식의 세계 혹은 자동기술법 등에 안주하지 않고 자신만의 독특한 경지를 개척하였다.

1922년의 '파리 회의'에서는 차라를 옹호하고 브르통의《모델뉴스》

에 대립한다. 한편 브르통 등의 잡지《문학》은 분열 이후 재출발하고, 귀국 후 엘뤼아르는 초현실주의 운동의 기관지《초현실주의 혁명》의 창간에 협력한다. 또 브르통과 공저로《무원죄 수태》(1930)를 내어 정신착란이 펼쳐 보이는 새로운 시세계를 실험하기도 했다.

그의 걸작의 하나인《고뇌의 수도》(1926)는 순수한 절망의 아름다움을 표현하고 있다. 이 시기의 작품으로는《지식의 옹호》(1928),《사랑, 시》(1929),《임박한 생》(1932),《민중의 장미》(1934) 등이 있다. 1936년의 스페인 내전을 계기로 그는 인민 전선에 참가하여 레지스탕스로서 활약했고 이때부터 그의 시는 사랑과 자유라는 두 가지 주제로 일관된다.《풍요로운 눈》(1936),《자유로운 손》(1937),《자연스러운 흐름》(1938),《완전한 노래》(1939) 등이 이 시기에 발표된다. 이 전환기의 시에서는 허위에 대한 격렬한 반항의 경향을 보여주고 있는데, 시인은 저항운동에 뛰어들어 1942년에는 공산당에 가입까지 하게 된다. 그의 유명한 시《자유》가 수록된《시와 진실》(1942),《독일군의 주둔지에서》(1944)는 프랑스 저항시의 백미로 알려져 있다. 시작 활동을 하면서도 '작가국민위원회'에 종사하고, 전후에도《끊어지지 않는 시》(1946, 1953),《정치 시편》(1948),《도덕적 교훈》(1949),《불사조》(1952) 등을 썼고, 그의 일생의 시론의 집대성이라 할 수 있는 시극풍의 작품《시의 큰길과 오솔길》(1952) 은 특히 주목받고 있다. 그의 시는 초현실주의의 강한 특징을 보이면서도 어휘는 점차 투명해지고 서정적이고 서민적으로 되어갔다. 그의 시는 오늘날 프랑스에서 가장 널리 읽히고 사랑받는 시가 되었다.

이브 본느푸아Yves Bonnefoy, 1923-2016

리세에서 수학과 철학의 대학입학자격 시험에 합격하고 푸아치에 대학과 소르본대학에서 수학했다. 프랑스 시단에서 가장 주목받고 있는 시인으로 1945-47년까지 초현실주의 시인과 화가들과 교유했다. 그는 실존주의 계통의 철학과 고대 철학을 연구하고 중세 벽화, 이탈리아 미술에도 몰두하고, 그리스에서 미국에 이르는 유물 답사 등 폭넓은 기반에서 얻은 경험을 시에 불어 넣고자 했다. 그는 지금까지의 서양 철학에서 결정적인 오류를 발견하고 죽음을 진지하게 받아들이지 않으면 어떤 사상도 진실일 수 없다고 말한다. 현존하는 사물은 느끼는 순간 사라지므로 말로써 이 순간을 표현하는 것은 불가능하며, 미란 목적이 아니고 현존하는 것으로의 접근 수단이라고 생각한다. 진실이란 정지한 것이 아니고 끊임없이 움직이며 구하는 가운데 주어지는 것으로 램프, 새, 낫을 지탱해 주는 것은 돌이며 그것은 회색빛 혼의 영상이고, 죽음의 입구인 동시에 죽음의 출구이며 가장 확실한 현존이다. 죽음의 돌은 우리를 재생의 길로 안내해 준다. 하나의 돌을 손에 쥔다는 것은 죽음을 만지고 재생을 낳는 행위이다. 그의 세계는 이처럼 돌을 토대로 하여 램프, 밤, 나무, 흙, 낫, 새벽 등과 같은 단순한 어휘들로 이루어져 있다.

시인의 내부에서 끊임없이 작용하는 부활에 대한 의지는 죽음을 앞에 두고 어느 것에도 의지할 수 없는 마지막 거점, 그 반항은 사랑이다. 죽음을 초월하는 길은 정신에 의한 삶뿐이다. 그는 최초의 시집《두브의 운동과 부동》(1953),《글씨 쓰여진 돌》(1953),《제2의 단순성》(1961),《있음직하지 않는 것》 등의 시집을 내놓았다. 그가 계속해서 추구해온 문제는 살고 있는 것들의 현존의 모습에 대한 접근으로써 참된 장소를 찾고자 하는 죽음의 명상이다.《두브의 운동과 부동》은 그의 근원적인 주제를 빈틈없는 구조로 구현하고 있다. 시의 전체 내용을 보면 시인은 한 여인을 사랑했었다. 그 여인은 갑자기 죽어서 매장되었다. 지난날 둘이 사랑했을 때는 거리도 있었고 서로 상처를 입히고 파탄에 이를 것 같은 순간도 있었다. 그러나 그 여인과 죽음으로 이별하게 되자 형이상학으로 그 여인은 미화되고 승화되었다. 한낱 육체와 영혼을 지닌 현실의 여인은 사라지고 시인과 함께 변모하여 투명한 여인으로 소생했다. 죽은 여인을 부재 속에 존재하는 여인으로 관념의 세계에서 현존의 여인으로 본다. 이렇게 부재 속에서 고동처럼 상기되는 것이 창조라고 시인은 말한다. 그러나 모든 것은 필멸이며 이런 것을 명석하게 관(觀)함으로써 죽음에서 삶, 삶에서 죽음으로의 영원한 윤회 속에 접근이 가능하다는 것을 결론적으로 시사하고 있다.

본느푸아는 그 자신이 깊은 관심을 기울인 이탈리아 예술, 낡은 교회의 벽화가 주는 영상에서 빌려온 듯한 천사, 거품, 바다의 이미지를 소재로 등장시켜 근원적인 현존의 움직임을 효과적으로 전달하고 있다. 천사는 신과 인간의 중간적 존재로 인간에게 현존의 암시를 던지는 매개자이다. 그의 또 다른 특수성은 시에 형태를 주기보다는 비전으로서 스스로 작용하도록 하는 방법으로 그 자체로서의 법칙과 투명성을 주어 일반적인 이성의 작용과는 정반대의 몽상을 산출하게 한다. 일종의 부정적 몽상으로서 돌을 들 수 있는데, 돌은 생명이 없고 변형시킬 수도 없지만 전체로서 볼 때는 환각을 불러일으키고 강하게 우리의 마음을 끈다. 돌은 본느푸아가 가장 많이 쓰는 키워드(Mot-clé)이고 그것은 깊은 의미를 내포하고 있다. 시적 상황의 주제인 돌이 외부의 움직임인 바람에 대립하여 밤 속에서 강하게 의식의 시련을 주는 것은 큰 암시를 던지고 있다. 그가 시를 통해 추구하는 문제는 죽음을 받아들이는 것에서 출발하여 살아있는 것들의 현존의 깊은 모습을 드러내고 이것은 불교의 선(禪)의 입장과 궁극적으로 일치하는 눈부신 빛의 접근에 이르는 것이라고 볼 수도 있다. 그는 1958년부터 2007년에 걸쳐 셰익스피어의 많은 작품들을 프랑스어로 번역했다. 1981년 아카데미 프랑세즈 상, 1987 공쿠르 상, 2007년 카프카 상등 수많은 상을 받았다. 본느푸아는 유럽과 미국 등지에서 프랑스 문학을 가르쳤다

### 20세기 중후반의 시

1955년에 프랑스에 귀화한 벨기에의 시인 앙리 미쇼(1898-1984)는 앙드레 지드의 소책자《앙리 미쇼를 발견하다》(1941)에 의해 유명해졌다. 미쇼는 자기는 건강을 위해서 시를 쓴다고 선언하고 악마를 쫓아내는 것이 자기의 할 일이라고 외친다. 한마디로 말하면 미쇼 독자적인 검은 유머를 구사하여 여기에 예속되어 있는 인간의 자유를 구하는 행위

이다.

르네 샤르(1907-88)의 시는 매우 간결하고 일체의 허식을 피해 잠언적인 미학을 지니고 있다. 문장보다 언어에 가깝고 언어보다 행위에 가깝다. 카뮈와 샤르는 부조리 세계에 대한 반항으로 맺어지지만 샤르는 부조리의 외침은 언제나 존재를 분개하고 일어나므로 부조리가 이 세상의 왕이라면 나는 부조리를 택한다고 외친다.

퐁쥬(1899-1988)는 32편의 산문시를 모은 제2시집《사물의 맛》(1942)으로 사물주의의 시인으로 각광을 받았다. 퐁쥬는 오렌지나 빵, 돌과 같은 흔한 사물을 감성을 배제하고 객관적 시각으로 묘사하여 사물의 견고한 존재와 생명을 중시하는 입장에서 시를 생각하고 새로 썼다. 그의 시법은 로브그리에(1922-2008) 등 신소설의 작가들에게 큰 영향을 주었다. 시에 대해서 별로 언급하지 않은 사르트르(1905-80)도《인간과 사물》을 써 그의 휴머니즘에 대해서 언급했다. 르네 샤르나 미쇼를 이은 세대의 시인들은 20년대의 시인들이다.

리세트도 초현실주의 계의 '비시非詩'의 시인이다. 르네 샤르(1907-88)와 쟈크 뒤팽(1927-2012)에 있어서 시는 물질의 견고함을 꿰뚫고 솟는 빛이다. 그와 동년배인 메쇼니크도 언어학자로 현대 시법의 탐구자이다. 그러나 20년대의 시인들은 이미 숙련기에 들었으므로 참신하고 야심적인 시인들은 30대와 40대의 태생들이다.《텔 켈》파의 드니 로셰(1937-2015) 그리고 40대 태생의 시인으로는 모하메드, 카일, 크리스티앙, 브리장이 있다.

오늘날의 시인들이 프랑스 시의 미래에 어떠한 성과를 가지고 올지는 예상할 수 없다. 다만 그들은 새로운 언어와 그 존재 양식을 제시하게 될 것이다. 특히 다극화 한 현대에선 "시의 요점은 그 내용이나 음률, 형식이 아니고 그 언어작용 속에 있고 그 자체가 목적이 되고 독자적 창조가 되리라고 가에탕 피콩(1915-76)은 말하고 있다.

# 프랑스 시 연표

| 서력 | 시인명 작품명 | 세계사 프랑스 문학사 |
|---|---|---|
| 800 | | |
| | | 814 샤를마뉴 서로마 황제 |
| | | 842 《스트라스부르 선서》 |
| 880경 | 《성녀 욀라리의 독송》 | |
| | | 893 알프레드 대왕 |
| | | 《앵글로 색슨 연대기》 |
| 900경 | | |
| | 《성 레제전》 | 987 유그 카페 즉위 |
| 1000 | | |
| | | 1005 서유럽 대기근 |
| 1065경 | 《롤랑의 노래》 | |
| | | 1066 노르만인 영국정복 |
| 1080경 | 《기욤의 노래》 | |
| | | 1098 제1회 십자군 |
| | | 1099 예루살렘 점령 |
| 1100 | 기욤 9세의 작품 | |
| | | 1163 노트르담 대성당 착공 |
| 1165경 | 《트루아 이야기》 | |
| | 크레티엥 드 트루아 《에릭과 에니드》 | 1167 카타리파 남 프랑스에 침입 |
| 1170 | | 1170 파리 대학 성립 |
| 1173 | | 1173 리옹 중심에 와르드 파 퍼짐 |
| 1175경 | 《여우 이야기》 초기편 | |
| | 마리 드 프랑스 《단시》 | |
| 1180경 | 크레티앙 《짐마차의 기사》 | |
| | 이뱅 《페르스발 이야기》 | |
| 1191 | 베룰 《트리스탄 이야기》 | |

1194 샤트르 성당 착공

1195경 장 보델 《성 니콜라 극》

1200 《오카셍과 니콜레트》

1208 아르비 십자군

1218 고티에 드 코엥시 《성모 기적극》

1230 뤼트뵈프의 초기작품

1234 기욤 드 로리스 《장미 이야기》

1240 《3인의 사자와 산자의 대화》

1243 파리의 성 샤펠 (~48)

1260경 뤼트뵈프 《테오필의 기적》

1274 토마스 아퀴나스 《신학대전》

1280경 《플라멩카 이야기》

1282 아담 드라 아르 《로빈과 마리옹의 극》

1300

1310 제르베 뒤 뷔스 《포벨 이야기》

1313 단테 《신곡》

1339 백년전쟁

1348 페스트 유행

1349 보카치오 《데카메론》

1364 기욤 드 마쇼 《진리의 이야기》

1392 외스타슈 데샹 《시문에의 길》

1399 크리스틴 드 피장 《사랑의 신 서간》

1400

1400 《결혼의 12가지 즐거움》

1420 장미 이야기 논쟁

1429 크리스틴 드 피장 《잔 다르크에 대한 노래》

1431 잔 다르크 화형

1439 구텐베르크 성서

1453 동로마제국 멸망

1461 비용 《유언》

1478 장 몰리네 《처녀의 난파선》

1492 콜럼버스 신대륙 발견

1494 이탈리아 전쟁

1498 바스코다가마 인도 항로 발견

| | | | |
|---|---|---|---|
| 1500 | | | |
| | | 1503 | 레오나르도 다 빈치 《모나리자》 |
| 1511 | 르메르 드 벨쥬 《녹색을 사랑하는 남자》 | 1511 | 에라스므스 《우신예찬》 |
| | | 1516 | 토마스 모아 《유토피아》 |
| | | 1517 | 마르틴 루터 《95개 조의 결의》 |
| 1532 | 클레망 마로 《클레망의 젊은 날》 | 1532 | 마키아벨리 《군주론》 |
| 1541 | 마로 《불역 시편》 | 1541 | 칼빈 《기독교 강령》 |
| 1544 | 모리스 세브 《델리》 | | |
| | | 1546 | 라블레 《제3의 서 팡타그뤼엘》 |
| 1549 | 뒤 벨리 《올리브》 | | |
| | 롱사르《오드집》 | | |
| 1552 | 롱사르 《연애시집》 | | |
| 1553 | 조델 《포로가 된 클레오파트라》 | | |
| 1555 | 라베 《작품집》 | | |
| | 롱사르 《속 연애시집》 | | |
| 1558 | 뒤 베레 《애석시집》 | | |
| | | 1559 | 마르그리트 드 나발 《에프타메롱》 |
| 1572 | 페로 《목인시집》 | 1572 | 성 바르테르미의 대학살 |
| | 롱사르 《라 프랑시아드》 | | |
| 1573 | 데포르트 《초기 작품집》 | | |
| 1578 | 사르 《엘렌의 소네》 | | |
| 1598 | 파스라 《사티르 메니페》 | | |
| | 샤시녜 《인생 경멸과 죽음에 대한 위로》 | | |
| 1600 | | | |
| 1601 | 말레르브 《오드》 | | |
| | | 1604 | 동인도회사 |
| | | | 세르반테스 《동키호테》 |
| 1608 | 레니에 《초기작품집》 | | |
| | | 1615 | 룩상부르 궁전 건설 |
| 1616 | 도비녜 《비창곡》 | | |
| | | 1618 | 30년 전쟁 |
| 1621 | 비오 《작품집》 | | |
| | | 1624 | 리슐리유 - 재상이 됨 |
| | | 1627 | 신교도 반발 |

| | | |
|---|---|---|
| | | 1631 베르사이유 착공 |
| | | 1637 데카르트 《방법론》 |
| 1638 | 트리스탄 레르미트 《트리스탄의 연인들》 | |
| | | 1643 루이 14세 즉위<br>마젤란 재상이 되다 |
| 1646 | 메나르 《시집》 | |
| | | 1648 프롱드 란 |
| 1653 | 스카롱 《변장한 비르길리우스》 | |
| 1656 | 시라도 드 베르쥬락 《작품집》 | |
| | | 1660 영국 왕정복고 |
| | | 1661 루이14세 친정 (푸케 실각) |
| | | 1664 몰리에르 《타르튀프》 |
| | | 1665 라 로슈푸코 《잠언집》 |
| | | 1666 몰리에르 《인간 혐오》 |
| 1667 | 라퐁텐 《우화》 | 1667 라신 《앙드로마크》 |
| | | 1670 파스칼 《팡세》 |
| 1674 | 부왈로 《시학》 | |
| | | 1677 스피노자 《에치카》<br>라신 《페드라》 |
| | | 1682 궁전 베르사이유로 옮김 |
| 1687 | 페로 《루이대왕의 시대》 | 1687 신구논쟁 |
| 1700 | | |
| | | 1704 아라비안 나이트 불역 |
| 1712 | 루소 《오드 집》 | |
| | | 1715 르 사쥬 《질 브라스》<br>루이14세 사망 |
| | | 1721 몽테스큐 《페르샤인의 편지》 |
| 1728 | 볼테르 《앙리아드》 | |
| | | 1730 마리보 《사랑과 우연의 희롱》 |
| | | 1731 프레보 《마농 레스코》 |
| 1734 | 그레세 《베르베르》, 《살아있는 보면대》, | 1734 볼테르 《철학 서간》 |
| 1739 | 《즉석설교》, 《승원》 | |
| 1742 | 루소 《샤르메트의 과수원》<br>르 프랑 《B.J. 루소의 죽음을 위한 오드》 | |
| | | 1748 몽테스큐 《법의 정신》 |
| | | 1750 루소 《학문예술론》 |

| | | |
|---|---|---|
| 1751 | 드 퐁피냥 《성 시집》 | 1751 디드로 《백과사전》 |
| | | 1753 루소 《인간불평등 기원론》 |
| 1755 | 바데 《생선장수의 4개의 꽃다발》, 《부러진 파이프》 | 1756 7년 전쟁 |
| 1758 | 말피아트르 《여러 유성 중의 항성 태양》 | |
| 1759 | 생 랑베르 《사라지는 시 집》 | 1759 볼테르 《캉디드》 |
| | | 1761 루소 《누벨 엘로이즈》 |
| | | 1762 디드로 《라모의 조카》 |
| 1775 | 질베르 《18세기》 | 1775 보마르셰 《세빌리아의 이발사》 |
| 1778 | 파르니 《연애시집》 | |
| | | 1782 라크로 《위험한 관계》 |
| 1785 | 피이스 《프랑스 시의 모방적 조화》 | |
| 1789 | 생 쥐스트 《오르강》 | 1789 프랑스 대혁명 |
| 1792 | 플로리안 《우화》 | |
| 1794 | 셰니에 《출정의 노래》 | |
| | | 1795 사드 《규방의 철학》 |
| 1799 | 파르니 《신들의 싸움》 | |
| 1800 | 드 릴 《전원인》 | 1800 스탈부인 《문학론》 |
| | | 1801 샤토브리앙 《아탈라》 |
| | | 1802 샤토브리앙 《르네》 |
| | | 1804 나폴레옹 황제 됨 |
| 1805 | 바르니 《실낙원》 | |
| 1806 | 셰니에 《볼테르 서간》 | |
| 1809 | 드 릴 《자연의 3 영역》 | |
| | | 1810 스탈부인 《독일론》 |
| | | 1814 나폴레옹 퇴위 |
| 1815 | 베랑제 《샹송》 | 1815 나폴레옹 센트 루이스섬 유배 |
| | | 1816 콘스탕 《아돌프》 |
| 1819 | 셰니에 《앙드레 셰니에 작품집》<br>데보르드 발모르 《엘레지와 로망스》 | |
| 1820 | 데보르드 발모르 《포에지》<br>라마르틴 《명상시집》 | |
| 1822 | 위고 《오드와 여러 시》<br>비니 《시집》 | 1822 스탕달 《연애론》 |

| | | | |
|---|---|---|---|
| 1823 | 라마르틴《속 명상시집》 | | |
| 1824 | 비니《엘로아 또는 천사의 누이》 | | |
| 1826 | 비니《고대, 근대시집》 | | |
| | 위고《오드와 발라드》 | 1827 | 스탕달 아르망스 |
| | | 1828 | 셍트-뵈브《16세기 시가 및 역극의 역사적 비평적 전망》 |
| 1829 | 위고《동방시집》 | | |
| | 생트-뵈브《조제프 델로르므의 인생, | 1830 | 위고《에르나니》/ 7월 혁명 |
| 1830 | 시, 사상》 | | |
| 1831 | 고티에《초기시집》 | 1831 | 발작《상어가죽》 |
| | 위고《가을의 나뭇잎》 | 1834 | 발작《고리오 영감》 |
| 1835 | 뮈세《5월의 노래》 | | |
| | | 1836 | 뮈세《세기아의 고백》 |
| 1838 | 포르느레《시도 산문도 아닌 수증기》 | | 발작《골짜기의 백합》 |
| | | 1839 | 스탕달《파르므의 승원》 |
| 1842 | 베르트랑《밤의 갸스파르》 | | |
| | | 1844 | 뒤마 패르《삼총사》 |
| | | | 《몬테 크리스트 백작》 |
| 1845 | 고티에《에스파냐》 | 1845 | 메리메《칼멘》 |
| | | 1848 | 뒤마 피스《춘희》 |
| | | | 2월 혁명 |
| | | 1851 | 런던 제1회 만국박람회 |
| 1852 | 르콩트 드 릴《고대시집》 | 1852 | 루이 나폴레옹 제2제정 |
| | 뒤퐁《노래와 샹송》 | | |
| 1853 | 위고《징벌시집》 | | |
| 1854 | 네르발《환상시집》 | | |
| 1857 | 보들레르《악의 꽃》 | 1857 | 플로베르《보바리 부인》 |
| 1859 | 위고《제 세기의 전설》 | 1859 | 샹프레리《사실주의 선언》 |
| | 빌리에 드 릴 아담《초기시집》 | | |
| 1862 | 르콩트 드 릴《야만시집》 | 1862 | 위고《레 미제라블》 |
| 1865 | 쉴리 프리돔《스탕스와 시》 | 1865 | 베르나르《실험의학 서설》 |
| 1866 | 베를렌《토성인의 노래》 | | |
| 1868 | 로트레아몽《말도로르의 노래》 | | |
| 1869 | 베를렌《화려한 연회》 | 1869 | 플로베르《감정교육》 |
| | | 1870 | 보불전쟁 |
| 1871 | 말라르메《에로디아드》 | 1871 | 《현대 고답시집》(제2차) |
| | | | 파리 코뮌 |

| | | | |
|---|---|---|---|
| | | | 졸라 《르공 마카르 총서》 |
| 1873 | 랭보 《지옥의 계절》 | | |
| | | 1874 | 제1차 인상파전 |
| 1875 | 미스트랄 《황금의 섬》 | 1880 | 졸라 《실험소설론》 |
| 1881 | 베를렌 《예지》 | 1881 | 모파상 《기름덩어리》 |
| 1886 | 랭보 《일뤼미나시옹》 | | |
| 1889 | 메테르링크 《온실》 | 1889 | 파리 만국박람회 |
| | | 1894 | 랑송 《불문학사》 |
| 1895 | 클로델 《동방소관》 | | |
| 1900 | | | |
| 1901 | 구르몽 《시몬》 | | |
| 1904 | 로맹 《인간의 마음》 | | |
| | | 1907 | 베르그송 《창조적 진화》 |
| 1908 | 라르보 《어느 유복한 아마추어의 시》 | | |
| 1910 | 누보 《위밀리스의 시》 | | |
| 1911 | 파르그 《탕크레드》 | | |
| | 아폴리네르 《동물시집 또는 오르체의 행열》 | | |
| 1913 | 아폴리네르 《알코올》 | 1913 | 프루스트 《잃어버린 시간을 되찾아서》 |
| | | 1914 | 제2차 세계대전 |
| 1917 | 발레리 《젊은 파르크》 | 1917 | 러시아 혁명 |
| 1918 | 엘뤼아르 《평화를 위한 시편》 | 1918 | 짜라 《다다선언》 |
| 1919 | 쟈콥 《타르튀프의 옹호》 | 1919 | 베르사이유 조약 |
| 1920 | 아라공 《축하의 불》 | 1920 | 국제연맹 성립 |
| | 라디게 《타오르는 뺨》 | | |
| 1921 | 쟈콥 《중앙실험실》 | | |
| | | 1922 | 마르탱 뒤 가르 《티보가의 사람들》 |
| 1942 | 생 존 페르스 《망명》 | 1942 | 카뮈《이방인》 |
| | 엘뤼아르 《시와 진실》 | | |
| | 크노 《눈물에 젖은 안경》 | 1943 | 사르트르 《존재와 무》 |
| | 쥬네 《사형수》 | 1944 | 연합군 노르망디 상륙 |
| 1945 | 미쇼 《시련, 악마 쫓기》 | 1945 | 국제연합 성립 |
| 1946 | 프레베르 《말》 | 1946 | 베트남 전쟁 |
| | 에마뉘엘 《자유는 우리들의 발걸음을 | | |

| | | | |
|---|---|---|---|
| | 이끈다》 | | |
| 1947 | 토마《부재의 세계》 | | |
| 1948 | 보스케《나의 혹성의 추억에 비추어서》 | | |
| | 루 베르디《죽은 자의 노래》 | 1949 | 보브와르《제 2의 성》 |
| 1950 | 사비티에《태양의 축제》 | 1950 | 이오네스코《대머리 여가수》 |
| 1952 | 르나르《우화》 | | |
| 1953 | 본느푸아《두브의 움직임과 정지》 | 1953 | 사뮈엘 베케트《고도를 기다리며》 |
| | | 1954 | 알제리아 전쟁 / |
| 1955 | 그로장《예언자》 | | 사강《슬픔이여 안녕》 |
| | | 1956 | 뷰토르《시간표》 / 사로트《불신의 시대》 |
| | | | 헝가리 사건 |
| 1957 | 보스케《첫 유언》 | 1957 | 로브그리에《질투》 |
| | | | 바슐라르《공간의 시학》 |
| 1958 | 본느푸와《어제는 황야를 지배하며》 | 1958 | 드골 대통령 취임 |
| 1960 | 드기《토지등기부의 단편》 | 1960 | '텔 켈' 창간 |
| 1961 | 세바티에《군주의 신분》 | | |
| | | 1962 | 레비스트로스《야성의 사고》 |
| | | 1964 | 사르트르 노벨상 사퇴 |
| | | 1966 | 중국 문화혁명 |
| 1967 | 느뵈《어두운 큰 불》 | | |
| 1968 | 레다《아멘》 | 1968 | 파리 5월 혁명 |
| 1973 | 르포《31개의 큐브》 | 1973 | 피카소 사망 / 노트르담 평화협정 |
| 1975 | 레다《때를 돌아서》 | | |
| 1979 | 뒤 블레《끈》, 《비논리》 | 1979 | 이란혁명 |

# 책에서 가려 뽑은, 영혼을 뒤흔드는 매혹적인 시구들

오직 혼자, 오직 혼자 있고 싶다.
오직 혼자, 남편도 사라지고,
오직 혼자, 친구도 주인도 없이
오직 혼자, 슬프고 외롭게
오직 혼자, 여러 생각에 신음하며
오직 혼자, 여느 여자보다도 버림받은 체
오직 혼자, 혼자 있다.
• *크리스틴 드 피장*

나는 잘 안다 우유 속의 파리를,
나는 안다 입은 옷을 보고 인간을
나는 안다 좋은 날씨와 나쁜 날씨를
나는 안다 사과나무를 보면 사과를 안다,
나는 안다 수액을 보면 그 나무 이름을
나는 안다 다 같은 것이라면
나는 안다 일하는 자가 게으른가 아닌가를
나는 전부 다 안다 나의 일만 빼고는
• *프랑수아 비용*

언제 나는 다시 볼 수 있을까, 아아! 내 작은 마을의
굴뚝에서 연기가 솟아오르는 것을, 그리고 어느 계절에
나는 다시 볼 수 있을까, 나에게 하나의 왕국이며
가장 귀한 내 가난한 집의 정원을?
• *조아생 뒤 벨레*

나는 오히려 변하기 쉬운 바다를 생각할 것이다
꽃이 없는 아름다운 봄을, 수확물 없는 8월을,
눈이 없는, 얼음이 없는 겨울 추위를,
그리고 신중하게 믿을 수 있는 가난한 바보를.
• *마르크 파피용 드 라스프리스*

시대의 부인들이여,
요즈음은 애인이 너무나 많다.
누구나 애인으로 넘치고,
금년은 좋은 해이다.

태양이 접근하여,
이 세상을 더욱 뜨겁게 만든다.
사랑이 지배하고, 피는 끓어오르고,
금년은 좋은 해이다.
• *뱅상 부와튀르*

님이여 세월은 갑니다. 세월은 갑니다
아니 세월이 아니라 가는 것은 우리,
그리고 곧 묘비 아래 묻히겠지요

우리가 속삭이는 사랑도
죽은 뒤엔 이미 새롭지 않겠지요
그러니 날 사랑해주오 그대 아름다운 동안
• *피에르 드 롱사르*

이 세상에 태어나서 나에게 어떤 즐거움이 있었나?
이 둥근 땅덩이 위에 나보다 더 불쌍한 인생이 있을까?
식량도 떨어지고 쉴 틈이라고는 전혀 없다.
마누라와 자식들, 병사들과 세금,
빚쟁이와 부역,
나야말로 불행한 인간의 본보기가 아닌가.
나무꾼은 죽음의 신을 부른다. 죽음의 신이 지체 없이 와서,
그에게 무얼 해줄까 묻는다.
"할 일이란" 나무꾼은 말한다 "나에게
이 짐을 다시 지도록 도와주고, 얼른 물러가시오"
죽음은 모든 것을 치유해 준다.
그러나 우리가 있는 곳에서 움직이지 말자.
죽기보다는 괴로워하는 것이 훨씬 낫지,
이것이 인간들의 좌우명이다.
• *장 드 라 퐁텐*

그는 아무것도 되려고 하지 않았고
그리고 아무것도 아니게 살았다. 그건 분명히 좋은 일이었다.
왜냐하면, 결국, 무언가 되려는 건 정말 미친 짓이다,
무에서 태어나 무로 돌아가는데,
이승에서 무언가 되어 돌아가려는 놈은!
• *알렉시스 피롱*

"오 시간이여, 날기를 멈춰라, 그리고 너 행복한 시간이여,
그대의 흐름을 멈춰라!
맛보게 하여다오 쏜살같은 행복을
우리들의 일생 중 가장 아름다운 날들의!

"너무나 많은 이 세상의 불행한 사람들은 네게 기도하나니,
흘러가거라, 흘러가거라, 그들을 위해서,
앗아가거라, 시간과 함께 그들을 먹어치우는 근심 걱정도,
잊어버려다오, 행복한 사람일랑,
• *알퐁스 드 라마르틴*

너의 눈은 너무나도 심오하여 내가 물을 마시려 몸을 숙이면서
나는 보았다, 모든 태양빛이 거기에 자기의 모습을 비춰보고
모든 절망한 사람들이 죽으려고 거기에 몸을 던지는 것을
너의 눈은 너무나도 심오하여 나는 거기서 나의 기억을 잃어버린다.
• *루이 아라공*

옆구리엔 여전히 칼 밑까지 박혀 있는 단검들 때문에
제 피로 흥건한 풀밭 위에서 이리는 못 박힌 듯 꼼짝하지 못한다.
음산한 초승달처럼 우리들의 총구가 그를 둘러쌌다.
입가에 번진 피를 핥으면서 이리가 다시 한 번
우리를 쳐다보더니, 바닥에 다시 엎드린다.
그리고 자신이 어쩌다가 죽게 되었는지 알려고도 않고,
큰 눈을 감으며, 비명 소리 한 번 내지 않고, 죽어간다.
• *알프레드 드 비니*

아무것도 없다. 나의 갈증과 나 밖에. 끔찍한 침묵!
극도의 침묵 속에 나의 숨소리와 심장의 고동 소리만 들린다.
괴로움에 짓눌려 고개를 숙일 뿐인 나,

신이여! 적막한 사막 속에 들어간 인간이란 얼마나 가련한가,
신이여! 불행한 바람에 휘감긴 인간이란 얼마나 무력한가.
신을 모독하고, 저항하고, 울어라, 너는 절망한다,
너무 잔인하고 너무 짧은 황금의 꿈이 깰 때…
내 운명은 그런 거지, 더 나쁠 수도 있다.
떠나면서 나는 늙은 아버지를 무덤으로 밀었다.
부를 원했지만, 죽음을 껴안는다.
• *패트뤼스 보렐*

외양간의 부정한 바람은
동에서, 서에서, 남에서, 북에서 불어온다.
더 이상 행복한 사람들의 식탁에 앉을 수 없다.
이미 죽었기 때문에.

허리가 아름다운 왕녀들은
그들의 가장 감미로운 보물을 내놓는다.
그러나 사람들은 사막으로 가버린다
잊혀지고, 무시당한다, 완전히.

• *샤를 크로*

내가 할 수 있는 일은 다 했다, 봉사해 왔고, 밤을 새웠다,
남들이 내 슬픔을 비웃는 것도 보아왔다.
남달리 많이 고통받고 적잖이 일했지만,
놀랍게도 원한의 대상이 되기도 하였다.

날개도 펼 수 없는 이 지상의 도형장
불평도 없이 피를 흘리며 두 손으로 넘어진 채
서글프게 기진하여 죄수들의 비웃음을 사며
나는 영원한 쇠사슬의 고리를 끌고 왔다.

• *빅토르 위고*

모든 것은 지나간다. 오직
확고한 예술만이 영원하다.
흉상은
도시에서 살아남는다.

그리고 농부가 땅 속에서
발견하는 위엄 있는
메달은
드러낸다 황제를.

신들마저 죽어간다.
그러나 최고의 시는
남아있다
청동보다 더 강하게.

• *테오필 고티에*

너는 아는가, 나뭇잎들의 가짜 포로여,
이 앙상한 철책을 갉아먹는 만이여,
나의 감은 눈 위에, 눈부신 비밀들이여,
어떤 육체가 그의 게으른 종말로 나를 끌어당기는가를,
어떤 이마가 이 뼈가 드러난 땅으로 그것을 이끄는가를?
한 가닥 불꽃이 그곳에서 나의 사자들을 생각한다.

• *폴 발레리*

이곳이 루의 왕의 과수원이다.
이 교수형 당한 자들, 악마는 소식을 듣고
더 많이 매달 것을 요구한다.
반면 하늘에는, 푸른 하늘이 펼쳐지고,
유성이 빛나는 것 같이,
이슬이 대기로 사라지고,
새 떼가 몰려와
그들의 머리 위에서 쪼고 있다.
여기는 루의 왕의 과수원이다.
• *테오도르 드 방빌*

그것은 죽음이다, 아아! 우리를 위로하고 살게 하는 것은,
그것이 인생의 목표, 그리고 유일한 희망이다
그것은 묘약처럼, 우리의 기분을 좋게 하고 취하게 한다,
그리고 우리에게 저녁까지 걷게 하는 용기를 준다,

그것은 신의 영광이며, 신비의 창고이다,
그것은 가난한 자의 지갑이고 옛 고향이다,
그것은 미지의 천국을 향해 열려진 문이다.
• *샤를 보들레르*

그것은 베일 뒤의 아름다운 눈,
그것은 정오의 떨고 있는 밝은 빛,
그것은 서늘한 가을 하늘에
맑은 별들의 파랗게 흩어져 있는 빛

우리는 뉘앙스를 원하기 때문이니,
색채가 아니라, 오직 뉘앙스만을!
오! 뉘앙스만이 결합시킨다
꿈과 꿈을, 플루트와 뿔피리를!
• *폴 베를렌*

열일곱 살이 되면, 착실하기만 할 수는 없다.
어느 맑은 저녁 맥주와 레모네이드,
휘황찬란한 샹들리에와 떠들썩한 카페에는 구역질 나서
푸른 보리수나무 아래 산책길을 걷는다.

그날 저녁… 당신은 휘황찬란한 카페에 돌아간다,
맥주나 레모네이드를 주문한다…
당신은 착실하기만 할 수는 없다. 열일곱 살이 되면
산책로에 푸른 보리수나무가 있을 즈음이면,
• *아르튀르 랭보*

취해서, 그는 살았다, 성유의 공포도,
탕약도, 시계도와 강요된 침대의 두려움을 잊고,
기침도, 그리고 저녁이 기와들 사이로 피를 흘릴 때
그의 눈은, 빛으로 가득 찬 지평선에서

나는 달아나고 나는 모든 유리창에 매달린다.
사람들이 삶에 등을 돌리는, 그리고, 축복받은,
그리하여 영원한 이슬에 씻긴 그들의 유리 속에서
무한히 순결한 아침을 금빛으로 물들이는

• *스테판 말라르메*

성숙한 여자 혹은 젊은 여자,
나는 모든 종류의 여자들을 스쳐보았다.
쉬운 여자들, 어려운 여자들
여기 내가 가져온 의견이 있다.

그 무엇도 그녀들을 잡지 못하고, 화나게 하지 못한다.
그녀들은 원한다. 아름다움을 발견하기를,
그 말을 헐떡이며 또 되풀이해 말하기를,
또 그녀들을 그렇게 사용해 주기를.

• *쥘 라포르그*

저기, 묘지 깊숙이, 그가 누워 있다,
네가 그를 사랑한 만큼 여전히 너를 사랑하는.
낡은 작은 집이여, 먼지로 된 모자에,
네가 그를 사랑한 만큼 여전히 너를 사랑하는,
이제는 없는, 너무나 보고 싶은, 결코 돌아오지 않을.
• *네레 보슈맹*

며칠 후엔 눈이 오리라. 나는 회상한다
지나간 해를. 난로 구석에서 나의 슬픔을 회상한다.
누군가 내게 물어 왔다면, 무슨 일이세요?
나는 말했을 거다. 내버려 두세요, 아무 일도 아니에요.
• *프랑시스 잠*

쇼팽이여, 한숨과 눈물과 흐느낌의 바다여
한 무리의 나비 떼 멈추지도 않고 건너간다.
슬픔 위에 놀고 또 파도 위를 춤추며.
꿈꾸고, 사랑하고, 괴로워하고, 고함치고, 진정시키고, 매혹하거나 달래준다.
• *마르셀 프루스트*

그때였다, 오 밤이여, 네가 온 것은.

오 모든 딸 중에서 귀한 나의 딸이여, 그리고 나는 그것을 아직도 보고 있다, 그리고 그것을 나의 영원 속에서 보리라.

그때였다, 오 밤이여, 네가 온 것은, 그리고 커다란 수의 속에 너는 매장되었다.

백부장과 그의 로마 부하들,
성모와 성스러운 여자들,
그리고 이 산과 이 골짜기, 그 위로 저녁이 내려왔다,
그리고 나의 이스라엘 백성과 죄인들 그리고 함께 죽어가고 있던 자,
그들을 위해 죽었다

• *샤를 페기*

추억 속에서 죽기라도 한 것처럼
여인들의 목소리로 비가 내린다

뉘우침과 서러움이 옛 노래로 흐를진대
이 빗소리 들어라

• *기욤 아폴리네르*

버림받은 여자보다
세상에 의지가지 없는 여자.

세상에 의지가지 없는 여자보다
쫓겨난 여자.

쫓겨난 여자보다
죽은 여자.

죽은 여자보다
잊혀진 여자
• *마리 로랑생*

이것이 인간의 뜨거운 법칙이다
포도로 포도주를 만들고
석탄으로 불을 피우고
입맞춤으로 인간을 만든다

이것이 인간의 냉혹한 법칙이다
망가지지 않고 자신을 지켜내는
전쟁과 비참함에도 불구하고
죽음의 위험에도 불구하고
• *폴 엘뤼아르*

나의 아내는 황금 골짜기의 목을
급류의 한 침대에서 만나는
밤의 젖가슴을
나의 아내는 바다의 작은 언덕의 젖가슴을
나의 아내는 루비 도가니의 젖가슴을
이슬 아래서 장미의 유령 같은 젖가슴을
나의 아내는 나날이 부채를 펼치는 것 같은 복부를
거대한 발톱 같은 복부를
나의 아내는 수직으로 나는 새의 등을
수은의 등을
빛의 등을
굴린 돌과 젖은 분필의 목덜미를
그리고 마셔버린 술잔 안에 떨어지는
나의 아내는 곤돌라의 허리를
• *앙드레 브르통*

그녀의 팔은 아무 무게도 없다
그 팔을 물처럼 팔을 만난다.
시들은 것이 그녀 앞에서 사라진다.
남아 있는 건 다만 그녀의 눈
우리 들판에는 키 큰 아름다운 풀들, 키 큰 아름다운 꽃들이 자란다.
• *앙리 미쇼*

여인들 중 가장 창백한 여인
날씨는 청명하다, 굶어죽은 풍경의
이 땅의 물의 꼭대기 위에
날씨는 청명하다, 교회로 변한
예기치 못한 녹색 곡마단 위에
날씨가 청명하다, 비참하고 갈아엎은 고원 위에
왜냐하면 당신이 아주 죽었기 때문에
• *피에르 장 주브*

십만 살에도, 너를 기다리는 힘이 여전히 있으리라
오, 희망을 예견하는 내일이여.
시간, 수많은 상처로 얼룩진 이 노인도
신음소리를 낼 것이다. 아침은 새롭고, 새로운 건 저녁이라고.
• *로베르 데스노스*

당신, 당신은 나를 사랑했고, 나는 당신을 사랑했어요.
그리고 우리 둘 모두 함께 살았죠.
나를 사랑했던 당신, 당신을 사랑했던 나.
그러나 인생은 사랑했던 두 사람을 갈라놓아요,
너무나 조용히, 소리도 없이.
그리고 바다는 모래 위에 남겨진
헤어진 연인들의 발자국들을 지워요.
• *자크 프레베르*

물을 마시러 오는 겁이 많은 노루들
그리고 숲의 꼭대기에서 울어대는 까마귀들.
나는 생각했다. 나는 9월의 어린이라고,
나야말로, 마음, 정열, 정신을 통해,
그리고 내 모든 사지의 불타는 육욕으로,
그리고 야생의 밤에 달리고 싶었다
숨 막히는 방을 떠나서,
• *파트리스 드 라 투르 뒤 팽*

왜 푸른가 영원은?
여전히 닫혀진
오 괴로운 말할 수 없는 고사리여 ……
자기 내부에서 나무들의 첫 잎사귀가
우는 것을 느끼지 못하는 자는
영원을 모른다.
• *피에르 에마뉘엘*

# 참고문헌

Bonnefoy, Claude, *La poésie française des origines à nos jours, Antologie*, Editions du Seuil, 1975.

Castex et Surer, *Manuel des études littéraires françaises, moyen age*, Hachette, 1967

Castex et Surer, *Manuel des études littéraires françaises, XVIe Siècle*, Hachette, 1966

Castex et Surer, *Manuel des études littéraires françaises, XVIIe siècle*, Hachette, 1967

Castex et Surer, *Manuel des études littéraires françaises, XVIIIe siècle*, Hachette, 1995

Castex et Surer, *Manuel des études littéraires françaises, XIXe siècle*, Hachette,1967

Castex et Surer *Manuel des études littéraires françaises, XXe siècle*, Hachette,1967

Jarrety, Michel, *La Poésie française du Moyen Age jusqu'à nos jours*. P.U.F., 1997

Maulinier, Thierry, *Introduction à La Poèsie Française*, Gallimard, 1940

Montal, Robert, *Introduction à la poésie française, Style et langage*, Sodi, 1970

Plattard, Jean, *La Renaissance des lettres en France, de Louis XII à Henri IV*, Armand Colin,1972

Roger, Jacques et Jean-Charles, *Histoire de La Littérature Française. Tome I, Du Moyen-Âge À La Fin Du XVIIe Siècle*, Armand Colin, 1969

Roger, Jaques, *Histoire de la Littérature française, Tome II, Du XVIIIe Siècle à nos jours*, Armand Colin, 1970.

Rousselot, Jean, *Histoire de la poésie française(des origine à 1940)*, P.U.F.,

1976
Sabatier, Robert, *Histoire de la poésie française: Tome 1, La poésie du Moyen Age*, Albin Michel, 1975
Sabatier, Robert, *Histoire de la poésie française: Tome 2, La poésie du XVIe siècle* Albin Michel, 1975
Sabatier, Robert, *Histoire de la poésie française: Tome 3, La poésie du XVIIe siècle* Albin Michel, 1975
Sabatier, Robert, *Histoire de la poésie française: Tome 4, La poésie du XVIIIe siècle*. Albin Michel, 1975
Sabatier, Robert, *Histoire de la poésie française: Tome 5, La poésie du XIXe siècle Volume1, Les romantismes*, Albin Michel, 1977
Sabatier, Robert, *Histoire de la poésie française: Tome 5, La poésie du XIXe siècle* Volume 2, Naissance de la poésie moderne, Albin Michel, 1977
Sabatier, Robert, *Histoire de la poésie française: Tome 6, La poésie du XXe siècle*, Volume1. Tradition et évolution, Albin Michel, 1982
Sabatier, Robert, *Histoire de la poésie française: Tome 6, La poésie du XXe siècle*, Volume2 Revolutions et Conquêtes, Albin Michel, 1982
Sabatier, Robert, *Histoire de la poésie française: Tome 6, La poésie du XXe siècle* Volume3. Métamorphoses et modernité. Albin Michel, 1982
Saulnier, V.-L., *La littérature française du moyen âge*, Que sais-je? P.U.F., 1975.
Saulnier, V.-L., *La littérature française du siècle de la Renaissance*, P.U.F., 1943.
Saulnier, V.-L., *La littérature française du siècle classique*, P.U.F., 1975.
Saulnier, V.-L., *La littérature française du siècle philosophique*, P.U.F., 1980.
Saulnier, V.-L., *La littérature française du siècle romantique*, P.U.F., 1955.
랑송 G / 튀프로 P, 랑송 불문학사 상, 정기수 옮김, 을유문화사, 1983.
랑송 G / 튀프로 P, 랑송 불문학사 하, 정기수 옮김, 을유문화사, 1983.
민희식, 프랑스 문학사 1, 큰글, 2012
민희식, 프랑스 문학사 2, 큰글, 2012
민희식, 프랑스 문학사 3, 큰글, 2012

# 신 프랑스 명시선

중세 서정시에서 현대시까지

**1판 1쇄 인쇄** | 2019년 8월 26일
**1판 1쇄 발행** | 2019년 8월 29일

**지은이** | 민희식·손무영
**펴낸이** | 홍행숙
**펴낸곳** | 문학의문학

**등록** | 제25100-2015-000070호(2014년 2월 6일)
**주소** | 서울시 마포구 토정로 222 한국출판콘텐츠센터 4층 422호
**대표전화** | (02) 722-3588
**팩스** | (02) 722-3587

ISBN 979-11-87433-13-2 (03860)